INIMAGINABLE

INIMAGINABLE

Toutes les réponses aux questions insolites
et amusantes que vous vous posez

Sélection
READER'S DIGEST

INIMAGINABLE

publié par Sélection du Reader's Digest, est l'adaptation française
de *Imponderables* © 2008 Reader's Digest

Version française réalisée par
DUO publishing

Traduction
Valérie Carreno et Florence Ludi

Correction et relecture
Florence Morel et Eric Marson

Consultants techniques
Bernard Rousselot, Fabio Morini,
Stéphanie Jaunet, Eric Marson

SÉLECTION DU READER'S DIGEST

Direction éditoriale Éric Jouan

Directrice éditoriale adjointe
Elizabeth Glachant

Direction artistique
Dominique Charliat

Responsable du projet
José-Antoine Cilleros,
Agnès Saint-Laurent

Maquette Françoise Boismal

Couverture Andrée Payette

Lecture-correction
Béatrice Argentier-Le Squer,
Catherine Decayeux,
Emmanuelle Dunoyer

Fabrication Marie-Pierre de Clinchamp,
Caroline Lhomme

Prépresse Philippe Pétour

Nous remercions également tous ceux qui
ont participé à cet ouvrage

Illustrateurs
Elwood Smith, Jean-Pierre Lamerand

PREMIÈRE ÉDITION

© 2009 Sélection du Reader's Digest, SA,
5 à 7, avenue Louis-Pasteur, 92220 Bagneux
Site Internet : www.selectionclic.com

© 2009, Sélection du Reader's Digest (Canada), SRI,
1100, boulevard René-Lévesque Ouest, Montréal,
Québec H3B 5H5

ISBN 978-1-55475-027-6

Pour obtenir notre catalogue ou des renseignements
sur les autres produits de Sélection du Reader's Digest
(24 heures sur 24), composez le 1 800 465-0780

Vous pouvez également nous rendre visite sur notre
site Internet à www.selection.ca

Imprimé en Chine par LeoPaper
09 10 11 12 13 / 5 4 3 2 1

Préface

Ne vous êtes-vous jamais demandé pourquoi les chiens mangaient
debout et les chats assis, si les serpents pouvaient ou non éternuer
et pourquoi diable la peau du visage n'avait jamais la chair de poule ?
Certes, il est possible de continuer à vivre sereinement sans trouver
la réponse à ces questions, mais il se peut aussi que ces petits mystères
de tous les jours vous trottent si obstinément dans la tête que vous
ne pourrez trouver de repos avant d'avoir le fin mot de l'histoire.
C'est ce qui s'est passé pour les concepteurs de cet ouvrage : ne pouvant
se résoudre à accepter la réalité quotidienne telle qu'elle est, ils veulent
obstinément y trouver des raisons et, pour cela, ils ont pris la curieuse
et derangeante manie de poser à tout le monde, tout le temps et à propos
de n'importe quoi, l'insupportable et irritante question : « Pourquoi ? »
Et, là, les difficultés commencent : où chercher ? Vers qui se tourner ?
Bien souvent, les ouvrages scientifiques ne mentionnent même pas
ces questions : essayez, cher lecteur, d'y trouver pourquoi les chats
n'aiment pas nager ou pourquoi nous fermons les yeux lorsque nous
éternuons... Pas facile ! Alors nous avons pris le parti d'interroger
les hommes de l'art, des experts de tout poil qui vont des officiers
de police aux dessinateurs d'ours en peluche en passant par
des neurologues et les plus grands spécialistes des pirates.
Grâce à leur obligeance, nous avons pu répondre de façon
satisfaisante à bon nombre de ces colles. Et la réponse est
souvent plus simple et plus intéressante qu'on ne le croit.
Dans notre quête pour résoudre ces énigmes du quotidien,
nous avons dû faire un constat amer : impossible d'en venir
à bout. À peine l'une d'elles est-elle résolue que deux autres
pointent leur vilain nez. C'est sans fin ! Mais chaque nouveau
petit mystère est un défi à relever... Et nous pensons en fin
de compte que vous arriverez à la même conclusion que nous :
tant qu'on est curieux, on ne s'ennuie pas !

Bonne lecture !

Notre corps est une machine bien étrange et déroutante. Pourquoi est-ce que cela fait si mal quand on se coupe avec une feuille de papier ? Pourquoi la peau du visage n'a-t-elle jamais la chair de poule ? Pourquoi avons-nous des démangeaisons ? Pourquoi la chaleur nous donne-t-elle sommeil durant la journée et nous empêche-t-elle de dormir la nuit ? Restez bien assis, car les réponses sont souvent encore plus bizarres que les questions…

notre corps

Pourquoi beaucoup d'aveugles portent-ils des lunettes noires ?

Chaque année, l'Institut Braille, aux États-Unis, publie une liste des dix questions les plus étranges qui lui ont été posées, parmi lesquelles, par exemple : « Les bébés aveugles sourient-ils ? » Nous sommes heureux de vous annoncer que c'est notre rédaction qui avait posé la question n° 9 de la liste parue en 1993.

Dans sa réponse, l'Institut Braille soulignait que la plupart des personnes officiellement considérées comme aveugles ne le sont pas à 100 % :

> La cécité proprement dite n'est pas forcément totale. En effet, plus de 75 % des aveugles disposent d'une vision résiduelle. La cécité est certes une absence de vision, mais pas toujours une absence de perception de la lumière.

Les malvoyants sont même souvent fort sensibles à la lumière vive, et donc sujets aux éblouissements. Ils se protègent alors grâce à des lunettes de soleil qui réduisent la quantité de lumière sur leur rétine.

Certains aveugles dont les yeux ont un aspect anormal en portent, eux, pour des raisons esthétiques. En réalité, de moins en moins de non-voyants ont recours aux lunettes noires, mais on leur associe cet accessoire à cause d'aveugles célèbres, comme Ray Charles, Gilbert Montagné ou Stevie Wonder.

Qui a inventé l'échelle de lecture commençant par un E, et pourquoi ?

C'est Hermann Snellen, un professeur d'ophtalmologie néerlandais, qui a conçu en 1862 ce que l'on appelle aujourd'hui le « E de Snellen ». En fait, son premier modèle comportait un A, mais celui-ci fut remplacé par un E.

Snellen avait succédé, au poste de directeur de l'Hôpital néerlandais des malades des yeux, au docteur Frans Cornelis Donders, qui était le plus grand spécialiste mondial de l'optique géométrique. Snellen cherchait à concevoir un test standardisé qui permettrait de diagnostiquer l'acuité visuelle en déterminant la taille minimale d'un objet que l'œil peut percevoir encore dans le détail.

Les formules compliquées de Donders étaient fondées sur trois lignes parallèles. Or la lettre de l'alphabet la plus proche de ce modèle était le E majuscule. Les branches horizontales du E sont séparées par deux espaces de largeur identique. Dans l'échelle originale de Snellen, le E était aussi haut que large, et ses barres étaient de la même épaisseur et de la même longueur que les espaces les séparant (dans certaines échelles de lecture modernes, la barre du milieu est plus courte que les deux autres).

La spécialiste que nous avons interrogée nous a expliqué que, contrairement à des lettres ouvertes comme le L ou le U, le E exige de l'observateur qu'il distingue le noir et le blanc, ce qui est un des principaux critères d'une bonne vision. En effet, quelqu'un ne pouvant effectuer cette distinction prendra le E pour un B, un F, un P, etc.

Bien sûr, Snellen ne pouvait pas réaliser une échelle composée uniquement de E, sinon tous les patients auraient eu 10/10. Mais il comprit qu'il était néanmoins important de répéter les lettres plusieurs fois, pour garantir que les erreurs de lecture étaient bien dues à un défaut d'acuité visuelle et non à la difficulté de déchiffrage induite par une série de lettres. Selon un professeur d'optométrie consulté à ce propos, le fait de choisir des lettres plus ou moins difficiles n'est pas très important. La plupart des échelles de lecture n'affichent que dix lettres différentes, dont certaines parmi les plus reconnaissables.

De nos jours, si les échelles de lecture commençant par un E sont légion, il y en a également beaucoup qui débutent par un autre élément — ce qui est techniquement tout à fait justifiable. C'est probablement la volonté de standardisation des sociétés produisant les échelles de lecture qui explique cette prépondérance des modèles commençant par le fameux E.

Et c'est très bien comme ça, car il est bon de savoir que, même si notre vision est très faible, nous pourrons toujours lire au moins la première ligne !

Qu'est-ce qui provoque « les mouches volantes » qui dansent parfois devant nos yeux ?

La partie la plus profonde de l'œil est une cavité emplie d'un corps gélatineux appelé l'humeur vitrée. Les « mouches » sont en fait de petites taches de protéine, de pigment, ou des résidus embryonnaires enfermés dans la cavité oculaire lors de la formation de l'œil, qui se trouvent en suspension dans l'humeur vitrée.

Si les « mouches » semblent flotter devant nos yeux, c'est parce que ces taches semi-transparentes ne sont visibles que lorsqu'elles se trouvent dans notre champ de vision. Ces taches sont présentes de temps à autre dans l'humeur vitrée sans que nous nous en rendions compte. En effet, l'œil est en mesure de s'adapter à certaines imperfections — n'importe quel porteur de lunettes dont les verres ne sont pas toujours propres vous le confirmera. Et il est plus fréquent de voir des « mouches » lorsqu'on regarde quelque chose d'uni : un tableau noir, un mur nu ou le ciel.

Si cela vous arrive, que devez-vous faire ? La plupart du temps, les taches occasionnelles ne présentent aucun danger, bien qu'il arrive qu'elles soient un signe avant-coureur d'une lésion de la rétine. En général, une méthode toute simple suffit pour vous en débarrasser. Voici ce que nous ont conseillé des ophtalmologistes distingués :

> Lorsqu'une « mouche » apparaît dans le champ de vision, le mieux à faire est de rouler des yeux. Cela occasionne un mouvement circulaire de l'humeur vitrée, permettant de déplacer la tache plus efficacement qu'avec des mouvements de va-et-vient.

La raison pour laquelle il est difficile de fixer une « mouche », bien que l'on ait conscience de sa présence, est liée à sa présence à l'intérieur même de l'œil : elle se déplace avec lui et semble disparaître dès que l'on essaie de la regarder.

Pourquoi nos yeux sont-ils douloureux quand nous sommes fatigués ?

Les gens qui passent leur vie affalés dans leur canapé sont plus actifs que l'on ne pense ! En effet, qu'ils soient plongés dans une bande dessinée ou qu'ils étudient l'impact de la violence télévisuelle sur l'enfant en regardant des dessins animés de Bugs Bunny, ils entraînent en fait un des organes les plus actifs de notre corps.

Nos yeux possèdent trois groupes de muscles.

- Les muscles extra-oculaires, au nombre de six, sont fixés à chaque globe oculaire et nous permettent de les tourner dans toutes les directions. Ces muscles doivent coordonner leurs mouvements, afin que nos yeux regardent dans la même direction au même moment.
- Les sphincters de l'iris et quelques autres muscles dilatent et rétractent les pupilles, définissant la quantité de lumière pouvant pénétrer dans l'œil.

• Les muscles ciliaires sont reliés au cristallin, lentille optique située à l'intérieur de l'œil. Lorsque ces muscles se contractent ou se détendent, ils changent la forme du cristallin, modifiant ainsi son focus.

Quand nous lisons avec concentration, ou travaillons sur quelque chose placé près de nos yeux, nous soumettons ces groupes de muscles à un entraînement aussi ardu qu'une séance d'aérobic. Hélas, comme pour tout programme sportif, on n'a rien sans rien... et il faut passer par la case douleur pour obtenir un résultat.

L'œil humain est conçu de telle sorte que, s'il est parfaitement conformé, n'importe quel objet distant formera une image claire sur la rétine placée au fond de l'œil, sans qu'aucun muscle ne soit mobilisé. Pour voir nettement les objets proches, il faut par contre faire travailler chaque groupe de muscles : les muscles extra-oculaires tournent les yeux vers l'intérieur, les sphincters font rétrécir les pupilles, et les muscles ciliaires se contractent, modifiant la forme du cristallin afin qu'il produise une image nette.

Cela dit, il n'existe pas d'œil humain parfaitement conformé, et les imperfections inhérentes à chaque œil augmentent l'effort nécessaire à une bonne vision. Par exemple, les muscles ciliaires des hypermétropes doivent fournir un effort supérieur à la normale. Beaucoup de personnes souffrent également de déséquilibres au niveau des muscles extra-oculaires, ce qui les oblige à travailler plus. Lire quand il fait trop sombre ou trop clair demande par ailleurs plus de travail de la part du sphincter et des muscles dilatateurs. Et à partir d'environ 40 ans, nous subissons tous un durcissement du cristallin qui exige un effort accru de la part des muscles ciliaires.

Et de même qu'effectuer cent pompes de suite risque de faire mal aux bras, ces efforts supplémentaires sont la cause de nos douleurs oculaires. Si on y ajoute la fatigue causée à l'ensemble de nos muscles par plusieurs heures de travail, il est facile de comprendre que notre seuil de tolérance à la douleur soit alors moins élevé que quand nous sommes frais et dispos.

En réalité, une grande partie de la fatigue oculaire attribuée aux efforts est due à la sécheresse. En effet, lorsque notre énergie décroît, nous clignons moins des paupières, et nos yeux sont alors moins bien humidifiés. Un travail de précision ralentit également le rythme des battements de paupières. Des spécialistes ont montré que c'était notamment le cas des personnes travaillant sur ordinateur. C'est pourquoi il est recommandé de faire une pause loin de l'écran une fois par heure en moyenne. Alors que nous savons généralement nous accorder du repos après avoir effectué quelques pompes, c'est un véritable marathon que nous imposons quotidiennement à nos yeux...

Qu'est-ce qui provoque les cernes et les poches sous les yeux ?

Voici une énumération des causes de ce phénomène, par ordre de fréquence décroissante.

1 L'hérédité. Eh oui, ce n'est pas votre nuit agitée qui vous fait ce matin des yeux de panda. C'est un héritage que vous ont transmis vos parents et vos grands-parents.

2 La rétention d'eau. La peau des paupières est quatre fois plus fine que celle du reste de notre corps. Or l'eau a tendance à s'accumuler dans les zones les plus délicates. Qu'est-ce qui occasionne la rétention d'eau ? Parmi les coupables, dénonçons : les drogues, les problèmes rénaux ou hépatiques, la surconsommation de sel et, très souvent, les allergies. Ce sont les produits cosmétiques — surtout le mascara et l'eyeliner — qui fournissent le plus de travail aux dermatologues et aux allergologues.

3 Le vieillissement. La peau du visage s'affaisse avec le temps, notamment autour des yeux. L'âge est plus souvent responsable des poches sous les yeux que le manque de sommeil ou la fatigue.

4 Trop de sourires et de grimaces. Les mimiques ne provoquent pas seulement des pattes-d'oie, mais également des poches sous les yeux.

Enfin, voici une explication qui, pour peu fascinante qu'elle soit, n'en reste pas moins pertinente : les cernes sont souvent dus aux ombres créées par un éclairage venant d'en haut... Aussi, pour les éviter, préservez-vous des lumières zénithales.

Dans quelle direction nos yeux regardent-ils lorsque nous dormons ?

Généralement vers le haut. En effet, nos muscles oculaires se relâchant, nos yeux tendent naturellement à rouler vers le haut. C'est ce qu'on appelle le phénomène de Bell. Cela n'est pas valable pour les phases de sommeil paradoxal, où les yeux sont en mouvement.

Pourquoi voyons-nous des étoiles lorsque nous nous cognons la tête ?

Vous voulez voir des étoiles ? Dans ce cas, nous vous recommandons de vous rendre à la campagne par nuit claire, dans un endroit sans lumière artificielle, et de regarder le ciel. C'est un spectacle splendide — et de surcroît gratuit.

Mais si regarder le ciel est une activité trop calme à votre goût, libre à vous de vous taper la tête contre quelque chose de dur. D'ailleurs, ça ne coûte rien non plus — à l'exception des honoraires du médecin. Le problème avec cette méthode, c'est qu'elle est moins fiable que la première conseillée, ou qu'une visite à l'observatoire. Parfois ça marche, et parfois non. Et puis, il y a le petit problème des maux de tête dus au choc... Nous avons consulté plusieurs neuro-ophtalmologistes pour savoir si l'apparition d'« étoiles » était due à une lésion neurologique ou à un problème cérébral. S'ils ne sont pas d'accord à 100 %, la plupart sont néanmoins d'avis qu'en général le phénomène est d'origine oculaire.

Lorsque nous nous cognons la tête, l'humeur vitrée, ce corps gélatineux et transparent qui emplit le globe oculaire, est agitée par le choc, et fait à son tour bouger la rétine, à laquelle elle adhère. Or c'est celle-ci qui capte les informations concernant la lumière et les couleurs, puis les transmet au cerveau. L'agitation de la rétine envoie donc à ce dernier le signal « étoiles », de même que, lorsqu'on se coince la peau, le cerveau reçoit un signal de douleur.

Un professeur d'ophtalmologie nous explique pourquoi le fait de bousculer ainsi la rétine ne se traduit pas, lui, par un signal de douleur :

La déformation mécanique de la rétine ne provoque pas de sensation de douleur, car cet organe ne dispose pas de fibres qui la transmettent. Par contre, elle déclenche probablement une vague de dépolarisation, c'est-à-dire un changement dans la charge électrique des couches photoréceptrices de la rétine. La déformation mécanique a en somme le même effet sur la rétine que la lumière. Autrement dit, elle envoie un signal au nerf optique et donc au cerveau visuel (constitué du lobe occipital et d'autres zones dites « aires associatives », impliqués dans le traitement de l'image), et ce signal est interprété sous forme de points lumineux, de taches, d'éclairs, etc.

Si vous souhaitez faire voir des étoiles à quelqu'un, le plus simple est sans doute de lui faire regarder un dessin animé de Tex Avery, où les personnages passent leur temps à se faire assommer. Mais les sportifs, les victimes d'accidents ou d'agressions qui subissent une commotion cérébrale (provoquée par le fait que le cerveau heurte l'intérieur de la boîte crânienne) voient souvent, eux aussi, les fameuses étoiles. Une étude a montré que, parmi les sportifs ayant subi un choc à la tête, le traumatisme avait provoqué chez 30 % d'entre eux environ des phénomènes lumineux ou des couleurs inhabituels. Il arrive également que les épileptiques voient des étoiles durant ou après une crise.

Conclusion : si un choc à la tête peut vous faire voir trente-six chandelles, la différence entre vous et Bugs Bunny est que vous risquez fort de vous retrouver aux urgences !

Qu'est-ce qu'une fossette ? Et pourquoi certaines personnes en ont-elles et d'autres pas ?

Fossette est le terme générique utilisé pour désigner des creux formés par la peau. Ces creux apparaissent là où des fibres musculaires sont reliées au derme — c'est le cas notamment pour les joues ou le menton — ou bien là où la peau est rattachée à un os par des ligaments — au niveau des coudes, des épaules ou du dos.

Les fossettes se forment plus facilement aux endroits où la peau est très étroitement fixée à un os. Selon un professeur d'anatomie, elles seraient dues à un défaut dans le développement du tissu reliant la peau à l'os. Ainsi, ces fossettes dont nous avons toujours rêvé ne seraient en fait qu'une erreur de la nature ! Il semble, par ailleurs, qu'elles se transmettent par voie héréditaire. Monsieur Kirk Douglas, c'est donc très certainement à vos parents que vous devez votre célèbre menton !

À quoi servent les dents de sagesse ?

Elles servent surtout à enrichir les dentistes payés pour les extraire ! Sinon, elles sont généralement considérées comme étant inutiles pour l'être humain moderne. Mais comme la nature n'a pas l'habitude de nous doter de détails anatomiques ne servant à rien, nous avons effectué quelques recherches qui confirment indiscutablement cette théorie.

À la préhistoire, nos ancêtres mangeaient des viandes si dures qu'en comparaison une semelle de chaussure ferait figure de bouillie. À l'époque, les molaires du fond de la bouche — que l'on nomme aujourd'hui dents de sagesse – les aidaient donc à mastiquer.

Au cours de l'évolution, nos cerveaux ont gagné en volume et nos visages se sont à la fois aplatis et allongés. Vers l'époque où les hommes primitifs commencèrent à se tenir debout, d'autres changements s'opérèrent dans la structure de leur face : la mâchoire proéminente se raccourcit peu à peu, et les dents de sagesse finirent par ne plus avoir la place nécessaire. C'est pourquoi, aujourd'hui, on extrait ces dents devenues gênantes pour la plupart d'entre nous.

À quoi sert le petit creux qui se trouve au milieu de notre lèvre supérieure ?

Vous serez sans doute ravi d'apprendre que ce petit sillon est absolument inutile. Voici ce que nous a dit un expert :

> Le creux situé au centre de notre lèvre supérieure est l'un des « raphés » (un raphé est une ligne saillante ayant l'aspect d'une couture et qui correspond à l'entrecroisement de fibres de deux parties anatomiques symétriques) qui se forment au stade

embryonnaire, lors de l'élaboration des tissus de deux structures anatomiques symétriques.

Il n'a pas plus de fonction que les autres raphés du corps humain – que l'on trouve sur la face supérieure de la langue, sous la pointe du menton, sur la ligne médiane du palais, ainsi qu'en plusieurs endroits de la zone génitale, tant chez les hommes que chez les femmes.

Le terme anatomique désignant le raphé de la lèvre supérieure est philtrum. Ce mot est dérivé du grec *philter*, qui signifie « philtre d'amour ». À vous de trouver le rapport !

Pourquoi nombre de personnes âgées, notamment celles qui n'ont plus de dents, semblent-elles sans cesse mâchonner quelque chose ?

Nous avons à ce propos consulté trois dentistes spécialisés en gériatrie. Tous trois ont estimé que l'on rencontrait cette particularité presque uniquement chez les personnes édentées. Cependant, il peut aussi arriver que certains tranquillisants ou antidépresseurs appartenant au groupe des phénothiazines aient un effet secondaire, que l'on nomme dyskinésie tardive, entraînant une incapacité à contrôler certains mouvements. Ceux-ci peuvent concerner le nez, la bouche et les mâchoires.

Selon l'un des spécialistes, le mouvement de mâchonnement serait une réponse neuromusculaire à la perte des dents. Autrement dit, la cavité buccale tenterait de rétablir un certain équilibre. En effet, les personnes concernées ne parviennent plus à positionner correctement leurs mâchoires l'une par rapport à l'autre, alors que lorsque notre denture est complète, chaque dent sert de butoir et maintient les mâchoires en place.

Bien sûr, la majorité des gens remédient à la perte de leurs dents en portant des prothèses. Et la plupart s'y adaptent fort bien. Cependant, comme nous l'a fait remarquer un dentiste, de nombreuses personnes âgées ne sont plus en mesure de porter des prothèses dentaires en raison d'une diminution trop importante de leur masse osseuse :

Ces personnes peuvent fermer la bouche plus complètement que s'il leur restait des dents. C'est pourquoi leur nez se rapproche de leur menton. Et comme leur cerveau n'enregistre pas la « position de repos » normale (dans laquelle 2 à 3 mm séparent les dents du haut de celles du bas – qu'elles soient naturelles ou non), leurs mâchoires sont en permanence à la recherche de cette position.

Il est également fréquent que ces personnes portant une prothèse dentaire aient la sensation que celle-ci « ne va pas ». Et cette gêne les conduit, elle aussi, à « mâchonner de l'air » :

Quand vous avez des objets en main, vous ne pouvez généralement pas vous empêcher de les manipuler d'une façon ou d'une autre... Par exemple, lorsque nous tenons un stylo, nous jouons avec machinalement. C'est peut-être le même principe qui conduit les personnes portant une prothèse dentaire à déplacer inconsciemment cet « objet » inutilisé se trouvant au contact de leur corps.

Un de mes grands-oncles laisse tomber ses dents du haut quand il parle, puis il les remet en place – cela déconcerte beaucoup ses proches !

Je sais également que certains patients ne supportent leurs prothèses que lorsqu'ils mangent, car quand ils ne s'en servent pas pour mâcher, ils ne parviennent pas à les oublier.

Un professeur de médecine dentaire est, lui, d'avis que c'est souvent la langue qui est responsable des mouvements en question :

Les personnes âgées font fréquemment ce mouvement de mâchonnement quand elles ont perdu leurs dents inférieures, car lorsqu'elle n'est plus retenue dans l'espace précédemment délimité par l'arc dentaire, leur langue s'allonge. Ce qui apparaît comme un mouvement de mastication est donc en réalité une tentative inconsciente de trouver une place où loger à nouveau leur langue.

La dernière fois que nous nous sommes rendus chez le Dr Klein, dentiste officiel de notre rédaction, nous lui avons demandé d'éclaircir ce mystère pendant qu'il s'attaquait à nos molaires (et que nous méditions sur la possibilité de faire passer ses honoraires en frais de recherche...). À notre grand soulagement, le Dr Klein se rangea aux théories présentées ci-dessus, auxquelles il en ajouta néanmoins d'autres — dont des problèmes neurologiques rares, ou des dents rabotées au point d'empêcher les deux maxillaires de s'emboîter confortablement.

Il évoqua également le fait que de nombreuses personnes âgées souffrent de sécheresse buccale en raison d'une salivation déficiente, ce qui peut expliquer les mouvements en question.

Et pour finir, il nous annonça... que nous n'avions pas de caries !

Pourquoi, dans certains pays, faut-il mettre le thermomètre sous la langue ? Ne suffirait-il pas de le poser sur la langue et de fermer la bouche ?

Quand on voit un enfant se tortiller désespérément pour garder un thermomètre sous la langue, il est assez naturel de se demander pourquoi les médecins veulent toujours que nous prenions notre température aux endroits les plus malaisés.

En fait, il n'est pas absolument indispensable de prendre la température sous la langue, ni dans le rectum. L'objectif est de déterminer la « température centrale », c'est-à-dire celle de l'intérieur du corps.

Or les parties du corps à température centrale les plus accessibles sont le rectum et la langue. Il arrive que l'on prenne la température sous l'aisselle, mais celle-ci, plus exposée à l'air ambiant, indique généralement un degré inférieur. Bien sûr, comme le savent tous les écoliers, le fait d'absorber une boisson chaude fait monter notre température. Mais en dehors de ce genre d'astuce, le dessous de la langue, doté de nombreux vaisseaux sanguins, fournit une indication presque aussi exacte que le rectum — et c'est un endroit nettement moins désagréable à solliciter.

Cela dit, quels sont les avantages du dessous de la langue vis-à-vis du dessus ?

1 La précision. Placer le thermomètre sous la langue l'isole des influences de l'air et de la nourriture. En effet, la circulation d'air ferait évaporer l'humidité présente dans la cavité buccale et sur le thermomètre, et ainsi chuter la température. De plus, les thermomètres à alcool donnent des résultats plus exacts lorsqu'ils sont en contact direct avec le liquide ou le solide dont ils doivent mesurer la température.

2 La rapidité. Riches en vaisseaux sanguins, les tissus présents sous la langue sont beaucoup plus adaptés à la mesure de la température que, par exemple, la peau relativement épaisse et peu vascularisée d'une aisselle car,

en enveloppant étroitement le bout du thermomètre, ils favorisent le transfert de température, accélérant ainsi la rapidité de la mesure.

3 **Le confort.** Que vous le croyez ou non, il serait encore plus inconfortable de poser le thermomètre sur la langue. En effet, au lieu d'être maintenu en place par la langue, il irait frotter contre la dure paroi du palais, ce qui serait douloureux.

Mais il est vrai que cette dernière méthode permettrait également de mesurer notre température, à condition de ne pas avoir, peu avant, respiré par la bouche, mangé ou bu.

Les techniques employées varient d'un pays ou d'une culture à l'autre. Ainsi, en France, la température rectale est-elle préférée à la température buccale. Dans d'autres régions du monde, on a tendance à placer le thermomètre sous les aisselles. Mais les thermomètres modernes et numériques mettent tout le monde d'accord : la température est prise dans le creux de l'oreille.

Pourquoi la voix est-elle plus aiguë que d'ordinaire lorsque l'on a inspiré de l'hélium ?

Avez-vous déjà fait cette expérience ? Suite à de nombreuses questions de lecteurs sur la raison de cette modification, nous avons contacté différents chimistes et physiciens. Leurs réponses étant unanimes, en voici une qui les résume toutes :

> Le son est la sensation produite lors de la stimulation des organes de l'ouïe par des vibrations propagées par l'air, ou par tout autre milieu. Un son de fréquence faible est perçu comme grave, un son de fréquence élevée comme aigu. Or la fréquence d'un son dépend de la densité du milieu diffusant les vibrations : moins le milieu est dense, plus la fréquence est élevée et plus le son est aigu.

La densité d'un gaz est directement proportionnelle à son poids moléculaire (PM, exprimé en g/mol). L'hélium (4 g/mol) ayant une densité très inférieure à celle de l'air, qui est composé de 78 % d'azote (28 g/mol) et d'environ 20 % d'oxygène (32 g/mol), les cordes vocales vibrent beaucoup plus vite, donc à une fréquence plus élevée, dans l'hélium que dans l'air, ce qui fait que nous percevons la voix comme plus aiguë. L'effet est plus net sur les voix d'hommes, puisqu'elles sont en moyenne plus graves que celles des femmes.

Au contraire, la tessiture de la voix peut être rendue plus grave par l'inhalation d'un des gaz nobles (ou inertes) dont la masse moléculaire est supérieure à celle de l'air.

Précision : on utilise des mélanges de gaz contenant de l'hélium pour traiter l'asthme et certaines autres affections respiratoires bénignes. En effet, un malade ayant du mal à respirer aura moins de difficultés avec ces mélanges qu'avec l'air ambiant, car ses muscles devront fournir un effort moins important.

Pourquoi le fait d'avoir un cheveu dans la bouche provoque-t-il la nausée ?

Ilona, la patronne de notre bistrot favori, nous a récemment soumis ce problème brûlant :

Comment se fait-il que nous soyons capables d'avaler sans difficulté toutes sortes d'aliments, en prenant parfois des bouchées énormes, alors que le fait d'avoir un seul cheveu dans la bouche nous donne envie de vomir ? Je crois que même un morceau de fourrure ne nous rendrait pas aussi malades.

Nous avons transmis sa question à nos experts dentaires, habitués qu'ils sont aux patients ayant mal au cœur (parfois avant même qu'on leur ait présenté la note...). Tout d'abord, ils ont souligné combien notre bouche était sensible. Quelques explications détaillées à ce sujet :

Pourquoi les femmes ont-elles généralement une voix plus aigüe que les hommes ? Et pourquoi a-t-on généralement une voix plus aigüe si l'on est petit que si l'on est grand ?

Un professeur d'université, spécialiste de la voix, nous a répondu : la fréquence, ou le son, de la voix est directement liée à la longueur et à l'épaisseur des cordes vocales de chaque individu. Or, les cordes vocales mesurent en moyenne 18 mm de long pour un homme et 10 mm pour une femme. Et une personne de grande taille possède habituellement des cordes vocales plus longues qu'une personne plus petite appartenant au même sexe.

La bouche est la partie la plus sensible de notre corps, et ce notamment chez le nourrisson et l'enfant. Les bébés utilisent leur bouche pour se nourrir (ils tètent), pour se sentir bien (ils sucent leur pouce), pour le plaisir (ils explorent leur bouche avec les doigts), et pour appréhender le monde (ils mettent les objets dans leur bouche pour les découvrir). C'est en raison de ce schéma précoce que la bouche humaine est si sensible.

La sensibilité buccale établie, la question se pose alors : est-ce le cheveu qui est en lui-même si déplaisant dans notre bouche ? Pour nos experts, aucun doute à ce sujet :

D'un point de vue physique, un cheveu a deux extrémités coupantes, susceptibles de stimuler la muqueuse hypersensible qui tapisse notre cavité buccale. De plus, son très petit diamètre et sa forme sinueuse ont tendance à le faire adhérer à la muqueuse ; il est quasiment impossible de l'en ôter avec la langue.

La nausée n'est pas plus provoquée par la présence d'un cheveu que lorsque nous avons la bouche pleine, mais il est plus facile de chatouiller quelqu'un avec une plume qu'avec un oreiller...

Cependant, dans le cas qui nous intéresse, le principal responsable de la nausée se trouve bien au-dessus de la gorge. En effet, tous les dentistes interrogés pensent que la raison première est psychologique. L'un d'entre eux a même déclaré qu'il a déjà pu réduire ou éliminer ce réflexe chez un patient simplement en abordant ouvertement le problème. Selon lui, la nature d'un corps étranger détermine notre réaction :

> Par exemple, notre bouche ne ressentirait vraisemblablement pas une grande différence entre des spaghettis et des vers (à condition que ces derniers soient accompagnés d'une *excellente* sauce, et que, déjà morts, ils ne se tortillent plus en tous sens), et pourtant, la plupart d'entre nous ont des haut-le-cœur. Quant aux cheveux, beaucoup de personnes les considèrent comme sales — en témoigne le dégoût qu'ils manifestent quand ils en trouvent un dans leur assiette.

Courage, Ilona. Vous n'arriverez peut-être pas à surmonter votre haut-le-cœur avec un cheveu dans la bouche, mais s'il est licite d'accuser le messager, prenez quand même le message au sérieux, car la nausée peut être utile :

> En effet, les haut-le-cœur sont l'un des nombreux mécanismes de défense dont nous a dotés Dame Nature. Même les nourrissons réagissent violemment lorsqu'on leur chatouille le palais. Si ce mécanisme n'existait pas, nombre de gens mourraient les voies respiratoires obstruées par quelque objet logé dans leur gorge.

Pourquoi la peau du visage n'a-t-elle jamais la chair de poule ?

Nous pouvons être fiers de ce phénomène, car c'est l'une des rares choses qui nous distinguent du chimpanzé.

En effet, seules les parties velues de notre corps peuvent avoir la chair de poule. Les poils servent à nous protéger du froid. Mais, quand ils ne parviennent pas à nous en isoler suffisamment, les minuscules muscles situés à leur racine — joliment appelés horripilateurs — se rétractent, les faisant ainsi se dresser. Chez les animaux couverts de fourrure, il se forme alors un véritable cocon protecteur qui piège l'air froid et l'empêche d'atteindre la peau.

Les êtres humains ont beau avoir perdu la majeure partie de leurs poils au cours de l'évolution, le mécanisme est resté. Mais au lieu d'un pelage épais, tout ce que nous avons à opposer au froid ce sont quelques maigres touffes de poils, et une peau vainement hérissée. Lorsqu'un lion a la chair de poule, sa fourrure gonflée lui donne l'air féroce, tandis que l'être humain, lui, a l'air vulnérable...

Pourquoi avons-nous le nez qui coule lorsqu'il fait froid ?

Nous avons posé la question à un oto-rhino-laryngologiste qui nous a tout d'abord donné quelques précisions sur la physiologie de cet appendice :

> Le nez et les sinus sont tapissés d'une muqueuse comportant des glandes destinées à secréter du mucus, en temps normal comme en cas d'inflammation.

Différents problèmes de santé — infections virales ou bactériennes, allergies, etc. — peuvent faire couler notre nez. En revanche, la réaction au froid s'explique différemment :

> Les muqueuses du nez et des sinus sont traversées par des nerfs contrôlant, dans une certaine mesure, la quantité de mucus produit. Le nez qui coule par temps froid est un réflexe dû à ces nerfs : la muqueuse, ressentant l'air froid, envoie un signal au cerveau, qui lui répond par un autre signal, lui faisant secréter du mucus.

Bon, mais à quoi cela sert-il, hormis à enrichir Lotus ou Kleenex ? Eh bien, cette sécrétion est sans doute un phénomène naturel par lequel l'organe protège ses muqueuses des attaques du froid. Il semblerait, par ailleurs, que la quantité accrue de mucus produit permette de mieux humidifier et de purifier l'air respiré à basse température.

Comment se fait-il que, parfois, nos oreilles tintent ?

Sauf si une cloche sonne près de vous, ce tintement signifie que vous souffrez d'acouphènes. Les acouphènes sont une perception auditive dénuée de source extérieure, et ils représentent un problème chronique pour des millions de gens.

Ce n'est pas une maladie, mais un symptôme. Pratiquement tout ce qui est susceptible de troubler le nerf auditif peut causer des acouphènes. La fonction de ce nerf étant de transporter le son, la moindre irritation est interprétée par le cerveau comme un bruit.

Parmi les causes les plus fréquentes d'acouphènes temporaires, on peut citer :

1 la réaction à un traumatisme auditif ;
2 un problème vasculaire dû à un traumatisme physique ou psychique ;
3 une réaction allergique à un médicament (heureusement, les symptômes disparaissent généralement après interruption du traitement).

Quant aux causes d'acouphènes chroniques, elles sont innombrables. Voici quelques-unes des plus répandues : un bouchon de cérumen dans l'oreille externe, une inflammation ou un spasme musculaire à n'importe quel endroit de l'oreille, une overdose, un usage excessif du téléphone, un accès de vertige, une carence nutritionnelle (notamment une carence en certains oligoéléments), une infection, une allergie, etc.

Les personnes souffrant d'acouphènes chroniques doivent s'accommoder non seulement de ces bruits gênants, mais souvent aussi d'une perte d'acuité auditive. Malheureusement, il n'existe pas de remède simple contre ce symptôme. Si des scientifiques mènent d'intenses recherches sur la possibilité de le traiter par l'alimentation, les médecins n'ont hélas actuellement d'autre choix que de conseiller à leurs patients de « faire avec ».

Pourquoi les autres perçoivent-ils notre voix différemment ?

Tout le monde a fait un jour cette expérience : vous écoutez l'enregistrement d'une conversation avec des amis, et vous trouvez alors que toutes les voix sonnent normalement sauf la vôtre. « Au contraire, vous répond un ami. C'est bien ta voix, mais pas du tout la mienne. » Selon un orthophoniste que nous avons sollicité, le fait de ne pas reconnaître sa propre voix est un phénomène universel. Existe-t-il une explication médicale à ce phénomène ?

Oui. La parole naît dans notre larynx, où se forment les vibrations. Une partie de ces vibrations est transmise par l'air – c'est ce que perçoivent vos amis (et le magnétophone) lorsque vous parlez. Mais une autre partie se propage dans notre tête à travers différents solides et liquides. En effet, les oreilles interne et moyenne forment des cavités osseuses à l'intérieur de notre crâne, or l'oreille interne contient du liquide, l'oreille moyenne de l'air, et les deux appuient l'une contre l'autre. Le larynx est, lui aussi, entouré de tissus spongieux contenant du liquide. Le son se propageant différemment dans l'air et dans des matières solides ou liquides, c'est ce qui explique les différences de perception de la voix. Lorsque nous parlons, nous n'entendons pas notre voix uniquement avec nos oreilles, mais également par une transmission auditive interne se faisant principalement à travers des liquides.

Question : pendant un solo de guitare, qui perçoit le « vrai » son de l'instrument : le public, qui entend des sons amplifiés et déformés, ou le guitariste, qui entend une combinaison de sons déformés et de sons bruts ? Ou est-ce que seul un magnétophone placé à l'intérieur de la guitare pourrait enregistrer la « vraie » musique ? En fait, le guitariste produit trois sons différents en même temps, et le principe est le même que pour la voix humaine. On ne peut pas dire que c'est le locuteur ou le magnétophone qui entend la « bonne » voix, on ne peut que constater qu'il existe deux voix différentes.

Le même orthophoniste nous a précisé que notre voix, mise en mémoire dans notre cerveau, y dispose de nuances infiniment plus riches que celles de la reproduction d'une voix par un magnétophone. Bref, écouter un enregistrement de notre voix, c'est un peu comme écouter une symphonie sur une radio bas de gamme : le son est reconnaissable, mais ce n'est qu'une pâle imitation de l'original.

Les lobes des oreilles ont-ils une fonction particulière ?

Les experts que nous avons interrogés sont unanimes : oui, les lobes des oreilles ont une fonction bien précise : ils sont très utiles pour accrocher des boucles d'oreilles.

Par ailleurs, ce ne sont pas les théories qui manquent. Un oto-rhino-laryngologiste s'est souvenu d'une hypothèse selon laquelle, lorsque nos ancêtres marchaient encore à quatre pattes, l'oreille, nettement plus grande qu'aujourd'hui, était abondamment recouverte de poils qui servaient à protéger le conduit auditif des parasites et autres microbes qui auraient pu l'infecter. Un biologiste nous a fait part d'une autre théorie anthropologique d'après laquelle les lobes étaient un critère de sélection sexuelle.

Les scientifiques à qui nous posons des questions sur des parties de notre anatomie apparemment dénuées d'importance ont tendance à se contenter de hausser les épaules. L'idée que le corps humain comporte des organes non essentiels à notre bien-être et que, devenues obsolètes, certaines parties de notre anatomie ne disparaissent pas sur-le-champ ne les dérange pas le moins du monde.

Il faut dire qu'en fait c'est le contraire qui est vrai : les héritages anatomiques ont tendance à se perpétuer, sauf s'ils deviennent dommageables. Autrement dit, la nature conserve une information génétique tant que la pression de la sélection ne la conduit pas à éliminer une caractéristique donnée. Ainsi, on peut dire que le corps humain est le Muséum d'histoire naturelle de notre espèce.

Pourquoi nos doigts n'ont-ils pas tous la même longueur ?

Cet état de fait est dû à l'évolution du genre humain. Un spécialiste nous a expliqué ce qui suit :

> L'être humain et tous les vertébrés à quatre pattes sont dotés de doigts et d'orteils comportant à la fois des caractéristiques de la classe (amphibiens, reptiles, mammifères, etc.) et de l'ordre (rongeurs, carnassiers, primates, etc.) auxquels ils appartiennent. Ainsi, nous avons cinq doigts, ce qui est le propre des primates (qui sont aussi des mammifères).

Bien sûr, il existe des variantes entre les espèces, ainsi qu'entre différents membres d'une même espèce. Chez certaines personnes, l'annulaire est beaucoup plus long que l'index, tandis que chez d'autres il est de la même longueur. Il existe aussi des gens dont le deuxième doigt de pied dépasse le gros orteil.

Mais pour quelles raisons nos doigts et nos orteils ont-ils telle ou telle taille ? Notre expert a souligné le rôle joué par nos doigts pour saisir les objets :

Ramassez une balle de tennis, et vous constaterez qu'à ce moment tous vos doigts sont à la même longueur. La longueur des doigts résulte de l'adaptation de nos lointains ancêtres au déplacement dans les arbres, puis à la nécessité de ramasser des objets. Une main aux doigts réguliers serait moins polyvalente. Et un auriculaire plus long se ferait souvent coincer dans la portière !

Selon un autre spécialiste, deux caractéristiques des doigts des vertébrés supérieurs peuvent avoir conduit à cette différence de longueur. D'une part, il nous est plus facile de nous déplacer si nos orteils externes sont assez courts. D'autre part, au cours de leur évolution, de nombreuses espèces ont perdu certaines de leurs structures anatomiques — comme le cheval, qui a perdu tous ses orteils, sauf un. Qui sait si l'être humain ne perdra pas un ou deux de ses doigts au cours des 100 millions d'années à venir ?

À quoi servent les demi-lunes blanches situées à la base de nos ongles ? Pourquoi ne poussent-elles pas avec l'ongle ?

On appelle ces demi-lunes des lunules. La lunule est la seule partie visible de la matrice unguéale, le lieu où se forme l'ongle. Tandis que les ongles poussent, la matrice (et donc la lunule) reste toujours à la même place.

Pourquoi la lunule est-elle plus claire que le reste de l'ongle ?

Si le lit de l'ongle (ou lit unguéal) est de couleur rose, c'est qu'il contient des vaisseaux capillaires. La lunule est plus claire car, à cet endroit, l'épiderme du lit unguéal est trois à quatre fois plus épais et, de plus, dénué de vaisseaux sanguins.

Pourquoi les ongles des mains poussent-ils plus vite que ceux des pieds ?

Cette question n'est pas de celles dont l'élucidation peut rapporter le prix Nobel ou attirer des donations prestigieuses. Néanmoins, la réponse ne va pas de soi. Un ongle arraché met entre 4 et 6 mois pour repousser, tandis qu'un ongle d'orteil aura besoin de 1 an.

Un dermatologue nous a expliqué que, si personne ne sait vraiment pourquoi les ongles des pieds poussent plus lentement que ceux des mains, il n'en existe pas moins plusieurs causes possibles.

1 Les traumatismes font pousser les ongles plus vite. En effet, des dermatologues ont découvert que, lorsqu'un patient se rongeait un ongle jusqu'à la matrice, ou le perdait suite à un accident, l'ongle en question poussait plus vite que ses voisins restés intacts. Or, étant en contact permanent avec des objets durs et tranchants, les ongles des mains subissent des traumatismes plus fréquents que ceux des pieds. Même une lésion non douloureuse peut traumatiser un ongle. Les ongles des orteils étant moins sollicités que ceux des mains, leur pousse est également moins stimulée.

2 Tous les ongles poussent mieux en été qu'en hiver, ce qui laisse supposer que la lumière du soleil est bénéfique en la matière. Or, même en été, nos ongles de pieds sont souvent enfermés dans des chaussettes et des chaussures.

3 La circulation sanguine est plus lente dans les pieds que dans les mains.

Pourquoi sommes-nous apparemment insensibles à l'odeur de notre propre corps ?

Comment se fait-il que des gens, par ailleurs raffinés, nous imposent leurs mauvaises odeurs corporelles ? Peut-être parce qu'ils ne s'en rendent pas compte ?

Comparé à la plupart des animaux, l'être humain dispose en effet d'un sens de l'odorat peu développé. Nos nerfs olfactifs se « fatiguent » vite dans un environnement odorant. C'est pourquoi, afin de ne pas risquer la surcharge d'informations, notre système nerveux n'accorde pas d'attention à notre odeur corporelle, à moins qu'elle ne change de façon significative. Que vous sentiez la rose ou le purin, il est peu probable que vous vous en rendiez compte, même si vous êtes sensible à l'odeur des autres.

Ce phénomène de « fatigue » concerne également nos autres sens. Par exemple, les ouvriers travaillant dans les usines automobiles doivent apprendre à faire abstraction des bruits ambiants pour ne pas devenir fous.

Et il est fréquent que les étudiants ne puissent pas faire de différence entre les plats que leur sert le restaurant universitaire... mais cela est une autre histoire !

Pourquoi les femmes se mettent-elles du parfum au creux des poignets ?

Lorsque l'on traverse le rayon cosmétiques d'un grand magasin, on y voit toujours des femmes se parfumer les poignets, puis les respirer d'un air concentré. Pourquoi ne se parfument-elles pas les doigts ? Ou le dos de la main, le bras, l'avant-bras ? Savent-elles quelque chose que les hommes ignorent ?

Nous avons fait un petit sondage. Résultat : pour la plupart, les femmes interrogées n'ont pas pu nous dire pourquoi elles se parfumaient les poignets. Néanmoins, cette habitude est tout à fait fondée, comme nous l'a expliqué une professionnelle des cosmétiques :

> Si les femmes se parfument les poignets, c'est qu'il s'agit de l'une des zones où le pouls bat juste sous la peau : la chaleur intensifie les notes du parfum.

Il existe d'autres zones produisant le même effet : l'arrière de l'oreille, la nuque, le sillon entre les seins, le pli du coude, et les chevilles. Mais il est plus simple de se parfumer les poignets que l'arrière des genoux...

Voilà donc toute l'explication. Mais une question reste entière : pourquoi les hommes ne se mettent-ils pas d'eau de toilette sur les poignets ? Ah ! Ils le font ? Nous l'ignorions...

Pourquoi, sur les vieilles photos, les hommes glissent-ils la main droite dans leur gilet ?

Parmi les historiens de la photographie que nous avons sollicités, peu nous ont donné la réponse à laquelle nous nous attendions, à savoir qu'ils se prenaient pour Napoléon Ier.

En revanche, ils nous ont expliqué que, de même qu'il n'est pas aisé de sourire naturellement durant une longue séance de pose, il est difficile de savoir quoi faire de ses mains. L'un d'entre eux nous a écrit ceci :

> Le sujet mettait la main dans sa veste, sa poche, ou la posait sur quelque chose de fixe afin de rester immobile et de ne pas risquer de rendre la photo floue. Essayez de rester les bras ballants pendant un quart d'heure sans remuer les mains, et vous verrez que c'est loin d'être facile.

Cette posture évitait donc de rater le cliché, mais elle forçait également l'individu photographié à adopter un maintien élégant.

À présent, on peut se demander pourquoi, au vu de ces raisons techniques, les hommes ne mettaient pas les deux mains dans leur gilet, ou ne les posaient pas devant eux, les doigts croisés.

Un professeur d'histoire de l'art nous a appris que cela n'était que le reflet d'une des tendances de l'époque, qui dépassait la simple imitation de l'allure napoléonienne.

Aux débuts du portrait photographique, les postures du sujet, codifiées dans des revues et des manuels de photographie, avaient certaines significations. Par exemple, le fait que deux hommes se serrent la main ou se touchent l'épaule symbolisait un lien familial ou amical ; une personne levant la tête, les yeux grand ouverts, traduisait un tempérament contemplatif ; et un visage penché, les yeux mi-clos, évoquait, au contraire, un moment de recueillement.

De plus, les premiers photographes aspiraient à être perçus comme des artistes et s'appliquaient pour cela à imiter les portraits peints. Or les portraits peints de la première moitié du XIXe siècle montrent que les hommes de pouvoir — et pas seulement Napoléon — posaient souvent avec une main glissée dans leur gilet.

Ce qui contribua également à répandre la « pose Napoléon » fut l'invention de la photo-carte de visite, un bristol arborant un portrait au recto — mode apparue en France dans les années 1850. Les têtes couronnées, mais aussi de nombreuses personnes influentes, se firent ainsi immortaliser. En France, des gens célèbres en vinrent même à vendre leurs cartes de visite à des collectionneurs.

Ces photos étaient tout sauf spontanées : certains studios utilisaient des décors de théâtre, et les individus photographiés portaient généralement leurs plus beaux habits. Quant à la posture « main dans la veste », ce n'était qu'une des mises en scène du répertoire de l'époque. Les hommes pouvaient également tenir une lettre ou une Bible à la main, porter une arme à feu dans une attitude de tir, ou montrer du doigt un objet invisible — et imaginaire.

Pourquoi les gens ne sourient-ils pas sur les photos anciennes ?

Pour élucider cette question, nous avons mis à contribution une vingtaine d'historiens de la photographie, et tous sont tombés d'accord sur un point : non, les personnes photographiées n'étaient pas toutes atteintes de dépression ! Le coupable est la durée d'exposition qui, pour les premiers daguerréotypes, pouvait aller jusqu'à une dizaine de minutes. Selon un de ces experts :

> Les matériaux utilisés au XIXe siècle étaient loin d'être aussi photosensibles que les films d'aujourd'hui. Ce qui signifie qu'au lieu du temps d'exposition de l'ordre de la fraction de seconde que nous considérons aujourd'hui comme allant de soi, il fallait de nombreuses minutes aux pionniers du sixième art pour fixer une image sur leurs plaques sensibles. Si cela ne posait pas de problème pour les représentations de paysages, de monuments ou d'autres natures mortes, le portrait exigeait des trésors d'imagination pour que les sujets se tiennent parfaitement immobiles pendant que l'objectif était ouvert. (Les premiers appareils ne possédaient pas d'objectif. La lentille était recouverte d'un capuchon, que le photographe ôtait pour commencer l'exposition et replaçait lorsqu'il avait terminé.)
>
> Sourire sans bouger pendant plusieurs minutes est peu commode, et c'est pourquoi les premiers portraits affichent tous cet air grave qui n'est en fait que l'expression d'un visage détendu.

Si c'est comme ça, nous préférons avoir l'air nerveux...

Bien sûr, sourire plusieurs minutes ne pose pas que le problème de l'inconfort physique. En effet, ce sourire ne reste pas longtemps naturel. Il n'en va d'ailleurs pas autrement de nos jours :

> Un bon portraitiste ne demande pas à ses modèles de garder le sourire plus de quelques secondes. Jadis, en raison des longues durées d'exposition, il est certain qu'un sourire aurait eu l'air forcé, ce qui aurait gâché les photos. Faites le test : souriez pendant 30 secondes, puis regardez-vous dans une glace !

Aux débuts de la photographie, tout un dispositif — d'aspect un peu inquiétant, il faut le reconnaître — maintenait en place la tête, le cou, et parfois le torse du sujet photographié. Pour éviter que les clichés ne soient flous, celui-ci devait également garder un regard fixe durant toute la séance.

Dans les ouvrages d'histoire de la photographie, de nombreuses anecdotes relatent d'éprouvantes séances de pose. Un auteur évoque ainsi l'inventeur américain Samuel Morse, qui faisait poser sa femme et sa fille jusqu'à 20 minutes d'affilée ; ou une victime anonyme qui passa un très mauvais moment :

> [...] il resta assis 8 minutes avec le soleil en plein visage ; des larmes coulaient le long de ses joues tandis que le photographe se promenait dans la pièce, montre en main, annonçant l'heure toutes les 5 secondes jusqu'à ce qu'il ne lui reste plus de larmes à verser.

Nous étions satisfaits de cette explication jusqu'à ce que nous apprenions qu'elle avait des opposants. L'un d'entre eux nous expliqua que le procédé de daguerréotypie avait été présenté au public en 1839, et que seule la période ayant immédiatement suivi avait connu des temps d'exposition de plusieurs minutes, tandis qu'en 1845 ils étaient déjà réduits à 6 petites secondes. Si, comme notre informateur le reconnaît, les photographes étaient nombreux à pratiquer des temps d'exposition plus longs, la technique permettait néanmoins déjà de raccourcir de façon significative les séances de pose.

Il nous fallait trouver de nouvelles explications à la morosité des premiers modèles ! Nous avons bien sûr relevé ce nouveau défi, et voici quelques théories plausibles :

qui ? pourquoi ? comment ? quand ? où ? qui ? pourquoi ? comment

1 Jadis, on ne plaisantait pas avec la **photographie**. Se faire photographier était considéré comme une chance unique dans une vie. De plus, le XIX⁰ siècle n'a pas été une période particulièrement loufoque. Or une expression posée incarnait la dignité, tant prisée à l'époque, et reflétait la volonté culturelle du modèle d'être reconnu comme quelqu'un de raisonnable et de sérieux.

2 Les premières photographies **imitaient la peinture**. Les photographes se considéraient en effet comme des artistes — et Daguerre était lui-même peintre. Or, à l'époque, les tableaux représentaient des personnes qui ne souriaient pas.

3 La technique et l'histoire sociale sont intimement **mêlées**. L'invention du film souple et la miniaturisation des appareils photo (ainsi devenus portables) mirent fin aux airs maussades et amenèrent l'ère du sourire photographique. En effet, dès lors que chaque famille put posséder son propre appareil, les conventions du portrait photographique évoluèrent.

Dans les années 1850, beaucoup d'Occidentaux avaient déjà été photographiés à plusieurs reprises. Grâce au film souple, il devint possible à un amateur de faire des photos dans des situations informelles, et à peu de frais.

4 Les premières photos étaient destinées à la **postérité**. Si les sujets ne souriaient pas, c'est qu'ils ne voulaient pas sourire. Et ce n'est pas une boutade. En effet, les séances photo étaient une affaire sérieuse : d'une part, en raison de leur rareté et de leur coût élevé, et d'autre part, il fallait créer des documents destinés à la postérité. Or, avant l'invention du petit format, sourire toutes dents dehors n'était pas précisément considéré comme la meilleure façon de passer dignement à la postérité.

5 Personne ne veut exhiber une **mauvaise denture**. C'est un autre facteur à ne pas négliger : le peuple avait rarement de belles dents — une raison valable pour garder la bouche fermée. Autrefois, l'élite sociale se brossait les dents au bicarbonate de soude, alors imaginez un peu ce qu'utilisaient les classes inférieures (si toutefois elles utilisaient quoi que ce soit...) !

6 Il y a une explication historique et **psychologique**. Si solides que soient toutes les théories ci-dessus, nous ne pouvons nous empêcher de penser que l'expression des personnages sur les premières photographies est aussi due à des raisons psychologiques, historiques et sociologiques. Songez seulement aux dépressions économiques, aux famines et aux guerres qui secouèrent l'Europe et l'Amérique au XIX⁰ siècle. Dans ce contexte difficile, les premiers photographes n'étaient généralement pas considérés comme

des artistes ou des artisans, mais comme des magnétiseurs ou des phrénologues (la phrénologie prétendait étudier le caractère d'un individu d'après la forme de son crâne), et ces disciplines comptaient à l'époque de nombreux adeptes :

Les daguerréotypistes se faisaient souvent appeler « professeur », et certaines personnes croyaient qu'ils pratiquaient une forme de magie, piégeant la lumière et usant de l'ombre pour révéler la vérité de l'âme transparaissant à travers le visage de leurs sujets. Il faut replacer ce phénomène dans un contexte historique et social marqué par des bouleversements économiques et politiques, et appréhender avec psychologie ce besoin qu'avaient certains de voir un aspect surnaturel dans ce qui n'était que l'application d'une technique nouvelle.

Autrement dit, l'époque ne se prêtait pas au « *cheese* » demandé par les photographes ou à l'envie de faire des cornes à son voisin...

Lorsque apparut l'appareil photo à bobine, la rigidité morale du XIXᵉ siècle était en train de s'assouplir. Au tournant du siècle, la nouvelle classe moyenne rêvait d'appareils symbolisant la modernité. C'est donc au début du XXᵉ siècle qu'apparaissent les premiers portraits souriants, à une époque où le peuple commence à avoir conscience que l'on peut aspirer à un certain bonheur.

Nous avons quelque chose à vous avouer : nos recherches ont montré que, s'ils étaient certes fort rares, les sourires existaient néanmoins déjà sur certaines photographies des débuts. Précisons tout de même que les sujets souriaient lèvres fermées. Nous avons même entendu parler d'un daguerréotype montrant une femme faisant le poirier sur une chaise. Avec le sourire.

Certes, il faut reconnaître qu'elle défiait allègrement les conventions de l'époque. Mais après tout, il n'en va pas autrement de la Joconde !

D'où viennent les contractions et les sursauts soudains qui nous réveillent parfois au moment où nous allions nous endormir ?

Vous avez sûrement déjà vécu ça. Vous êtes douillettement blotti sous les draps, pas encore endormi mais plus vraiment éveillé. Vos ondes cérébrales ralentissent leur activité, vous commencez à vous imaginer en vacances, dans un paysage de rêve, quand un spasme — généralement de la jambe — vous réveille brutalement.

Ce phénomène est appelé sursaut du sommeil.

Ces sursauts se produisent lorsque des fibres nerveuses, formant un faisceau environ gros comme un crayon, sont excitées simultanément. Chaque nerf engendre une forte contraction de la fibre musculaire à laquelle il est relié et, lorsqu'ils sont tous stimulés au même moment, c'est le membre entier qui tressaille.

Les somnologues n'ont pas encore cerné les causes des sursauts du sommeil, ni la raison pour laquelle ils ne se produisent que lors de la phase d'endormissement. C'est un phénomène irrégulier et absolument imprévisible.

Pourquoi la chaleur nous fait-elle somnoler durant l'après-midi, alors que nous essayons de travailler, et nous empêche-t-elle de dormir la nuit ?

Il y a peu de situations aussi harassantes que de se trouver en hiver dans une bibliothèque surchauffée (d'ailleurs, comment se fait-il que les bibliothèques soient toujours surchauffées en hiver ?) et d'essayer de travailler. Vous pouvez lire le livre le plus passionnant qui soit, vous donneriez n'importe quoi pour vous allonger au lieu d'avoir à rester assis sur cette chaise inconfortable. Vous finissez par vous traîner jusque chez vous, où il fait d'ailleurs également trop chaud, et vous vous préparez à passer une bonne nuit. Mais voilà que la chaleur qui vous a assommé toute la journée vous fait à présent vous retourner d'un côté et de l'autre, et vous empêche de dormir. Que se passe-t-il ?

Il est prouvé que la chaleur sape notre énergie. Dans certains pays méditerranéens, latino-américains et asiatiques, les employés ont le droit de faire la sieste aux moments les plus chauds de la journée. Il est culturellement admis que, sans cela, leur productivité baisserait ; tandis qu'après un petit somme ils reprennent leurs tâches avec une énergie renouvelée.

Néanmoins, tous les spécialistes du sommeil que nous avons consultés s'accordent sur le fait que l'après-midi, ce n'est pas la chaleur qui nous fait somnoler. En effet, des recherches ont montré que, quelle que soit la température ambiante, on éprouve une baisse de tonus à ce moment-là. Les fluctuations quotidiennes d'énergie et de somnolence sont régies par les rythmes circadiens ; or le soir et le début de l'après-midi sont les deux moments d'un cycle de 24 heures où le sommeil peut survenir.

Certains scientifiques sont d'avis que ce rythme circadien indique une prédisposition de l'être humain à la sieste. Et les spécialistes du sommeil semblent majoritairement penser que la somnolence qui s'empare de la plupart d'entre nous l'après-midi, c'est-à-dire lorsqu'il fait le plus chaud, n'a rien — ou peu de chose — à voir avec la fatigue communément causée par la chaleur.

Néanmoins, il est indéniable que la température ambiante affecte notre sommeil. Généralement, on dort mieux dans une atmosphère fraîche. C'est pourquoi il est si difficile de s'endormir dans une pièce surchauffée, même lorsqu'on est très fatigué. En outre, si un changement de température se produit pendant notre sommeil, il est fréquent que cela nous réveille :

Pourquoi somnolons-nous après un copieux repas ?

Après un bon repas, l'afflux sanguin se concentre sur le système gastro-intestinal, ce qui réduit la disponibilité de sang pour d'autres activités. Notre métabolisme ralentit, et nous perdons momentanément une bonne part de notre dynamisme coutumier (« Oui, je prendrai volontiers une quatorzième tasse de café. Au bureau, ils ne s'apercevront pas de mon absence... »). D'autre part, lors de la digestion, les aliments sont décomposés en différentes substances chimiques, dont un acide aminé, appelé tryptophane, qui active l'hormone du sommeil. De plus, la sérotonine, qui contracte nos vaisseaux sanguins, nous donne également sommeil. Enfin, la consommation d'alcool provoque souvent une certaine somnolence. Ça fait beaucoup de bonnes raisons, n'est-ce pas ?

Notre température corporelle est au plus bas tôt le matin, et au plus haut dans la soirée. Durant les phases de sommeil profond (NREM et REM), nous ne sommes plus capables de réguler efficacement notre température corporelle. Lorsque la température extérieure est trop élevée ou trop basse, le fait de nous réveiller nous permet de remédier à cet environnement défavorable.

Pourquoi rêvons-nous plus pendant une sieste qu'au cours d'une nuit de sommeil ?

Selon les experts à qui nous nous sommes adressés, nous rêvons autant la nuit que durant une sieste. En revanche, nous nous rappelons mieux nos rêves après un somme de courte durée qu'après une nuit de sommeil.

Pendant que nous rêvons, notre mémoire à long terme est désactivée et, durant la nuit, nous dormons généralement sans interruption. Nous avons donc tendance à oublier les songes que nous avons faits au début de notre sommeil. Plus vite nous nous réveillons après avoir rêvé, plus nous avons de chances de nous en souvenir. C'est pourquoi, quand nous nous réveillons pendant ou juste après un rêve, nous savons que nous avons rêvé.

Vers la fin de leur grossesse, beaucoup de femmes enceintes rapportent qu'elles rêvent plus que d'ordinaire. En fait, parce que leur sommeil est constamment interrompu en raison d'un inconfort physique croissant, elles se souviennent mieux de leurs rêves.

Pourquoi a-t-on mauvaise haleine en se réveillant ?

La mauvaise haleine est souvent due à des composés à base de soufre qui se trouvent dans la bouche. Comment expliquer cette présence ? Et pourquoi le phénomène est-il plus marqué le matin ?

Les micro-organismes présents dans notre bouche ne sont pas difficiles en matière de diététique. Ils se nourrissent de :
- restes de nourriture ;
- plaque dentaire ;

- salive ;
- cellules mortes provenant des gencives ou de la langue.

Ils transforment alors ces aliments en acides aminés et en peptides, qui se décomposent à leur tour en éléments diffusant une âpre odeur de soufre. Un bon brossage de dents contribue à débarrasser la bouche de ce garde-manger à micro-organismes. Mais la meilleure défense est la production d'une salive abondante, lorsque l'on parle, mâche ou avale — toutes activités généralement réservées à l'état de veille. Le fil dentaire ne sert pas qu'à prévenir la formation de caries. Il élimine également les restes de nourriture qui produisent, avec le temps, une odeur de plus en plus désagréable, et évite le développement des bactéries — et de la mauvaise haleine !

Pourquoi la chaleur soulage-t-elle la douleur ?

Nous avons eu la surprise de constater que de nombreux scientifiques interrogés ne le savaient pas plus que nous.

C'est finalement un médecin du sport qui nous a fourni la réponse. Son explication fourmillait d'expressions telles que « capteurs », « stimuli externes », « récepteurs de la douleur ». Pour simplifier, nous vous proposons une analogie.

Quand un marteau-piqueur fait du bruit dans votre rue, vous pouvez réagir de différentes façons. Vous ne faites rien — ce qui n'aura aucune incidence sur le bruit. Ou bien vous mettez un CD de Led Zeppelin et montez le son au maximum. Le bruit du marteau-piqueur sera inchangé mais, la musique créant une diversion (il n'est pas certain que vos voisins apprécient...), il vous semblera moins fort.

Revenons-en à la chaleur. La plupart d'entre nous l'associons à des expériences agréables de notre enfance. Lorsque nous réchauffons une zone douloureuse, des capteurs sensoriels indiquent à notre cerveau un changement de température. Cela ne fait pas disparaître la douleur mais, nous en distrayant, la rend moins perceptible.

Lorsque notre corps s'habitue à la chaleur, il devient nécessaire d'augmenter la température pour continuer à atténuer la douleur. Nous nous attendons alors à aller mieux en réchauffant la zone atteinte — et ça marche !

Pourquoi l'être humain se sent-il parfaitement bien à 22 °C et non à 37 °C ?

Puisque c'est lorsque nous maintenons notre température corporelle constante que nous sommes le plus à l'aise, pourquoi une atmosphère à 37 °C n'est-elle pas idéale pour nous ? Réponse : elle le serait si nous étions nudistes. Mais la plupart d'entre nous s'accrochent à cette bonne vieille habitude de mettre des vêtements...

En fait, les habits nous aident à conserver notre température interne (qu'il nous faut au contraire faire baisser lorsque l'environnement est très chaud). Les parties non couvertes de notre corps rayonnent en général suffisamment pour réchauffer partiellement la température ambiante. Concrètement : si vous êtes habillé dans un environnement à 22 °C, vos mains, votre visage, vos oreilles, qui sont, eux, découverts, dispensent juste assez de chaleur pour que vous vous sentiez bien. En revanche, nu par 22 °C, vous n'auriez pas assez chaud étant donné que tout votre corps diffuserait de la chaleur.

L'humidité et le vent affectent, eux aussi, notre bien-être. Plus l'air est humide, plus il peut absorber de chaleur. Quant au vent, il augmente notre réactivité corporelle et remplace sans arrêt l'air que nous avons ainsi chauffé par de l'air frais ou froid. Les habits ont du bon, parfois...

Que se passe-t-il exactement quand notre ventre gargouille ?

Notre ventre contient en permanence des gaz, y compris quand personne ne s'en rend compte — même pas nous. Lorsque nous mangeons, buvons ou avalons notre salive, nous ingérons de l'air. En outre, la fermentation bactérienne génère, elle aussi, des gaz qui parviennent dans l'estomac.

Imaginons un instant notre tube digestif comme un lave-linge. Au lieu de vêtements, d'eau et de lessive, ce sont en l'occurrence des aliments, des liquides, des sucs gastriques et des gaz qui tournent ici en permanence, souvent sans que nous en ayons conscience. Grâce à cette rotation permanente, les aliments et les enzymes sont malaxés et mélangés, ce qui facilite la digestion et l'absorption des aliments par l'estomac et les intestins.

Mais, de même qu'une machine à laver doit être vidée en fin de lessive, un estomac doit évacuer la nourriture. Pour ce faire, il se contracte et la pousse vers les intestins, où elle sera transformée en matières fécales. Un médecin interrogé à ce propos nous a décrit le parcours des gaz dans notre ventre :

> Lorsque de l'air et du liquide sont mélangés dans le tube digestif, celui-ci se contracte par vagues pour acheminer le tout. Cette dernière doit passer à travers certains boyaux très étroits, ce qui produit des gargouillements en tout genre que l'on appelle des borborygmes. Le ventre gargouille notamment lorsque l'on est affamé, parce que la faim est générée entre autres par une augmentation de l'activité musculaire dans les viscères — comme si ceux-ci anticipaient le prochain repas et se préparaient d'avance à l'acheminer.

Ici, notre métaphore du lave-linge ne tient plus la route, car, contrairement à notre système digestif, aucune machine à laver ne se prépare à recevoir sa prochaine lessive tandis qu'elle finit de laver la précédente...

À quoi servent l'appendice et les amygdales ?

Cette question est loin d'être anodine ; la preuve, c'est un médecin qui nous l'a posée. L'un des spécialistes auxquels nous avons fait appel nomme l'appendice l'« amygdale des intestins ». Est-ce parce que tous deux peuvent nous être enlevés par un chirurgien sans qu'apparemment il nous manque quoi que ce soit après l'opération ? En réalité, les amygdales et l'appendice ont beaucoup de points communs. Ce sont des organes lymphoïdes : ils produisent des globules blancs. Un professeur d'anatomie explique ainsi l'importance potentielle de l'appendice :

Parmi les globules blancs, on trouve les lymphocytes, qui produisent des anticorps – protéines capables de distinguer entre nos propres protéines et les protéines étrangères, qu'on appelle des antigènes. Les anticorps produits par les lymphocytes désactivent les antigènes. Il existe deux types de lymphocytes : les lymphocytes T et B. Les lymphocytes T sont produits par le thymus. Quant aux lymphocytes B, produits par la moelle osseuse, il semble qu'ils le soient également par l'appendice.

Mais, si l'appendice est si important pour combattre les infections, comment pouvons-nous survivre à son ablation ? C'est que, par chance, d'autres organes – telle la rate – fabriquent également des globules blancs en nombre suffisant pour prendre le relais. Certains médecins pensent que le rôle de l'appendice et des amygdales est d'attirer les infections vers des zones qui ne sont pas indispensables au bon fonctionnement de notre corps. Cette théorie du paratonnerre semble être corroborée par le nombre important d'inflammations de l'appendice ou des amygdales, comparé à la relative rareté des problèmes touchant les organes environnants.

Les statistiques ne peuvent déterminer si les personnes à qui on a enlevé les amygdales et/ou l'appendice sont plus mal loties que celles qui les ont encore. Les médecins sont également partagés quant à l'opportunité d'opérer les enfants des amygdales. En revanche, pour les patients souffrant d'une appendicite, ce serait un luxe périlleux de se poser de telles questions !

Pourquoi une coupure superficielle causée par une feuille de papier fait-elle plus mal qu'une coupure plus profonde ?

La raison serait-elle plus émotionnelle que physique ? Comment, en effet, des blessures aussi minimes peuvent-elles être si douloureuses — alors que, parfois, elles ne saignent même pas ? Essayons quand même de trouver des explications d'ordre anatomique.

Les terminaisons des nerfs sensoriels se situent juste sous la surface de la peau, et nos mains comportent pratiquement plus de terminaisons nerveuses que toute autre zone de notre corps. Or c'est généralement là que l'on se coupe avec du papier.

Souvent, les blessures superficielles ne sont pas soignées comme le seraient des coupures plus profondes. Or, quelle que soit l'importance d'une coupure, la peau lésée sèche, tirant sur les deux lèvres de la plaie, ce qui met à nu les terminaisons nerveuses. De plus, certaines substances irritent une blessure non protégée : le savon, la transpiration, la saleté, etc. Conclusion : si vous vous faites une petite coupure, mettez un pansement. Il n'accélérera pas la cicatrisation mais, en empêchant la plaie de sécher et de s'infecter, la rendra moins douloureuse.

Pourquoi la peau de nos extrémités plisse-t-elle après le bain ?

Contrairement aux apparences, votre peau ne se ratatine pas après un bain. Au contraire, elle se détend. La peau qui recouvre doigts, paumes, orteils et plantes des pieds ne se fripe que lorsqu'elle est saturée d'eau. Ainsi, après un séjour prolongé dans une piscine, obtient-on cet effet quelque peu disgracieux. La *stratum corneum* — couche cornée qui protège nos mains et nos pieds, rendant leur peau plus épaisse et plus dure que celle d'autres zones du corps — gonfle lorsqu'elle absorbe de l'eau. C'est ce gonflement qui la fait froncer. Et qu'en est-il de la peau du reste de notre corps ? Eh bien, elle se comporte de la même manière, mais, ayant plus de surface pour répartir l'humidité, elle met plus de temps avant de plisser. Pour preuve, les soldats qui portent des bottes mouillées pendant un long laps de temps ont, quand ils les retirent enfin, la peau fripée sur toute la partie de leur jambe qui était dans la botte.

Pourquoi est-ce que ça nous grattouille ?

Les démangeaisons sont un phénomène énigmatique. Lorsqu'un patient s'en plaint à son médecin et que celui-ci découvre qu'il a de l'urticaire, les symptômes sont faciles à traiter. Mais souvent, les démangeaisons n'ont aucune cause apparente et ne sont liées à aucune maladie.

Si l'on sait comment *provoquer* des démangeaisons — il existe différentes méthodes, dont aucune n'est recommandable en dehors du cadre strict de la recherche médicale —, les médecins ne sont pas pour autant toujours en mesure de déterminer la cause des irritations affectant leurs patients.

Ce que l'on sait, c'est qu'il existe des capteurs sensoriels, situés juste sous la peau, qui envoient des signaux au cerveau. Or il semble que la sensation de démangeaison emprunte le même parcours nerveux que la douleur.

Un professeur en dermatologie nous a expliqué que la plupart des capteurs sensoriels sont des terminaisons nerveuses « libres », c'est-à-dire non spécialisées : ils peuvent aussi bien transmettre au cerveau des sensations de douleur que de démangeaison. Or, lorsqu'ils fonctionnent au ralenti, il semble qu'ils envoient plutôt des signaux de démangeaison que de douleur.

Parmi les théories scientifiques tentant d'élucider ce phénomène, il en est une selon laquelle il sert à annoncer une douleur imminente — et conduit la personne à réagir immédiatement. Selon une autre hypothèse, le prurit servait à prévenir les hommes primitifs qu'il était temps de se débarrasser de leurs parasites.

Mais les démangeaisons peuvent aussi être le signe avant-coureur d'une maladie grave comme le diabète ou la maladie de Hodgkin. Quoi qu'il en soit, une démangeaison n'est jamais agréable, et souvent elle est moins bien tolérée que la douleur elle-même. Quand elle est insupportable, il arrive même que certaines personnes se grattent jusqu'au sang pour tenter de la faire cesser.

Comment les astronautes se grattent-ils lorsqu'ils portent une combinaison spatiale ?

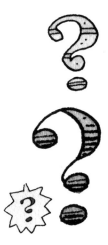

Normalement, les démangeaisons ne posent pas de problème aux astronautes. Ils se grattent tout simplement. Et si la démangeaison se produit à un endroit gênant, l'astronaute vérifie qu'il est bien seul en cabine... et se gratte. Toujours pas de problème.

En fait, dans l'espace, les astronautes passent le plus clair de leur temps en habits de tous les jours, généralement en pantalon ou en short et en polo. Il n'y a que trois occasions où la combinaison spatiale les empêche de se gratter : au moment du lancement, à l'atterrissage et lors des sorties spatiales, aussi appelées « activités extravéhiculaires » (EVA).

Au cours du lancement et du retour, les astronautes portent une combinaison LES : c'est la « combinaison de lancement et de rentrée » de couleur orange que l'on peut voir lorsqu'ils montent à bord d'une fusée. Cette tenue, assez semblable à celle des pilotes de chasse, est capable d'augmenter la pression en cas de dépressurisation de la cabine. Bien entendu, le casque est une partie essentielle de la combinaison LES.

Conçue pour résister aux rigueurs du vide, la combinaison EVA est, quant à elle, beaucoup plus encombrante. C'est le fameux scaphandre blanc que l'on associe classiquement avec les sorties dans l'espace, et que l'on retrouve dans le film *Apollo 13*. Mais même à l'époque des fusées Apollo, les astronautes se débarrassaient de ce lourd équipement dès qu'ils se trouvaient en orbite. De nos jours, les combinaisons EVA sont utilisées lors de missions de réparation de satellites ou du télescope Hubble.

Elles ont beau être plus souples que les scaphandres de l'époque Apollo, elles n'en sont pas moins inconfortables. Elles se composent d'un long sous-vêtement de tissu fin, puis de plusieurs couches d'isolation, ainsi que de l'équipement de survie comportant des tuyaux servant à acheminer divers liquides et gaz. Ces différentes couches sont recouvertes d'une coque rigide appelée Hard Upper Torso (HUT). À hauteur de la nuque, le HUT présente un anneau de fixation où s'accroche le casque. Une fois attaché, le casque est fixe, il reste en place lorsque les astronautes tournent la tête. Pour bien voir, ces derniers doivent donc pivoter d'un bloc. Lorsqu'elle est pressurisée, la combinaison se gonfle, rendant les mouvements malaisés.

À l'époque des fusées Apollo ou Spoutnik, les combinaisons étaient fabriquées sur mesure. Aujourd'hui, elles sont fabriquées en prêt-à-porter. Elles existent dans les tailles standard (S, M, et L) et ne demandent que quelques ajustements pour les personnes dotées de membres très longs ou très courts.

Aux dires de tous les intéressés, les combinaisons de lancement et de rentrée sont plus confortables que les combinaisons servant pour les activités extravéhiculaires. Généralement, les astronautes endossent les premières au moins 1 h 30 avant le lancement. Lorsqu'un retard se produit, ils peuvent les porter durant 4 à 5 heures — un délai suffisant pour que se pose notre problème de démangeaisons ! Mais, une fois que le décollage a eu lieu, il ne faut que 8 min 30 à la fusée pour se mettre en orbite ; dès lors, les passagers peuvent remettre leurs habits de tous les jours et, si nécessaire, se gratter tout leur soûl.

Mais la question intéresse-t-elle seulement les spationautes eux-mêmes ? Ont-ils trouvé des solutions à cet épineux problème ? Nous avons fait appel à différents experts en matière de missions spatiales. Les trois astronautes que nous avons interrogés ont déclaré que ce qui était vraiment gênant, c'était de ressentir une démangeaison au niveau du visage (et notamment du nez). Heureusement pour eux, le casque est justement équipé pour pallier une faiblesse de l'anatomie humaine — même s'il ne s'agit pas au départ de mettre fin aux démangeaisons. En effet, il comporte un dispositif en forme de V, destiné à remédier aux douleurs auriculaires dues aux variations de pression. Normalement, pour effectuer une « manœuvre de Valsalva » (c'est-à-dire rééquilibrer la pression entre notre oreille moyenne et notre oreille externe), nous expirons par le nez tout en le maintenant bouché. Comme vous vous en doutez, un astronaute portant un casque fixe serait bien en peine de se boucher le nez. C'est là qu'intervient le dispositif en V : il « bouche » le nez de la personne, qui peut alors souffler et rééquilibrer la pression.

Or d'ingénieux spationautes ont découvert que ce fameux dispositif était très utile pour se gratter ! L'ex-astronaute William Pogue relate ceci dans son livre *How do you go to the Bathroom in Space ?* (*Comment se rendre aux toilettes lorsque l'on est dans l'espace ?*):

> Il arrivait que le nez ou les oreilles me démangent. Involontairement, je levais la main pour me gratter — et me heurtais à mon casque. Un moyen infaillible pour se sentir idiot. Mais je pouvais me gratter le nez avec une sorte de pince permettant d'effectuer la manœuvre de Valsalva. Par contre, si c'était une oreille qui me démangeait, je devais prendre mon mal en patience. J'essayais de me frotter contre la face interne du casque, mais ce n'était pas très efficace. La meilleure chose à faire était de penser à autre chose.

Un autre spationaute avait trouvé un moyen différent :

> Lors des EVA, nous ne pouvions pas nous toucher le visage. Mais nous pouvions nous tordre le nez pour calmer les démangeaisons.

Tous les casques des combinaisons EVA sont munis d'une paille reliée à une poche d'eau (comme les astronautes risquent de se déshydrater lors des sorties dans l'espace, il leur est conseillé de boire), ainsi que d'une barre nutritive. Nos héros pourraient donc se servir de ces objets pour se gratter, mais, comme nous l'a confié l'un d'eux :

Pourquoi est-ce qu'on ne **sent** pas les moustiques nous piquer avant que cela commence à nous gratter?

Nous aimerions penser que Mère Nature est charitable envers nous. En effet, si nous avions conscience du fait qu'un moustique est en train de nous perforer la peau de sa trompe, nous risquerions de paniquer, d'autant plus que la piqûre elle-même prend beaucoup plus de temps qu'on ne l'imagine.

Un moustique femelle ne fait pas son boulot à toute vitesse. Au contraire, il passe souvent au moins 1 minute sur la peau de sa victime avant de la piquer. Les moustiques sont si légers et leur technique de morsure si raffinée qu'on ne les sent généralement pas, même s'ils restent plusieurs minutes posés sur nous.

Lorsque l'insecte décide de passer à l'attaque et de mettre en perce un appétissant vaisseau sanguin, l'opération prend environ 1 minute. Mme Moustique lubrifie sa trompe avec sa salive, puis suce le sang de sa victime jusqu'à avoir la peau du ventre bien tendue, ce qui peut prendre jusqu'à 3 minutes. Alors elle retire sa trompe en l'espace de quelques secondes, et décolle pour aller pondre ses œufs (le moustique n'est pas près de faire partie des espèces menacées).

Certaines âmes sensibles sentent immédiatement une piqûre de moustique, mais chez la plupart d'entre nous, la démangeaison (ou parfois même la douleur) n'apparaît que bien après le départ de l'insecte. Cette sensation n'est due ni à la perte de sang ni à la morsure elle-même, mais à la salive que le moustique nous a laissée en souvenir.

Celle-ci ne lui sert pas uniquement à lubrifier sa trompe, mais elle joue également un rôle d'anesthésique lors de la piqûre. L'ennui, c'est qu'elle contient des substances anticoagulantes qui provoquent une réaction allergique chez beaucoup de gens. C'est à cause de cette réaction, et non de la morsure elle-même, qu'apparaissent la démangeaison et l'éruption qui l'accompagne.

À l'intérieur du casque, on a une paille devant la bouche. Pour boire, il suffit de pencher la tête en avant. Il y a aussi une barre nutritive. Mais, comme on ne veut pas qu'elles se détachent, on ne s'en sert pas pour se gratter.

Et un autre nous a expliqué :

Lors des EVA, on pourrait théoriquement se gratter le visage avec la paille à eau ou la barre nutritive. Mais, comme il s'agit d'aliments, on n'a pas trop envie de les manipuler. De toute façon, en général, on mange la barre avant même de sortir, parce que les EVA demandent un travail assez intense et que ce ne serait pas le moment de glander en grignotant.

Il est moins ennuyeux d'avoir des démangeaisons quand on porte une combinaison LES :

Dans une combinaison LES, la visière du casque peut s'ouvrir. La plupart du temps, on la laisse ouverte. On ne la garde fermée que pendant les 2 premières minutes du lancement, jusqu'à la séparation des fusées d'appoint. Avec la visière ouverte, on n'a pas de problème pour se gratter. Par contre, en cas de dépressurisation, il faut garder la visière fermée.

Et qu'en est-il des démangeaisons sur le reste du corps ? Une fois pressurisé et gonflé, le scaphandre est aussi impitoyable que le casque. Il est très difficile de s'y mouvoir.

Nos sources ne sont pas tout à fait d'accord sur la difficulté de se gratter lorsqu'on porte une combinaison EVA. Selon l'une d'elles :

Les combinaisons EVA sont pressurisées, et, si vous essayez de vous gratter, vous ne sentez rien. C'est comme si vous portiez une carapace. En plus, le bout des doigts des gants est en caoutchouc, et on ne sent pas grand-chose.

Un deuxième astronaute nuance :

> Avant de sortir dans l'espace, la combinaison n'est pas complètement pressurisée. À ce moment, si vous êtes pris de démangeaisons à un endroit où elle est souple, le bras par exemple, vous pouvez appuyer un peu dessus avec l'autre bras. Mais une fois qu'elle est pressurisée et que vous êtes dans le vide, elle forme comme un ballon rigide. La seule possibilité est alors de vous frotter contre la face intérieure de la combinaison. Car, bien que les combinaisons soient assez ajustées pour être confortables, il reste toujours un certain jeu, et ce jeu permet de se gratter.

D'après un troisième :

> Ça dépend de l'endroit où ça démange. L'espace entre la combinaison et votre corps est assez étroit pour que vous ayez toujours un certain contact. Il suffit de plier sa jambe ou son bras – si c'est là que ça vous démange, bien sûr. À l'intérieur du HUT, il reste aussi toujours un peu d'espace, et si une épaule vous démange, vous pouvez, en vous contorsionnant un peu, la frotter contre la coque. Le problème, c'est que vous portez aussi un sous-vêtement, le « vêtement de refroidissement par liquide et de ventilation », et qu'il vous faut donc vous gratter la jambe à travers ce vêtement...

Pour être honnêtes, nous avons été surpris de constater que la question des démangeaisons n'intéressait pas grand-monde dans le métier. D'un autre côté, on peut s'imaginer que, lorsqu'ils se préparent à décoller ou à sortir dans l'espace, les astronautes ont d'autres sujets de réflexion. En fait, la plupart de ceux qui effectuent une sortie spatiale sont tellement fascinés que leur esprit ignore totalement les détails de ce genre.

De plus, les spationautes ne sont pas des mauviettes qui passent leur temps à se plaindre. Un de ceux avec qui nous nous sommes entretenus résume cela très clairement :

qui ? pourquoi ? comment ? quand ? où ? qui ? pourquoi ? commen

On s'y fait, voilà tout. À l'origine, j'étais pilote dans la Marine. Lorsque vous êtes en formation militaire, debout en rang, il n'est pas question de vous gratter. Vous faites ce que vous pouvez pour vous soulager, mais il vous faut rester au garde-à-vous.

Et puis, lorsque les moteurs de la fusée sont allumés, le reste vous est complètement indifférent ! J'étais tellement absorbé par le lancement et par mes responsabilités que, sur le moment, plus rien d'autre n'avait d'importance.

Puisque notre sang est rouge, pourquoi nos veines sont-elles bleues ?

Donnons la parole au médecin que nous avons consulté :

Les veines apparaissent bleues parce que ces vaisseaux sanguins, assez gros, transportent un sang appauvri en oxygène, donc de couleur bleutée, et qu'ils sinuent assez près de la peau pour que la couleur de ce sang y transparaisse.

Les globules rouges, qui constituent environ 40 % de notre volume sanguin, contiennent de l'hémoglobine, un pigment rouge assurant le transport de l'oxygène. Lorsque les globules rouges traversent nos poumons, l'hémoglobine se charge d'oxygène et, ce faisant, acquiert une couleur rouge vif.

Par des vaisseaux très fins, les capillaires, elle est amenée dans les tissus, où elle transmet l'oxygène aux cellules qui l'utilisent pour le métabolisme. (Notre peau est riche en capillaires : c'est pour cela que la peau d'un Blanc en bonne santé est, en fait, de couleur rose, et qu'il rougit en cas d'afflux soudain d'oxyhémoglobine dans les vaisseaux de la peau de son visage et de son cou.)

Lorsque l'hémoglobine perd son oxygène, elle prend une couleur bleutée et retourne jusqu'au cœur par des veines de plus en plus épaisses. Comme certaines veines assez grosses se trouvent juste sous la peau, on peut voir, chez les gens qui ont la peau claire, la couleur bleue du sang qu'elles transportent.

Pourquoi les tatouages sont-ils généralement bleus (avec quelques touches de rouge ici et là) ?

En réalité, la plupart des tatouages ne sont pas bleus. Le pigment, constitué de carbone, est noir comme le jais. Mais comme il est injecté sous la peau, les tatouages nous paraissent bleus en raison de la juxtaposition du noir et de la couleur de l'épiderme qui, chez les Blancs, va de l'ivoire au bronze. Et, bien que le rouge soit la deuxième couleur la plus demandée, les tatoueurs ont à leur disposition une vaste palette de coloris prêts à l'emploi.

Il est probable que, si le noir est la « couleur » la plus populaire, c'est que les personnes, une fois qu'elles ont pris la décision de faire le grand saut, veulent faire voir leur tatouage. Or c'est le noir qui donne les résultats les plus visibles. Précisons que chez les albinos, les pigments apparaissent tels qu'ils sont.

Comment peut-on continuer à sentir un membre amputé ?

Beaucoup de personnes amputées connaissent le phénomène du « membre fantôme », c'est-à-dire qu'ils ont, dans le membre coupé, des sensations aussi fortes qu'avant l'opération. Une personne au bras amputé au niveau du coude peut, par exemple, avoir la sensation de faire un geste de la main, de serrer le poing ou de pointer du doigt. On peut aussi avoir l'impression qu'un membre fantôme est chaud, froid, mouillé, qu'il démange ou fait mal. Mais la sensation la plus fréquente semble être un picotement ou une contraction du membre perdu.

Dans la plupart des cas, le phénomène commence dès que le patient reprend conscience après l'opération. Généralement, il s'atténue au cours du temps, mais sa durée est variable, de quelques mois à toute une vie. Les sensations des parties proximales des membres — c'est-à-dire les cuisses ou les bras — disparaissent plus vite que celles des parties distales — les doigts et les orteils. La personne amputée a souvent la sensation que les extrémités fantômes se rapprochent du moignon.

Le phénomène du membre fantôme peut se produire également suite à une mammectomie, une opération de chirurgie esthétique du nez ou même une liposuccion.

Il existe des explications physiques et psychologiques à ce phénomène, et la plupart des médecins estiment qu'elles sont toutes à prendre en considération. Le principal argument en faveur d'une origine organique est que le phénomène se retrouve chez tous les amputés, et que rien n'indique que les victimes présentent un profil psychologique particulier.

La plupart des théories considèrent que la cause réside dans le cortex sensoriel, et de nombreux indices étaient cette hypothèse. En effet, ce sont les doigts et les orteils fantômes qui sont ressentis le plus vivement ; or ce sont là les parties du corps les mieux représentées dans le cortex cérébral. À l'inverse, les parties proximales des membres — bras et cuisses —, dont la représentation corticale est peu importante, sont ressenties moins fortement par les amputés, et les sensations fantômes les concernant disparaissent en premier.

Il existe trois grands types de théories cherchant à expliquer le phénomène.

1 Les « théories périphériques » attribuent les sensations fantômes à une irritation des nerfs du moignon.

2 Selon les théories dites « centrales », ce sont les zones corticales adjacentes qui stimulent la zone du cortex autrefois reliée au membre amputé. D'après les médecins, le cerveau peut émettre des sensations physiques vers le moignon. Autrement dit, les personnes souffrant de membres fantômes ne s'imaginent pas leurs sensations, elles les subissent véritablement.

3 Les « théories psychologiques », quant à elles, admettent généralement les origines organiques de ces sensations tout en soulignant le fait que, une amputation étant un événement traumatique, les patients doivent redéfinir leur image d'eux-mêmes suite à l'intervention chirurgicale. Il est fréquent que les amputés aient l'impression d'avoir moins de valeur qu'avant l'opération, et que leur moignon leur inspire à la fois honte et répulsion. Un psychiatre auquel nous nous sommes adressés a souligné le besoin de chaque individu de préserver l'intégrité de l'image de son corps. Selon lui, le fantôme est un phénomène paradoxal, étant à la fois une forme de déni (« Si je sens mon membre, je ne peux l'avoir perdu ») et un moyen de reconnaître la transition à laquelle tout amputé doit faire face après l'opération, en focalisant l'attention sur le membre perdu. Bien que l'apparition du fantôme en elle-même n'indique aucun problème psychopathologique, de nombreux psychologues pensent qu'une douleur fantôme est souvent un symptôme de dépression. Quant aux douleurs du moignon, elles exprimeraient une colère et un chagrin que le patient retournerait contre lui-même. D'ailleurs, plusieurs psychologues ont guéri des douleurs fantômes en traitant les patients comme de « simples »

dépressifs. La technique du biofeedback a également donné de bons résultats ; ainsi, se focaliser sur son moignon aide sans doute le patient à surmonter ses difficultés en termes d'image de soi. Enfin, un dernier élément confirme le rôle joué par le psychisme : les personnes n'ayant plus ressenti de phénomène fantôme depuis longtemps le perçoivent à nouveau dès lors que l'on aborde le sujet avec elles.

Pourquoi l'être humain a-t-il perdu presque tous ses poils ?

Cela fait longtemps que les anthropologues débattent de cette question. Le pelage étant, pour de nombreuses espèces, un moyen fondamental de maintenir leur température corporelle, la perte de cet efficace système d'isolation représente nécessairement un intérêt pour les humains. Mais lequel ? Voici quelques-unes des théories les plus logiques tentant de répondre à cette question :

1 La perte de leurs poils aurait permis aux êtres humains primitifs de lutter plus efficacement contre les myriades de parasites qui les importunaient. Plus qu'une gêne, les parasites étaient également les vecteurs potentiels de maladies parfois mortelles. La faiblesse de cette théorie est qu'elle n'explique pas pourquoi des espèces proches de la nôtre, également infestées de vermine, n'ont pas évolué de la même façon.

2 Plus qu'une évolution fonctionnelle, la peau nue serait une mutation sociale, la plupart des espèces possédant un certain nombre de signes distinctifs. Mais la relative nudité de l'être humain étant un très grand pas du point de vue de l'évolution, il est peu probable qu'elle soit l'un de ces signes distinctifs, habituellement de moindre importance.

3 La perte du pelage serait due à des raisons sexuelles et reproductives : les mammifères mâles sont généralement plus velus que les femelles, et ce genre de différence physiologique contribue à rendre les deux sexes mutuellement plus attirants. De plus, en raison de sensations tactiles accrues, avoir moins de poils a sans doute augmenté l'excitation sexuelle. Cela a alors pu contribuer à la reproduction de l'espèce à une époque où, contrairement à aujourd'hui, celle-ci était encore menacée.

4 Certains anthropologues défendent une théorie selon laquelle, avant de devenir un animal chassant dans les savanes d'Afrique orientale, l'ancêtre de l'être humain aurait traversé une phase aquatique et vécu dans les eaux

tropicales. Or, dans l'eau, il est plus aisé de se déplacer lorsque l'on n'a pas de poils. Cette théorie expliquerait aussi pourquoi seul notre crâne a gardé un pelage intégral, étant l'unique partie du corps en permanence émergée chez ces possibles ancêtres aquatiques. Selon cette théorie, l'être humain n'aurait quitté le milieu aquatique qu'une fois devenu apte à chasser sur terre.

5 Quelle que soit la véracité de la théorie du primate aquatique, il semble certain que son apilosité lui a permis de réguler sa température corporelle lorsque, devenu bipède, il a quitté le milieu forestier pour s'installer dans la savane. Pourtant, cet argument a, lui aussi, ses opposants. En effet, d'autres mammifères comme le lion ou le chacal ont effectué le même changement de milieu sans pour autant devenir glabres. De plus, la perte du pelage eut pour l'être humain la conséquence néfaste de l'exposer aux dangereux rayons ultraviolets émis par le soleil.

6 L'apilosité aurait protégé nos ancêtres primitifs de la surchauffe pendant la chasse. En effet, lorsqu'ils devinrent des chasseurs, leur activité physique augmenta considérablement. Or le fait de perdre leurs poils et d'augmenter le nombre de glandes sudoripares et sébacées sur tout le corps leur permit d'abaisser leur température à la fois plus vite et plus efficacement. De surcroît, les glandes sudoripares fonctionnent beaucoup mieux lorsque aucune fourrure ne retient la sueur.

Aussi éloignés que nous soyons aujourd'hui des problèmes de nos aïeux, il est des chercheurs qui pensent que la génétique ne cessera de contrecarrer nos tentatives d'évolution, et que, en dépit de toutes nos conquêtes sur l'environnement, au plus profond de nous-mêmes, nous ne sommes rien d'autre que des singes nus...

Pourquoi les poils pubiens sont-ils frisés ?

La réponse est simple :

Les poils pubiens sont frisés car ils sont de forme ovale, et non ronde. Les cheveux de section ronde, comme ceux des Indiens d'Amérique par exemple, sont raides, sans la moindre ondulation, tandis que les cheveux bouclés, frisés et crépus sont de section ovale. Il en va de même des poils pubiens.

À cette première explication s'ajoute l'hypothèse qui voudrait qu'à cet endroit la présence de poils raides risquerait d'irriter la peau alentour.

Il convient enfin de rappeler qu'en réalité, il existe des poils pubiens non frisés. C'est le cas au début de la puberté, où ils sont fins et raides, ainsi que chez les Asiatiques, chez qui ils sont généralement moins fournis et beaucoup plus raides que ceux des Noirs ou des Blancs.

Pourquoi certaines zones de notre corps sont-elles plus chatouilleuses que d'autres ?

Les experts qui se sont attaqués à cette question ont insisté sur les avantages d'être chatouilleux, tombant d'accord sur un point : ce que nous connaissons aujourd'hui comme une sensation anodine a sans doute servi, à un certain stade de notre évolution, à signaler un danger sérieux.

Certaines zones de notre corps sont plus innervées que d'autres, et notamment les grands classiques du chatouillement que sont les plantes des pieds, les aisselles, etc. Cette concentration nerveuse est très vraisemblablement la survivance d'un phénomène qui, à un stade donné de notre évolution, a joué un rôle dans notre sécurité.

Bon, mais en quoi, par exemple, nos aisselles pourraient-elles être cruciales pour notre survie ? Un neurochirurgien nous a expliqué que l'aisselle nous signalait un contact pouvant entraîner une blessure du plexus brachial, risquant de paralyser le bras. Les autres parties du corps très riches en terminaisons nerveuses, telles que les narines, le canal auditif ou la cavité oculaire, étaient toutes des zones où des objets — ou des insectes — pouvaient assez facilement pénétrer, ce qui représentait un danger important.

Mais qu'en est-il du rôle de la plante des pieds ? Voilà la réponse, moins assurée, du même neurochirurgien :

> C'est en effet une question plus troublante. Les pieds donnaient-ils l'alarme lorsque, à l'époque où les hommes vivaient dans les branches, un serpent montait à l'arbre ? Ou est-ce une hypersensibilité résultant de la transformation de la peau à cet endroit, peau qui était beaucoup plus épaisse avant que nous ne commencions à porter des chaussures ? En fait, si j'ai un faible pour la première théorie, je ne peux vraiment pas me prononcer.

Pourquoi nos pieds gonflent-ils tant lors des voyages en avion ?

Nous avons consulté deux spécialistes de la médecine aérienne, qui nous ont assuré qu'il n'y avait pas de raison pour qu'un changement atmosphérique fasse gonfler les pieds. Ils ont ajouté que, dans un avion, la cause du gonflement était la même que sur le plancher des vaches : l'inactivité.

Dans notre corps, le cœur n'est pas seul à pomper : il y a également les muscles. Lorsque l'on mobilise les muscles de nos jambes, cela soutient ce travail de pompage. En avion, non seulement vous ne bougez pas, mais vous êtes de surcroît assis, le plus souvent avec les jambes perpendiculaires au sol. Or, lorsque nous restons assis pendant un certain temps, le sang, et d'autres fluides corporels, s'amassent dans les pieds, attirés vers le bas par la pesanteur.

Que nous gardions ou non nos chaussures ne change pas grand-chose. Si nous les gardons, elles facilitent nos déplacements mais gênent notre circulation sanguine, et en tout cas, elles n'empêchent pas les pieds de gonfler. Si nous les ôtons, nous sommes plus à l'aise pendant le vol lorsque nous sommes assis, mais les renfiler à l'atterrissage tient de l'exploit.

Cette accumulation de fluides dans les tissus des pieds peut avoir lieu dans le bus, le train, ou au bureau. La plupart d'entre nous ont les pieds qui gonflent au cours de la journée. C'est pourquoi il est recommandé d'acheter les chaussures vers le milieu de l'après-midi : à ce moment-là, les pieds peuvent avoir « grandi » d'une pointure par rapport au réveil !

Durant les longs vols, il est conseillé de marcher un peu ou, tout au moins, d'étirer ses jambes de temps en temps.

Pourquoi les poils ne poussent-ils pas sur les marques de vaccin ?

Une marque de vaccin n'est rien d'autre qu'une cicatrice. Une vaccination engendre une inflammation assez intense pour détruire les follicules pileux avoisinants. Et, s'il est possible de transplanter des poils ou des cheveux sur une marque de vaccin, un follicule mort ne peut pas être ressuscité.

Pourquoi est-il plus fatigant de rester debout que de marcher ? Et pourquoi est-il difficile de rester debout sans bouger ?

Certes, nous sommes souvent partisans du moindre effort. Mais, à l'instar de certains de nos lecteurs, nous avons néanmoins remarqué qu'après avoir passé un certain temps immobiles, nous ressentons un impérieux besoin de bouger.

Si l'on ne peut négliger totalement l'élément psychologique, il est néanmoins probable qu'ici, les causes sont principalement physiologiques. Lorsque nous sommes debout, la pesanteur attire une partie des fluides corporels vers le bas. Ceux-ci s'accumulent dans les jambes et les pieds, appuient sur les muscles, et peuvent même provoquer des douleurs.

Lorsque nous bougeons, au contraire, la contraction des muscles fait remonter les fluides, et les veines travaillent avec plus de dynamisme.

Quand nous marchons, le sang circule non seulement mieux vers le cœur, mais aussi dans le corps tout entier, y compris dans certains organes très importants... tel le cerveau.

Rester longtemps assis peut également provoquer des problèmes de circulation (voir à ce sujet la question précédente). Dans les cas extrêmes, la formation d'un caillot peut même provoquer une thrombose veineuse profonde (TVP). Ainsi, le besoin de mouvement que provoque une longue immobilité en station debout ou assise est bon pour nous — surtout si nous sommes partisans du moindre effort !

Quand on se fait examiner pour une hernie inguinale, pourquoi le médecin nous demande-t-il de tourner la tête et de tousser ? À quoi sert-il de tousser ? Et pourquoi faut-il tourner la tête ?

Les médecins demandent à leurs patients de tousser lorsqu'ils examinent leurs poumons, mais « Tournez la tête et toussez » est la phrase rituelle en cas de hernie inguinale. On appelle hernie la sortie d'un organe à travers un orifice naturel ou un point faible de la structure musculaire. Les principales concernent soit le diaphragme (hernie diaphragmatique, dont la hernie hiatale), soit le disque compris entre deux vertèbres (hernie discale), soit encore les viscères abdominaux (hernie de la paroi abdominale).

Les hernies abdominales sont généralement bénignes, mais elles peuvent devenir dangereuses lorsqu'elles sont de petite taille car, alors, l'organe risque de se trouver bloqué dans l'orifice, tandis qu'il peut en sortir et y rentrer librement si celui-ci est suffisamment large. Aussi, pour les médecins, il est important de détecter ces petites hernies, d'autant que leur discrétion fait qu'elles ne sont pas toujours remarquées par le patient lui-même. Lorsque la pression abdominale est normale, il arrive que la hernie ne sorte pas de l'orifice, et ne soit donc pas repérable.

Or la façon la plus simple d'augmenter la pression abdominale est de tousser, car cela contraint l'ensemble des muscles abdominaux à se contracter.

Si le médecin ne sent aucun renflement lorsque le patient tousse, c'est que ce dernier n'a pas de hernie.

Mais pourquoi faut-il tourner la tête avant de tousser ? Voyons, question de bon sens : c'est pour ne pas envoyer ses microbes à la figure du médecin !

Pourquoi les femmes ne s'évanouissent-elles plus aussi fréquemment qu'autrefois ?

La cause la plus commune d'une perte de connaissance est un manque d'afflux sanguin au cerveau, dû à une soudaine baisse de tension. Mais de sérieux problèmes cardiaques ou neurologiques peuvent également entraîner des évanouissements. Les malaises survenant à la vue du sang, ou d'un serpent, relèvent de la baisse de tension.

Ces causes existent toujours, mais on ne s'évanouit plus aussi souvent que dans les romans du XIXᵉ siècle, où les demoiselles perdaient connaissance quand elles avaient peur, quand elles étaient folles de joie ou de douleur, mais aussi... quand cela les arrangeait. Qu'a-t-il bien pu se passer ?

Selon une spécialiste de la question, la première cause d'évanouissement résidait dans un instrument de torture très répandu, le corset, qui enserrait le torse des femmes si étroitement et avec une telle raideur que...

... Dès l'adolescence, les organes internes des jeunes filles en étaient déformés, ce qui rendait impossible toute respiration naturelle, qu'elles soient en train de porter le corset ou qu'elles l'aient ôté. C'est pour cela qu'au XIXᵉ siècle, les femmes s'évanouissaient sans cesse.

Mais pourquoi s'imposer ce martyre ? À cette époque, la beauté des femmes dépendait grandement de la finesse de leur taille. Dans la littérature, il est fait mention de tailles ne mesurant que 30 à 45 cm, mais sans doute y a-t-il une bonne part d'affabulation dans ces invraisemblables mensurations :

Quand on mesure les corsets qui sont conservés dans les collections de certains musées, on obtient en fait des tours de taille faisant entre 50 et 55 cm. De plus, rien n'indique que les femmes laçaient leur corset au maximum. Il est même très probable que, une fois acheté le corset de petite taille qui assoirait leur prestige, elles ne le serraient pas au maximum.

Mais, même dans ces conditions, le fait de rendre leur tour de taille le plus réduit possible pouvait causer aux femmes des problèmes circulatoires.

De nos jours, hormis certaines exceptions comme Madonna, ce type de vêtement n'a plus beaucoup d'adeptes. Est-ce que, pour autant, plus personne ne s'évanouit ? Non. Au contraire, c'est l'un des symptômes dont se plaignent le plus fréquemment les personnes qui consultent un médecin, quel que soit leur âge.

Et les hommes sont aussi touchés que les femmes. Comment expliquer alors qu'au XIXᵉ siècle, il n'était question que des évanouissements féminins ? C'est que l'élite sociale, milieu décrit dans la plupart des romans de ce siècle, considérait les femmes comme des créatures délicates. Elles ne mettaient pas un corset pour des raisons uniquement esthétiques, mais également parce que l'on considérait (à tort) que, porté dès 3 ou 4 ans, ce vêtement les aiderait à acquérir un bon maintien et à développer leur musculature de façon adéquate.

De plus, au XIXᵉ siècle, perdre connaissance était considéré comme un signe de féminité. Lorsque Alexis de Tocqueville voyagea aux États-Unis dans les années 1830, il remarqua qu'en Europe les femmes étaient des êtres séduisants et imparfaits, considérant presque comme une qualité le fait de se montrer futiles, faibles et timides, tandis qu'en Amérique les femmes ne recherchaient pas ce genre de « privilège ».

Dans un tel contexte, comment blâmer une femme d'avoir programmé ses malaises pour qu'ils coïncident, disons, avec l'arrivée de son fiancé ? Ou qu'ils lui évitent une confrontation désagréable ?

Pourquoi le bâillement est-il contagieux ?

Voilà l'une des questions que l'on nous pose le plus fréquemment. Et, après des années de recherches, elle reste l'une de celles qui nous donnent le plus de difficultés. Comme nous ne trouvions aucun « bâillologue », nous avons fait appel à nos amis et connaissances.

Comme toujours, les réponses ont été extrêmement nombreuses mais, hélas, divergentes. On peut les classer en trois groupes :

1 L'hypothèse physiologique. Nous bâillons pour augmenter le taux d'oxygène de notre organisme, ou éliminer du dioxyde de carbone. Le bâillement est donc contagieux puisque toutes les personnes, dans une même pièce, ont besoin d'air frais en même temps.

2 L'hypothèse de l'ennui. Si plusieurs personnes écoutent un discours barbant, il est logique qu'elles bâillent à peu près au même moment.

3 L'hypothèse évolutionniste. Les bâillements consécutifs sont comparables à la mimique animale qui consiste à montrer ses dents pour intimider l'autre et défendre son territoire. À l'origine, elle exprimait un défi lancé à autrui, mais elle a perdu son caractère agressif au cours du processus de civilisation de l'être humain.

Et puis, quelques éminentes relations nous ont appris qu'un psychobiologiste du nom de Robert Provine — qui avait inexplicablement échappé à nos recherches — était non seulement LE spécialiste mondial du bâillement, mais que, de surcroît il essayait de comprendre son caractère contagieux. Vous imaginez notre enthousiasme ! Voilà que non seulement nous avions trouvé la personne qui pourrait répondre à notre question, mais également quelqu'un dont le travail était presque aussi bizarre que le nôtre...

Le Dr Provine nous fit généreusement part des résultats de ses recherches, en voici un bref résumé. Comme toujours, les experts sont beaucoup moins enclins à énoncer des certitudes que les profanes, et le Dr Provine nous a confessé qu'on ne savait pas grand-chose sur le bâillement.

Il définit le bâillement comme « le fait d'ouvrir la bouche en grand en inspirant longuement, puis en expirant plus brièvement ». Cette définition nous semblait corroborer l'hypothèse physiologique, mais il n'était pas de notre avis. Il a mené des expériences au cours desquelles il a bâillonné les sujets : ceux-ci pouvaient encore bâiller, mais sans ouvrir la bouche. Or, et bien qu'ils aient tous été en mesure de respirer normalement par le nez, et donc d'inspirer autant d'oxygène qu'en ouvrant la bouche, ils ont ressenti une certaine insatisfaction. Le Dr Provine en a conclu que bâiller était indépendant de la respiration.

Grâce à d'autres expériences, il a également démontré que bâiller n'avait rien à voir avec l'oxygène ou le dioxyde de carbone. Par exemple, le fait d'insuffler de l'oxygène pur aux sujets ne modifiait pas la fréquence de leurs bâillements.

Le Dr Provine a également étudié le rapport entre l'ennui et le bâillement. Une expérience a montré que les personnes regardant des vidéos de rock bâillaient moins que celles qui regardaient les mires (vidéos de test). Mais ces dernières bâillaient-elles pour des raisons psychologiques (elles s'ennuyaient), ou physiologiques (l'ennui les faisait somnoler) ?

Le Dr Provine demanda à ses étudiants de consigner précisément leurs bâillements. Les résultats firent clairement apparaître des schémas récurrents : les occurrences étaient particulièrement fréquentes pendant l'heure précédant le coucher et celle suivant le réveil. De plus, un lien incontestable apparut entre le fait de bâiller et celui de s'étirer : la plupart des gens bâillent lorsqu'ils s'étirent (mais ne s'étirent pas forcément lorsqu'ils bâillent).

Le bâillement existe dans l'ensemble du règne animal. On a pu observer des fœtus humains bâillant dès la 11e semaine de gestation. Le psychologue de l'enfant Jean Piaget avait noté que, dès l'âge de 2 ans, les enfants se montraient sensibles à la contagion du bâillement. Le Dr Provine comprit que c'était un exemple d'« acte moteur stéréotypé » : une fois commencé, il se déroule toujours d'après un schéma prévisible. Mais à quoi sert cet acte ?

Sans se risquer à répondre avec certitude, le Dr Provine suppose que le bâillement et l'étirement ont pu, par le passé, être associés en un même réflexe (d'ailleurs, on peut considérer le bâillement comme une sorte d'étirement du visage). Cette théorie est étayée par le fait que les deux actes sont déclenchés par les mêmes substances chimiques.

Toutes les personnes ayant proposé des pistes de réponse avaient souligné le phénomène de « réplication » du bâillement. Selon le Dr Provine, « tout ce qui a trait de près ou de loin au bâillement peut faire bâiller ». Et il a réuni des données susceptibles de corroborer cette affirmation :

- 55 % des personnes regardant une série de 30 bâillements sur une période de 5 minutes bâillent au moins une fois au cours de cette période, tandis que visionner 30 sourires en 5 minutes ne fait bâiller que 21 % des sujets.
- Les aveugles bâillent plus fréquemment lorsqu'ils écoutent un enregistrement de bâillements.
- On bâille quand on lit un texte sur le bâillement. On bâille même quand on ne fait que penser au bâillement (comme l'auteur de ces lignes en les écrivant !).

Si nous sommes aussi sensibles à ces déclencheurs, le Dr Provine en a déduit que nous sommes dotés de détecteurs neurologiques de bâillements, et qu'il doit y avoir une raison à cela : le bâillement est non seulement en lui-même un acte moteur stéréotypé, mais il est sans doute également le stimulus déclenchant une autre activité stéréotypée chez de nouvelles personnes (un autre bâillement en l'occurrence). Or le fait bâiller permet de synchroniser certaines fonctions physiologiques chez différents membres d'un groupe, notamment leur tension artérielle et leur rythme cardiaque.

À un stade précoce de notre évolution, il se peut que bâiller ait été, pour les membres d'un même clan, le signal non verbal qu'il était temps d'aller dormir. Dans son ouvrage *Éthologie. Biologie du comportement*, le Dr Eibl-Eibesfeldt raconte une scène au cours de laquelle un Européen expérimente l'acceptation sociale du bâillement chez les Indiens Bakairis, vivant au Brésil.

> S'ils estimaient que la conversation avait assez duré, ils se mettaient à bâiller avec aplomb, sans mettre la main devant leur bouche. Cet amusant réflexe était indéniablement contagieux. L'un après l'autre, ils se levaient et s'en allaient, me laissant finalement seul.

Cela dit, le Dr Provine ne veut pas non plus exclure l'hypothèse évolutionniste. Peut-être qu'à une époque le fait de montrer ses dents, mimique proche du bâillement, a pu constituer un acte agressif ou, ce qui est plus probable, servir à préparer un groupe aux difficultés de certaines tâches, ou de combats : sans doute, après un bon bâillement, l'homme des cavernes se saisissait-il de son outil ou de son arme avec un entrain renouvelé !

Mise à jour

Il y a quelques années, lorsque nous nous sommes penchés pour la première fois sur le phénomène de réplication du bâillement, Robert Provine était le seul spécialiste de la question. Depuis, celle-ci a fait l'objet de multiples recherches, notamment de la part des sciences cognitives. Le psychologue Steven Platek et son équipe de chercheurs ont notamment tenté de découvrir quels étaient les itinéraires nerveux et cérébraux impliqués dans la contagion du bâillement. Ils soumirent des volontaires à une IRM, afin de comparer la façon dont leurs substrats cérébraux se comportaient respectivement face à un bâillement contagieux, au rire ou à une expression neutre.

L'équipe soumit les sujets à différents tests psychologiques et découvrit que ceux qui se laissaient le plus gagner par la contagion du bâillement présentaient les tendances schizoïdes les moins marquées, et les capacités les plus élevées à se rapprocher intuitivement de l'état mental d'autrui et donc à faire preuve d'empathie. Ils étaient aussi les plus rapides à reconnaître leur propre visage quand il apparaissait à l'écran.

Platek et ses collègues ont émis l'hypothèse que la réplication du bâillement était peut-être une façon primitive — et totalement inconsciente — de modeler notre comportement sur celui d'autrui, comme le font d'autres animaux. Lorsque, dans un troupeau d'oiseaux au repos, l'un d'eux s'envole soudainement et que les autres le suivent, ces derniers ne savent souvent pas ce qui a alarmé le premier oiseau, mais il est certain que l'imitation est une tactique de survie efficace.

Les schizophrènes et les autistes, dont l'intelligence sociale et le degré d'empathie sont généralement assez faibles, sont peu sujets au bâillement contagieux. Les bébés, dont l'aptitude à l'empathie est pour le dire de façon neutre très sous-développée, résistent eux aussi à la contagion du bâillement.

qui ? pourquoi ? comment ? quand ? où ? qui ? pourquoi ? commen

Parmi les mammifères, les oiseaux, les poissons, les amphibiens et les reptiles, les espèces qui bâillent sont nombreuses. Selon nous, le chimpanzé est, à part l'humain, le seul être vivant chez qui le bâillement est contagieux. Des tests ont été effectués sur des chimpanzés femelles adultes qui visionnaient des vidéos montrant d'autres chimpanzés, les uns bâillant, les autres ouvrant la bouche sans bâiller. Deux des six sujets affichèrent un taux de bâillement élevé de plus du double lorsqu'ils regardaient des vidéos de bâillements, et un taux identique à celui des autres lorsqu'ils visionnaient des vidéos de singes ne bâillant pas. Certes, il ne s'agit là que d'un très petit échantillon. Mais cette proportion d'un tiers correspond à celle trouvée par Provine et Platek chez les humains. Ces tests ont fait apparaître une autre ressemblance avec les humains : trois des femelles chimpanzés étaient accompagnées de leur bébé, et aucun d'entre eux ne bâilla, ni devant les vidéos, ni devant les bâillements de leur mère.

Ce test a enthousiasmé les chercheurs, car les chimpanzés sont les seuls autres primates sujets à la réplication du bâillement, et ainsi les seuls à faire preuve de ce que les psychologues nomment un comportement empathique. Qui sait si, un jour, la recherche sur la contagion du bâillement ne permettra pas de découvrir les mystères — ou au moins les fondations neurologiques — des comportements empathiques et coopératifs ?

Sur Internet, il existe aujourd'hui une foule d'informations sur le bâillement. Le site « Le bâillement » (consultable en ligne à l'adresse www.baillement.com) propose de nombreux articles fort intéressants en français et en anglais. Et sur www.gapingmaws.com, on trouve une impressionnante galerie d'animaux photographiés la gueule ouverte. Étonnant !

Pourquoi les femmes enceintes ont-elles des envies alimentaires surprenantes et sont-elles dégoûtées par ce qu'elles aiment d'habitude ?

Pourquoi le fait d'être enceinte peut-il parfois donner aux femmes des envies aberrantes du type « salade de fraises aux cornichons » ou « tartine Petit Beurre-moutarde » ?

Si, pour certains sociologues, les fameuses envies ne sont que des lubies de la femme enceinte, les médecins et les nutritionnistes ne partagent généralement pas cet avis. Des études portant sur ce sujet ont en effet établi qu'elles concernent entre 50 et 90 % des femmes enceintes dans le monde entier.

Il s'agit, apparemment, d'une conséquence des changements hormonaux qui modifient le sens du goût pendant la grossesse. L'un des arguments en faveur de cette hypothèse est que, pendant la ménopause, période durant laquelle l'équilibre hormonal est également profondément modifié, les femmes ont parfois des envies et des aversions alimentaires très prononcées. Ressentant les saveurs différemment durant une grossesse, les femmes essaient divers aliments et combinaisons d'aliments susceptibles de satisfaire leurs nouveaux besoins.

De plus, il ne faut pas oublier que le fœtus absorbe une partie de la nourriture ingérée par sa mère. D'ailleurs, combien de fois entend-elle « Maintenant, il faut manger pour deux » ? Toutefois, d'après la plupart des nutritionnistes, une femme enceinte se nourrissant de façon équilibrée n'a besoin en moyenne que de 1 250 kilojoules de plus par jour pour nourrir la nouvelle vie qui croît en elle. Il paraît logique de supposer que le fœtus « se sert » irrégulièrement en nutriments, ce qui expliquerait les envies et les dégoûts étranges. En Éthiopie, les femmes croient qu'une soudaine aversion pour un aliment s'explique par le fait que le fœtus ne l'aime pas. À ce jour, les biologistes et les nutritionnistes ne savent pas expliquer le caractère imprévisible des goûts alimentaires durant la grossesse.

D'un point de vue strictement nutritionnel, certaines envies s'expliquent aisément. Par exemple, une envie d'olives ou de cornichons peut indiquer un manque de sodium. Celle de manger du beurre à la cuiller peut, elle, signaler un besoin en matières grasses ou en vitamine A. Cependant, le sodium et les matières grasses sont également présents dans le fromage, la vitamine A dans le foie de veau ou les navets... Pourquoi alors cette envie d'un aliment en particulier ?

Des études menées dans différentes cultures montrent que les envies concernent habituellement des mets absents de la nourriture habituelle des femmes enceintes. Pendant leur grossesse, les Occidentales ont tendance à refuser de manger de la viande, tandis que, dans des régions où celle-ci ne fait pas partie de l'ordinaire, l'envie d'en consommer est l'une des plus répandues. Selon une autre piste, les envies seraient une tentative du corps de pallier les désagréments de la grossesse — comme les nausées matinales.

Outre cette théorie — les aversions servent à rééquilibrer une nourriture d'ordinaire trop peu diversifiée —, il existe une autre hypothèse suivant laquelle elles seraient un moyen de protéger le fœtus de substances potentiellement dangereuses pour lui. En effet, les femmes qui, d'ordinaire, fument comme des pompiers, ou bien boivent du café ou de l'alcool avec une très relative modération, n'ont parfois aucune difficulté à s'arrêter lors d'une grossesse. Un fait à noter : bien avant que l'on sache que ces substances étaient potentiellement dangereuses pour l'enfant à naître, la nicotine, la caféine et l'alcool faisaient déjà partie des aversions notoires des femmes enceintes. De même, le simple fait de penser à de la viande crue, à des sushis ou à un fromage au lait cru (qui sont des aliments pouvant présenter un certain danger s'ils ne sont pas préparés dans les règles de l'art) donne la nausée à un grand nombre de femmes enceintes.

En revanche, il existe des envies de femme enceinte que l'on ne peut expliquer par des raisons sanitaires comme celle de crème glacée, très répandue. Une nutritionniste interrogée a reconnu que nul ne savait pourquoi certaines envies se portaient sur des aliments de faible valeur nutritive, absolument inaptes à pallier d'éventuelles carences chez la femme enceinte. Selon elle, il pourrait s'agir là d'une forme particulière de comportement addictif dont l'unique bénéfice serait la satisfaction de la femme qui en est l'objet.

Le comportement addictif le plus aberrant est le pica, qui ne touche d'ailleurs pas que les femmes enceintes. Il s'agit d'un trouble du comportement qui se caractérise par l'ingestion de substances non alimentaires — terre, craie, etc. Chez les femmes enceintes, les symptômes disparaissent généralement après la naissance de l'enfant.

Le pica étant plus répandu parmi les populations pauvres — qui souffrent fréquemment de carences nutritionnelles —, certains spécialistes y voient une réponse physiologique à un manque de fer ou de calcium, notamment en ce qui concerne l'ingestion de terre, aussi appelée géophagie. Parmi les populations plus riches, les femmes ayant plus facilement accès à un médecin ou à un nutritionniste se tourneront vers les lentilles ou le foie plutôt que vers la terre de leur jardin.

Pourquoi les bébés dorment-ils autant, et pourquoi dorment-ils beaucoup plus profondément que les enfants plus âgés ou les adultes ?

Premièrement, c'est une idée de génie qu'a eue Mère Nature pour préserver les parents de la folie.

Toutefois, il existe une raison plus physiologique. Un somnologue que nous avons contacté nous a expliqué que le sommeil jouait un rôle crucial dans le développement du cerveau des enfants en bas âge. Juste après sa naissance, un nourrisson dort en moyenne 16 à

18 heures par jour. Jusqu'à 60 % de ce temps est dévolu au sommeil paradoxal (ou sommeil REM, pour *rapid eye movement*), contre moins de 30 % chez les adultes. Que signifie cette forte proportion de sommeil paradoxal ?

Quand on dort, le sommeil REM est l'étape durant laquelle nous rêvons. L'activité des ondes cérébrales, proche de celle d'une personne éveillée, est très forte durant cette étape. On qualifie ce sommeil de paradoxal, car le cerveau est aussi actif qu'en phase éveillée tandis que l'individu dort. Vers l'âge de 1 an, le cerveau d'un bébé est suffisamment développé pour commencer à alterner quatre phases de sommeil NREM (*non rapid eye movement*) avec des phases de sommeil REM.

Bien que les somnologues ne sachent pas encore précisément comment cela fonctionne, le sommeil paradoxal semble être crucial pour le développement du système nerveux central des enfants en bas âge. Ce qui ne signifie pas que les phases NREM de sommeil « calme » représentent une perte de temps, car c'est durant ces phases que sont libérées les hormones pituitaires, indispensables à la croissance.

Les parents frais émoulus ratent rarement une occasion de vous raconter que leur bébé ne dort pas toujours profondément (c'est un euphémisme), et, pourtant, le cliché veut que quelqu'un qui ronfle imperturbablement dorme « comme un bébé ». L'explication de ce paradoxe réside dans le cycle très particulier du sommeil des tout-petits. Comme nous l'avons vu, si les bébés dorment généralement comme des souches, c'est qu'ils passent 50 à 60 % de leur temps en sommeil paradoxal. Et, durant ces phases, il est assez difficile de les réveiller.

Au cours de la première année, la proportion du REM par rapport au NREM décroît progressivement, et, si le nourrisson dort plus longtemps d'affilée, il se réveille plus facilement, notamment lors du sevrage — car le lait maternel contribue à le faire dormir... comme un bébé.

Pourquoi les bébés clignent-ils moins souvent des yeux que les adultes ?

Les bébés clignent peu des yeux, pour certains pas plus d'une ou deux fois par minute. Battre des paupières sert à répartir les larmes sur toute la surface de l'œil. Chez les adultes, la fréquence des clignements varie beaucoup, et certaines circonstances — comme une irritation ou un assèchement de la cornée, la pénétration d'un corps étranger dans l'œil, ou encore des émotions comme l'enthousiasme ou la tristesse — peuvent augmenter cette fréquence de façon conséquente.

Les ophtalmologistes que nous avons consultés nous ont présenté de nombreuses théories, mais aucune réponse définitive. L'un d'entre eux a souligné que la structure nerveuse de l'œil du nourrisson était beaucoup moins développée que celle de l'adulte. Au cours du premier mois, les bébés ne produisent pas même de larmes, ce qui indique que, au contraire des adultes, ils ne souffrent pas de sécheresse oculaire.

Un second ophtalmologiste a imaginé une autre raison plausible :

> Le fait que les yeux des bébés ne sèchent pas est assez intrigant. Il est vrai qu'ils ne passent pas énormément de temps les yeux ouverts, et que le peu de mucus que produit l'œil suffit généralement à garder la cornée humide. Sans doute aussi les bébés n'ont-ils pas besoin de cligner des yeux aussi souvent que les adultes parce que l'ouverture de leurs paupières est beaucoup plus petite ; cette raison, associée à la forme de leur crâne, fait que la partie de la cornée qui est exposée au milieu environnant est également beaucoup plus réduite. Leurs yeux séchant plus lentement, ils ne doivent pas être lubrifiés aussi souvent.

Il est également probable que les clignements de paupières soient, chez les nourrissons, moins liés à des motifs émotionnels que chez les adultes. Cela dit, tous les parents dont le bébé pleure pendant des heures sans raison apparente auront du mal à croire que le stress ne joue pas un rôle majeur dans le fonctionnement de leur cher ange…

Pourquoi les cheveux des enfants blancs foncent-ils avec le temps ?

La couleur des cheveux est déterminée par les gènes. Cependant, elle ne se révèle pas d'emblée chez tout le monde. Le fait que, durant l'enfance, les mélanocytes (cellules de la peau responsables de sa pigmentation et de celle des poils et des cheveux) ne soient pas encore totalement actifs peut être un début d'explication.

Néanmoins, il nous faut reconnaître que les scientifiques ne savent pas encore pourquoi les cheveux foncent par à-coups tout au long de l'enfance et de l'adolescence, et que nous n'avons pas trouvé de réponse définitive à cette question.

Pourquoi les bébés font-ils un rot quand on leur tapote le dos ?

Quand un bébé a faim, il veut du lait — et il le veut immédiatement ! Donc, inévitablement, un bébé très affamé avale de l'air en même temps que le lait, surtout s'il est nourri au biberon.

Il n'y a que deux façons pour lui de se débarrasser des bulles d'air ingérées. D'une part, l'air peut s'échapper de l'estomac vers l'intestin grêle — cependant, le passage entre les deux est obturé dès la fin d'un repas, pour que les aliments parvenant dans l'intestin soient suffisamment digérés. D'autre part, l'air peut remonter vers la bouche par l'œsophage. Il existe bien une valve située à l'entrée de l'estomac et destinée à empêcher la régurgitation des aliments, mais lorsque le volume d'air ingéré est suffisamment important, elle s'ouvre et le bébé fait un rot — ou une éructation selon le terme scientifique.

La plupart des adultes savent comment roter, mais les bébés ont besoin d'un peu d'aide. De légers tapotements sur le dos suffisent en général à déloger les bulles d'air enfermées dans l'œsophage ou l'estomac d'un bébé (ou d'un adulte, d'ailleurs). Une fois les bulles libérées, elles remontent et ressortent sous la forme d'un bruit qui, chez les bébés, est toujours attendu avec bienveillance, mais qui vous attirera des réprimandes si c'est vous qui le produisez. (Il existe cependant des canards qui produisent des rots pour séduire une femelle — et ça marche. Mais nous ne sommes pas des canards...)

Par ailleurs, les petites tapes dans le dos ne sont pas utiles qu'aux êtres humains. Durant nos recherches, nous sommes tombés sur un site américain qui expliquait comment faire faire un rot à un raton laveur nourri au biberon...

Les vrais jumeaux ont-ils les mêmes empreintes digitales ?

Les jumeaux monozygotes (ou vrais jumeaux) sont issus d'un seul ovule fécondé, qui se sépare ensuite en deux, formant ainsi deux embryons. Provenant du même spermatozoïde et du même ovule, ceux-ci ont naturellement le même patrimoine génétique, c'est-à-dire le même ADN.

Les jumeaux monozygotes sont donc toujours du même sexe, du même groupe sanguin et ont la même couleur d'yeux. À l'opposé, les jumeaux dizygotes (ou faux jumeaux) sont issus de deux ovules fécondés chacun par un spermatozoïde, et leurs ADN respectifs sont aussi différents que dans n'importe quelle autre fratrie. C'est-à-dire que non seulement les jumeaux dizygotes ne sont pas physiquement identiques, mais qu'ils ne sont pas non plus nécessairement du même sexe, ni du même groupe sanguin.

Cela dit, si les vrais jumeaux partagent le même ADN, ils ne sont pas pour autant des copies conformes, et leurs proches sont généralement en mesure de les distinguer. Quant à leurs personnalités, elles peuvent être radicalement différentes — ainsi que leurs empreintes digitales. Si la raison de ces différences n'est pas génétique, quelle est-elle alors ?

L'environnement au sein duquel se développe l'embryon dans le ventre maternel est déterminant pour ses empreintes digitales. C'est pourquoi les généticiens différencient le génotype (l'ensemble des gènes hérité par l'individu, c'est-à-dire son ADN) du phénotype (l'ensemble des caractères apparents d'un individu après l'exposition à son environnement). Les jumeaux monozygotes ont toujours le même génotype, mais leurs phénotypes diffèrent en raison de leur expérience personnelle, et ce dès le ventre maternel.

Un universitaire que nous avons contacté à ce sujet nous a écrit ce qui suit :

> En ce qui concerne les empreintes digitales, les gènes déterminent les caractéristiques générales des schémas utilisés pour classifier ces empreintes. Au cours de sa différenciation, la peau du bout des doigts exprime ces caractéristiques générales.

Mais, étant un tissu superficiel, elle est également en contact avec l'utérus et le fœtus lui-même, et change de position à chaque mouvement de celui-ci ou de sa mère.

Ainsi, le micro-environnement des cellules digitales en croissance est-il soumis à de constantes modifications, ce qui explique qu'il soit différent d'une main à l'autre et même d'un doigt à l'autre. C'est ce micro-environnement qui détermine les détails de la structure de l'empreinte digitale. Si les différences des micro-environnements respectifs des doigts sont ténues, leur effet se trouve amplifié lors de la différenciation des cellules, ce qui conduit aux dissimilitudes macroscopiques permettant de distinguer les empreintes digitales de jumeaux.

D'ailleurs, plus ils vieillissent, plus les vrais jumeaux s'éloignent physiquement l'un de l'autre et finissent par se ressembler comme deux frères ou sœurs « normaux ».

Les jumeaux représentent 2 % des nouveau-nés, et un tiers d'entre eux seulement sont monozygotes. Leurs empreintes digitales sont à l'image des flocons de neige : si elles paraissent semblables au premier abord, elles ne le sont en réalité jamais tout à fait.

Pourquoi les enfants ont-ils plus souvent le nez qui coule que les adultes ?

Le « nez qui coule » est généralement dû à une infection nasale, à une allergie, ou tout simplement à un rhume. Or les enfants y sont plus sujets que les adultes. Un spécialiste de la question nous a répondu :

En moyenne, un enfant contracte jusqu'à six rhumes par an, contre deux pour un adulte. Cela peut s'expliquer par le fait que son système immunitaire n'est pas encore entièrement développé. Il est également possible que, à chaque fois qu'un individu contracte un rhume, il acquière une certaine immunité envers l'infection suivante provoquée par le même virus. De la sorte, avec les années, il serait de plus en plus immunisé contre différents virus et tomberait moins souvent malade.

Pourquoi fermons-nous les yeux quand nous éternuons ?

Nous pensions qu'il serait facile d'élucider ce mystère. Bien sûr, si une question est digne de figurer dans ce livre, c'est que sa réponse ne se trouve pas dans le premier ouvrage de référence venu. En revanche, nous n'aurions rien contre une petite mention ici ou là...

Suite à nos recherches, nous savons désormais qu'un éternuement est une réponse physiologique à une substance irritante quelconque et que presque tous les animaux éternuent. Mais nous ignorons ce qui se passe lorsque nous éternuons.

De nombreuses théories tentent de régler définitivement la question. Ce n'est pourtant visiblement pas si simple puisque aucune ne s'impose réellement.

Lors d'un éternuement, toutes les fonctions corporelles s'arrêtent, et notre corps est alors soumis à une tension importante, qui touche particulièrement nos yeux. Alors, quand nous éternuons, est-ce que nous les fermons pour empêcher qu'ils ne sortent de leurs orbites ? Pour l'instant, le mystère reste entier...

Une troisième hypothèse est que, les enfants étant plus proches les uns des autres que les adultes, il est plus facile aux infections virales de se propager parmi eux.

Un oto-rhino-laryngologiste nous a indiqué que les enfants coutumiers du nez qui coule avaient souvent des végétations, un symptôme qui épargne les adultes.

Un ostéopathe nous a, lui, fait remarquer que les enfants n'avaient pas les mêmes notions que les adultes en matière d'hygiène et d'esthétique. Sans réfuter les autres raisons évoquées précédemment, il nous a rappelé qu'un enfant n'était pas aussi conscient qu'un adulte du fait que son nez coule. De plus, les enfants en bas âge ne savent pas encore se moucher. En outre, comme ils sont plus enclins à associer bon temps et hyperactivité, ils ne se rendent pas compte que leur nez coule. Et s'ils s'en aperçoivent... ça leur est complètement égal !

Pourquoi les enfants victimes de famine ont-ils le ventre gonflé ?

Nous avons malheureusement tous déjà vu des photos montrant des enfants presque morts de faim, au visage émacié et au ventre gonflé. Comment se peut-il que, manquant désespérément de nourriture, ces enfants aient un abdomen aussi distendu ?

Pour certains, ce phénomène est symptomatique de la « malnutrition en calories d'origine protéique » (MCP). Autrement dit, c'est une consommation trop faible de calories et de protéines qui fait gonfler le ventre de la plupart de ces enfants affamés.

Pour d'autres, il s'agit d'un syndrome de carence protéique appelé kwashiorkor, indépendant de la consommation calorique. Il est surtout répandu dans les pays pauvres, où le riz constitue la base de la nourriture, car les sources de protéines — viande, poisson, légumes — sont soit rares, soit trop chères pour une grande part de la population.

Une déficience en protéines génère de graves problèmes, notamment l'extrême épuisement que l'on peut déceler dans le regard des enfants mal nourris. La MCP peut affecter divers organes, mais elle est particulièrement dangereuse pour le pancréas, le foie, le sang et le système lymphatique.

Chez une personne en bonne santé, les vaisseaux sanguins exsudent une petite quantité d'eau qui se répand dans les tissus. Normalement, ce liquide est évacué par les vaisseaux lymphatiques. Mais lorsque le système lymphatique fonctionne mal, et c'est le cas chez les enfants atteints de MCP, l'eau reste dans la peau et provoque un œdème.

Chez ces enfants, l'ascite, une rétention d'eau intra-abdominale, compte pour beaucoup dans le gonflement du ventre. D'un point de vue général, la présence d'un peu d'eau dans la cavité abdominale est souhaitable, car elle forme une couche de protection pour les organes. Et une ascite n'est pas en soi nécessairement dangereuse — mais elle est souvent le symptôme d'une lésion du foie. En cas de MCP, il est de surcroît fréquent que les tissus s'affaiblissent, ce qui favorise l'épanchement d'eau dans l'abdomen.

Un foie qui fonctionne mal est sujet au gonflement. Or le foie est l'un de nos plus grands organes : il représente en moyenne 2 à 3 % de notre poids total. Un foie dilaté peut donc aggraver le gonflement du ventre.

Il n'y a pas que les enfants affamés qui sont victimes de ce phénomène : la plupart des personnes souffrant de malnutrition ont un ventre gonflé. Dans les pays occidentaux, il n'est pas rare de constater ce symptôme chez des malades ayant subi une perte de poids soudaine.

Pourquoi les happy ends nous font-ils pleurer ?

Eurêka ! Voilà enfin un point sur lequel les psychologues sont d'accord : les « larmes de bonheur », ça n'existe pas ! Nous ne pleurons pas parce que nous sommes heureux, mais parce que le happy end réveille des sentiments tristes.

La grande majorité des adultes est en mesure de refouler une envie de pleurer, mais non sans dépenser une certaine énergie psychique. Lorsqu'un happy end nous indique qu'il n'y a plus de raison d'être triste ni de crainte à avoir, l'énergie qu'il nous a fallu mobiliser pour retenir nos larmes se décharge, soit sous forme de rire, soit — et c'est le cas le plus fréquent — sous forme de pleurs. Il arrive que quelqu'un assiste stoïquement à la projection d'un mélodrame, et se mette à pleurer pendant le générique.

Les happy ends évoquent souvent un monde idéal fait de bonté et d'amour, un monde dans lequel, enfants, nous croyions que plus tard nous pourrions passer notre vie. Il est rare que les enfants pleurent à un happy end, car ils n'ont pas encore perdu leurs illusions sur leurs propres possibilités.

Pour l'adulte, le happy end est un retour temporaire à l'innocence enfantine, et il pleure puisque il lui falloir retourner à la dureté du monde réel, tandis que l'enfant, qui n'a pas conscience de la menace permanente de la mort, voit dans le happy end la confirmation des perspectives infinies que lui offre la vie.

Mais on ne pleure pas seulement pour des happy ends de fiction : dans la vie, il est fréquent, par exemple, que les proches d'une personne très malade, qui n'ont pas versé une larme tant qu'elle était en danger, se mettent à pleurer une fois qu'elle est sortie d'affaire. Le dénouement heureux leur permet de laisser libre cours, en toute sécurité, à la tristesse et à l'anxiété qu'ils avaient réprimées.

Les psychologues nient même le fait que les larmes versées lors de rites de passage (mariage ou examen) expriment la joie. Selon eux, c'est précisément le fait que ces cérémonies symbolisent des transitions importantes dans la vie qui éveille chez les proches des angoisses refoulées, liées soit au passé (« Pourquoi mon propre mariage n'a-t-il pas été aussi joyeux ? »), soit à des difficultés actuelles (« Pourquoi n'ai-je pas trouvé le grand amour ? »), soit à des inquiétudes pour le futur (« Comment pourrai-je survivre au départ des enfants ? »).

Dans notre univers émotionnel, nous sommes indigents, égoïstes et exigeants. Quand nous pleurons lors d'un happy end, nous pleurons en fait sur nous-mêmes. Ceci ne signifie pas toutefois que nous ne soyons pas capables de nous réjouir pour autrui. Mais, en pleurant, nous révélons notre aspect idéaliste, la partie de nous aspirant à la simplicité et au bonheur que nous croyions autrefois possibles, et celle qui se désole qu'ils soient inatteignables…

Pourquoi rougir donne-t-il chaud ?

On rougit — généralement en réaction à une situation embarrassante — parce que les vaisseaux sanguins de notre peau se dilatent. Le sang afflue alors plus fortement à la surface de la peau, qui se colore en conséquence.

Il n'y a pas que le visage qui rougit, mais également le cou et le haut du torse. Un professeur de biologie nous a expliqué que :

> … l'afflux de sang amène la chaleur à la surface du corps, où elle est perçue par des capteurs nerveux. Ces capteurs envoient l'information vers le cerveau, et nous prenons alors conscience de la chaleur.

Pourquoi regarde-t-on vers le haut lorsque l'on réfléchit ?

Bizarrement, cette question ne semble pas faire partie des priorités de la recherche médicale. Il faut reconnaître qu'elle n'a pas peut-être pas un grand intérêt thérapeutique. Des neurolinguistes, décidés à prendre la question au sérieux, ont découvert ce qu'ils considèrent en être la réponse.

Lorsqu'ils rencontrent des difficultés à trouver la réponse à une question, la plupart des gens utilisent l'un de leurs trois sens dominants pour chercher la solution. Par exemple, si vous demandez à quelqu'un quel était son numéro de téléphone lorsqu'il avait 12 ans, il effectuera la recherche d'après sa prédominance sensorielle : en essayant de se remémorer une image de la main composant le numéro, ou la tonalité des chiffres composés, ou le sentiment que générait la composition de ce numéro.

On ne pense pas seulement pour se rappeler quelque chose, mais aussi pour créer de nouvelles images, de nouveaux sons et de nouvelles sensations. Les praticiens ont remarqué qu'ils pouvaient non seulement déterminer la prédominance sensorielle de leurs clients, mais également deviner si ceux-ci étaient en train de produire de nouvelles images ou de se souvenir d'anciennes, et ce sans même qu'ils aient ouvert la bouche : il suffisait pour cela d'observer leurs mouvements oculaires.

Ces mouvements sont désormais codifiés. Il existe sept types de base, présentés ci-dessous. Ces types s'appliquent aux droitiers ; chez les gauchers, le regard se porte généralement de l'autre côté. Les indications « gauche/droite » sont à prendre du point de vue de l'observateur.

Direction	Processus de pensée
en haut à droite	images remémorées visuellement
en haut à gauche	nouvelles images construites visuellement
au milieu à droite	sons remémorés auditivement
au milieu à gauche	nouveaux sons ou mots construits auditivement
en bas à droite	sons ou mots perçus auditivement (« dialogue intérieur »)
en bas à gauche	sensations kinesthésiques (pouvant inclure l'odorat ou le goût)

Il existe enfin un « non-mouvement » : si vous demandez quelque chose à quelqu'un et qu'il regarde devant lui d'un air vague, sans bouger les yeux, cela signifie qu'il est en train d'accéder visuellement aux informations.

Essayez avec vos amis. Ça marche.

Les gens ont parfois de bien étranges habitudes. Mais qu'en est-il des chats et des chiens, des vaches, des éléphants, des pingouins ou des homards ? Impossible de leur demander la raison qui les pousse à agir de façon tout aussi curieuse, mais, après consultation de nombreux experts, voici quelques réponses.

animaux

Quand les caniches sont-ils apparus sur terre ?

L'idée même que des caniches sauvages aient pu exister laisse dubitatif ! Imaginez un caniche essayant de survivre à des pluies torrentielles, aux glaciations ou à la traversée de grandes plaines désertiques. Ou tout simplement un caniche contraint de chasser pour se nourrir. Le tout sans se défriser, bien sûr !

Même avec une bonne dose d'imagination, nous ne parvenons pas à visualiser cette image absurde. Cela dit, nous sommes habitués à voir ces animaux soigneusement toilettés et pomponnés, loin de ce à quoi pourrait ressembler un caniche livré à une nature hostile. Nous nous sommes tournés vers des universitaires spécialisés en biologie. Voici les réponses qu'ils nous ont apportées.

Si l'on considère qu'il n'existe pas de question stupide, celle-ci est l'exception qui confirme la règle ! En fait, les caniches n'ont jamais vécu à l'état sauvage, pas plus que les chihuahuas d'ailleurs. Ces chiens sont issus d'un mélange de races, qui descendent elles-mêmes des chiens sauvages.

Un comportementaliste expert en caniches ajoute :

Je ne crois pas que les caniches aient un jour vécu à l'état sauvage. Une chose est cependant certaine : ils sont apparus longtemps après que les chiens ont été domestiqués. C'est à partir du XVe siècle que des caniches sont représentés dans la peinture européenne, notamment dans l'œuvre de l'artiste allemand Albrecht Dürer.

Des bas-reliefs représentent des caniches dès le Ier siècle. Nombre de chercheurs pensent qu'ils étaient, à l'origine, élevés en Allemagne comme chasseurs de gibier d'eau — leur nom allemand, *Pudel*, signifie « plongé dans l'eau » ou « mouillé ». Ce sont probablement les soldats allemands qui les ramenèrent en France, où ils furent appréciés — leur nom français viendrait de canichon, terme qui désignait à la fois les tout jeunes canards et les chiens qui les chassaient. Les caniches furent également très prisés pour la recherche des truffes, en tandem avec les teckels. Les premiers localisaient les truffes, puis les seconds les déterraient.

Les experts canins s'accordent à dire que les chiens domestiques sont les descendants des loups. C'est pour cette raison qu'il est difficile de retracer l'histoire exacte des chiens sauvages. Il est en effet très compliqué de différencier les fossiles de chien des fossiles de loup. Les spécialistes des traces animales reconnaissent qu'il est quasiment impossible de distinguer les empreintes de loup des empreintes de chien, à taille comparable. La plupart des consultants estiment que les chiens domestiques étaient présents en Europe et au Moyen-Orient, au mésolithique, et qu'ils sont apparus entre 10000 et 25000 av. J.-C.

Les chiens étaient présents sur terre bien avant qu'ils ne soient élevés par les hommes. De quelle façon ont-ils été domestiqués ? Dans ses célèbres ouvrages, Fernand Mery suppose que lorsque les tribus de pêcheurs et de chasseurs devinrent sédentaires au néolithique (environ 5000 av. J.-C.), les alentours des campements étaient couverts d'ordures, d'os d'animaux, de coquillages et de débris. Tous ces déchets constituaient une manne exceptionnelle pour les chiens sauvages.

Les hommes ayant bien d'autres choix, ils n'ont jamais considéré les chiens comme une source de nourriture. Une fois que ces derniers eurent compris que les hommes ne comptaient pas les tuer, une relation sereine s'est installée, d'autant plus que certains chiens apportaient une aide précieuse en signalant les dangers aux abords des habitations.

Cette interdépendance naturelle, née par intérêt puis plus tard par affection, est probablement unique dans tout le règne animal. Mery prétend que notre relation avec le chien est fondamentalement différente de celle que nous entretenons avec d'autres animaux familiers, qui, avant d'être domestiqués, sont capturés et contraints par la force :

Les chiens préhistoriques suivaient les hommes de loin, comme les chiens domestiques allaient suivre les armées au pas. Ils s'habituèrent à vivre de plus en plus près de cet être qui ne les chassait pas.

Y trouvant sécurité et stabilité, tout en profitant des reliefs de nourriture, les chiens sont restés longtemps aux abords des habitations (cavernes ou huttes), pour un jour en franchir le seuil. L'homme ne les a pas chassés. Le traité d'alliance était ratifié.

À partir du moment où les chiens furent autorisés à rester « à la maison », ils participèrent à la chasse, à la surveillance de la ferme ou au rabattage des animaux de pâture. Difficile aujourd'hui d'imaginer un caniche en chien de garde ou rapportant des canards. Il a laissé ces tâches à des congénères plus rustiques, car, lui, il préfère les concours d'élégance !

Pourquoi les chiens ont-ils les lèvres noires ?

Selon les vétérinaires, la pigmentation aide les animaux à se protéger des radiations solaires. Les chiens ne possédant pas autant de poils sur le museau que sur le reste du corps, elle joue ici un rôle important pour les protéger des effets néfastes du soleil.

Le gène de la pigmentation noire est dominant, il s'agit d'un facteur héréditaire. Si deux chiens de race dont les lèvres sont noires s'accouplent, il est presque certain que leurs chiots auront également les lèvres noires.

Mais il n'en est pas de même pour tous les chiens. Certaines races présentent plutôt des zones tachetées ou pie. Le chow-chow est cependant une exception à la règle. On rencontre des spécimens dont la pigmentation des lèvres est bleu-noir, tout comme la langue, le palais ou les gencives. Quant au shar-peï, certaines variétés ont des muqueuses buccales d'une belle couleur lavande.

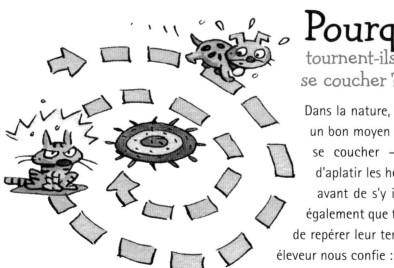

Pourquoi les chiens tournent-ils en rond avant de se coucher ?

Dans la nature, tourner en rond est pour l'animal un bon moyen de préparer l'endroit où il compte se coucher — en particulier lorsqu'il s'agit d'aplatir les herbes hautes ou de niveler la terre avant de s'y installer. Certains experts pensent également que tourner en rond permet aux chiens de repérer leur territoire et de le protéger. Ainsi, un éleveur nous confie :

Ce phénomène serait en étroite relation avec l'instinct d'appropriation de leur « nid ». Ils tournent autour d'une zone comme pour dire : « Éloignez-vous, c'est chez moi ! »

Les chiennes tournent plusieurs fois sur elles-mêmes avant de se coucher près de leurs chiots pour les nourrir. Elles éveillent ainsi leur sens olfactif et leur précisent à quelle distance elles se tiennent d'eux. Sinon, comment ces petits sourds et aveugles pourraient-ils arriver jusqu'aux mamelles nourricières ?

Pourquoi les chiens aiment-ils passer la tête par la vitre ouverte d'une voiture, alors qu'ils détestent qu'on leur souffle dans l'oreille ?

Les experts interrogés soulignent que nous mélangeons ici deux notions bien distinctes. Ils pensent que les chiens sont curieux et que beaucoup ne sont pas assez grands pour regarder à l'extérieur par le pare-brise ou les vitres du véhicule. Ainsi, poser les pattes sur le rebord de la vitre et sortir la tête les rassure et leur fournit l'occasion de surveiller les alentours tout en prenant un bon bol d'air.

En revanche, souffler dans l'oreille d'un chien, même gentiment, peut être très dangereux pour lui. Il ne s'agit pas de la finesse de sa peau à ce niveau de l'oreille ou même de sa sensibilité nerveuse, mais bien du son provoqué par le souffle. Un vétérinaire nous a expliqué que l'un des tests employés pour vérifier l'éventuelle surdité d'un chien consiste précisément à lui souffler dans l'oreille. Si l'animal ne réagit pas, le vétérinaire en déduit généralement qu'il est sourd et mène alors des examens complémentaires.

Si, pour nous, il ne s'agit que d'un jeu, pour le chien, en revanche, cela constitue une véritable agression — aussi désagréable qu'un ongle qui grince sur un tableau noir pour nous. La fréquence du son lui est tout simplement insupportable et il ne manque d'ailleurs pas de nous le faire savoir.

Par ailleurs, l'oreille externe du chien est couverte de fibres nerveuses qui le protègent des agressions extérieures. Le conduit auditif est ainsi hermétique au moindre grain de sable ou aux particules contenues dans l'air.

Mais l'oreille du chien n'est pas étanche pour autant. Le vétérinaire rappelle d'ailleurs que les infections des oreilles chez le chien sont très souvent provoquées par une promenade en voiture un peu trop aérée !

Pourquoi les chiens ont-ils la truffe humide ?

À vrai dire, voilà une question qui nous intéresse tout particulièrement. Nous avons appelé des amis dont la bibliothèque regorge de références en matière canine, et nous leur avons demandé s'ils pouvaient répondre rapidement à cette question. « Bien sûr ! » nous ont-ils répondu. Ils trouvèrent alors plusieurs ouvrages mentionnant les glandes sudoripares de la truffe du chien : elles sécrètent un liquide qui s'écoule lorsque l'air est expulsé des narines, se répandant alors sur la truffe.

Tout cela nous a semblé cohérent... Mais nous avons eu un scrupule.

Par principe, les questions qui suscitent notre intérêt ne trouvent pas facilement de réponse dans les encyclopédies. Dans la plupart des situations, nous préférons consulter des experts pour répondre à nos interrogations. Dans le cas présent, allions-nous donc enfreindre cette loi et nous contenter des réponses offertes par des ouvrages de référence ? Non, bien sûr !

Nous avons donc contacté de nombreux vétérinaires comportementalistes, des experts en anatomie canine, des zoologues et même des spécialistes en respiration canine. Sans exception, ils furent ravis de répondre à cette question, tout en nous assurant cependant qu'il n'y avait pas de réponse ferme et définitive.

La plupart des chiens en bonne santé présentent le plus souvent une truffe humide. Si elle est sèche, cela signifie généralement que le chien a dormi dans une pièce trop chauffée ou qu'il a laissé sa truffe entre ses pattes pendant un long moment. Mais il peut également s'agir d'un signe de déshydratation, voire de maladie. Quelle est donc la cause de cette humidité ? Nous avons obtenu trois types d'explications :

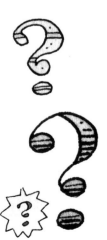

1 Les glandes nasales latérales de la truffe sécrètent un liquide. Certaines, qui se situent à proximité des narines, peuvent être responsables de l'humidité, mais personne n'a encore démontré comment ces sécrétions arrivent jusqu'au bout de la truffe des chiens, les glandes étant internes.

2 L'humidité est probablement due à la combinaison des sécrétions des glandes nasales latérales et des glandes nasales vestibulaires.

3 Un spécialiste en respiration canine ajoute que les chiens lèchent souvent leur truffe. Ces sécrétions seraient alors simplement de la salive.

Mais, quelle serait la fonction de la truffe humide ? Plusieurs théories émergent :

1 Pour commencer, les sécrétions des glandes nasales aident les chiens à évacuer la chaleur. Ils ne transpirent pas comme les humains, mais

éliminent la chaleur de leur corps en haletant ; la transpiration s'évapore ainsi par leur langue. Lorsqu'ils halètent, une grande quantité d'air pénètre par leur truffe pour éliminer plus facilement la vapeur d'eau. Les régions nasales sont la principale voie de l'inhalation, mais celle-ci s'effectue aussi par voie orale, en particulier lors d'efforts intensifs, ou encore par les deux simultanément (respiration oro-nasale). Dans son livre *How Animals Work*, (*Comment fonctionnent les animaux ?*) le professeur Knut Schmidt-Nielsen rapporte :

Sur les chiens examinés, en moyenne un quart de l'air inhalé par voie nasale est expulsé par les narines, le reste l'étant par voie orale. Mais l'expulsion peut se faire à 100 % par voie nasale, ce qui signifie que l'expulsion par voie orale répond à des circonstance bien particulières.

Les études de Schmidt-Nielsen montrent qu'en expulsant l'air par la bouche, les chiens se rafraîchissent deux fois plus vite. Cependant, même légèrement échauffés, certains chiens ne halètent pas du tout. Le professeur suggère que la véritable fonction des glandes nasales pourrait être d'empêcher l'humidité lors de l'échange gazeux.

2 Les glandes nasales latérales contiennent des cellules olfactives. Tous les animaux sentent plus finement les odeurs issues de surfaces humides. Mais rien ne prouve que l'humidité de la truffe stimule leurs fonctions olfactives.

3 Pour d'autres, les glandes nasales latérales sont connectées aux fonctions salivaires. Un chercheur a tenté de mesurer la quantité de sécrétions issues des glandes nasales latérales. Ces sécrétions représentaient un filet constant de liquide, jusqu'à ce qu'il lui présente une saucisse ; elles devinrent alors beaucoup plus abondantes. Mais il n'y a pas encore d'explications à ce phénomène...

4 Théorie plus personnelle... L'humidité de la truffe existe simplement pour perturber la vie intellectuelle de ceux qui cherchent une explication à toute chose !

Alors retenons l'essentiel : la truffe humide d'un chien est d'abord un signe de bonne santé. Grâce à elle, le chien contrôle efficacement la température de son corps et améliore la capacité de son odorat en concentrant notablement le flux des odeurs.

qui ? pourquoi ? quand ? où ? quel ? comment ? qui ? pourquoi ?

Pourquoi les chiens ne souffrent-ils pas de laryngite, de mal de gorge ou d'extinction de voix après avoir aboyé pendant des heures ?

Cette question nous a été posée au téléphone par un lecteur lors d'un show télévisé. Le chien laissé derrière la porte par son maître a aboyé durant toute la conversation téléphonique. Pourquoi n'a-t-il pas eu mal à la gorge ?

Nous avons posé la question à de nombreux vétérinaires et voici leur réponse unanime :

> Il arrive que les chiens souffrent de laryngite et d'altération de la voix après avoir aboyé trop longtemps. Mais ce symptôme est beaucoup moins répandu que chez les humains, le contrôle du larynx canin n'étant pas aussi subtil que le nôtre. De plus, le champ de la voix reste plus étroit, et les lésions provoquées par des aboiements excessifs sont probablement moins importantes que lorsque nous forçons notre voix.
>
> Enfin, les chiens étant beaucoup moins bavards que nous, les laryngites, qui se manifestent par des changements dans la voix, ne sont pas forcément perceptibles.

Pourquoi les pattes postérieures d'un chien remuent-elles lorsqu'on lui gratte le ventre ?

Ce mouvement est appelé le réflexe de grattage, l'équivalent de notre réflexe d'extension, qui se déclenche lorsque l'on nous donne un petit coup sur le genou.

Un vétérinaire nous explique que le réflexe de grattage permet de diagnostiquer des problèmes neurologiques chez les chiens :

> Ce sont les mêmes nerfs vertébraux qui parcourent le corps, du poitrail à l'abdomen. De ce fait, il est possible de provoquer le réflexe de grattage à partir de n'importe quelle région postérieure ou ventrale. On teste ainsi les fonctions sensorielles des nerfs vertébraux et les fonctions motrices nerveuses des pattes postérieures (les pattes antérieures ne remuant pas).

Pourquoi les **chiens** mangent-ils debout et les **chats** assis ?

La réponse la plus intéressante est celle formulée par un vétérinaire spécialiste de l'alimentation animale. Il nous rappelle que les chiens sauvages étaient des animaux qui vivaient et chassaient en groupe. Une fois domestiqués, ils ont conservé les lois de la meute et considèrent leur maître comme un membre dominant :

> Avant leur domestication, qui a débuté il y a 15 000 ans, les chiens vivaient en groupes hiérarchisés, adoptant des mœurs de prédateurs actifs ou de nécrophages opportunistes, c'est-à-dire se nourrissant de cadavres d'animaux. Mais qu'il s'agisse du produit de leur chasse ou d'une charogne découverte par hasard, les chiens ont pris l'habitude de manger debout pour protéger leur nourriture. Si de nos jours les chiens domestiques n'ont plus besoin de se défendre pour se nourrir, cette attitude reste naturelle.

Les chats sont, pour leur part, des chasseurs plutôt que des nécrophages. Ils adoptent donc une posture semblable à celle des autres prédateurs, qui s'avancent comme eux à tâtons avant de sauter sur leur proie.

À l'exception des lions d'Afrique, qui vivent en famille, les fauves s'alimentent rarement en compagnie de leurs congénères ou de leurs rivaux. C'est ce qui explique certainement que les chats mangent tranquillement leur repas dans une position on ne peut plus décontractée. Vous remarquerez que les chats dégustent lentement leur nourriture alors que les chiens se jettent sur leur gamelle comme s'il s'agissait de leur dernier repas.

Les chats mangent parfois debout, confortablement installés à côté de leur gamelle. S'accroupir reste cependant la position intermédiaire la plus pratique, surtout lorsqu'il s'agit de maintenir la nourriture entre leurs pattes afin de la désosser ou de la trier.

Si les pattes postérieures bougent, cela signifie que le cordon vertébral n'est pas coincé entre les origines du nerf stimulé et les origines de la lombaire qui passent par les premiers nerfs sacraux. Une stimulation plus prononcée de ces nerfs risque d'enflammer le cordon.

Toutefois, un chien ne présente pas forcément un problème particulier s'il ne réagit pas au réflexe de grattage. Certains n'y réagissent même jamais.

Alors à quoi sert donc cette fonction réflexe ? Personne ne le sait vraiment. Certains éleveurs pensent que ce mouvement représenterait une tentative pour atteindre la zone grattée. Un peu comme lorsque nous nous grattons à un endroit et qu'une terrible envie nous prend de nous gratter ailleurs. Le fait de gratter l'animal à un endroit peut lui donner envie de se gratter une autre partie du corps.

Un vétérinaire comportementaliste avance une autre théorie intéressante : le réflexe de grattage aiderait les chiens à survivre. Ce mouvement ressemble en effet aux mouvements frénétiques effectués par un chiot apprenant à nager. Cette réaction instinctive fait pression sur l'abdomen ; ainsi, naturellement, les chiots survivent lorsqu'ils se retrouvent dans l'eau. Ceux qui viennent de naître réagissent de la même façon afin de se hisser jusqu'à leur mère pour téter.

Pourquoi les chiens dégagent-ils une drôle d'odeur lorsqu'ils sont mouillés ?

Ayant porté un vieux manteau en peau de castor qui sentait horriblement mauvais lorsqu'il était mouillé, j'en déduis que la réponse à cette question a un rapport avec la fourrure. Pourtant, les experts s'accordent à dire que l'odeur d'un chien mouillé est généralement liée à des problèmes de peau.

Tous les chiens ne sentent pas mauvais lorsqu'ils sont mouillés, mais certaines races dégagent des odeurs corporelles plus intenses. Ainsi, les cockers et les terriers (et plus particulièrement le scottish-terrier) sont nettement plus sensibles aux problèmes de peau liés à la séborrhée (la sécrétion grasse produite par les glandes cutanées sébacées).

De simples rougeurs ou irritations sont souvent la source d'odeurs corporelles, l'eau ayant tendance à les accentuer. On notera que les schnauzers sont tout particulièrement sujets aux problèmes dermatologiques.

Nous ne ferons pas l'impasse des chiens qui sentent mauvais parce qu'ils se sont roulés dans quelque chose de nauséabond, le purin les attirant davantage que les buissons de thym. Des brossages et des bains réguliers résolvent ces problèmes. En d'autres termes, n'accusez plus l'eau mais le propriétaire du chien.

Pourquoi n'existe-t-il pas de chats miniatures alors que l'on trouve des chiens de toutes les tailles ?

Les chiens sont souvent classés par tailles, du pékinois ou du teckel jusqu'au gigantesque barzoï ou à l'impressionnant saint-bernard. Alors, si la taille des caniches peut être facilement modifiée, pourquoi pas celle des siamois ? Pourquoi existe-t-il de telles différences de taille entre les chiens et pas entre les chats ?

La réponse est génétique. Enid Bergstrom, éditeur d'un magazine spécialisé, nous apprend que les chiens sont les mammifères dont les gènes sont le plus variables et donc le plus facilement modifiables. Ce n'est pas le cas chez les chats. Les mélanges de races félines s'effectuent plutôt dans le but de créer des spécimens originaux. De plus, comme le souligne un éleveur, les chats domestiques sont déjà des miniatures au regard des fauves dont ils sont les descendants.

Des accouplements de fauves avec d'autres espèces de félins sont toujours possibles — en dehors d'une possible stérilité pour leur descendance, dite hybride —, mais les experts insistent sur le fait que personne n'a jamais ressenti le besoin de créer des chats miniatures, ces animaux étant déjà considérés comme des félins de petite taille.

Outre que les associations et fédérations félines sont relativement protectionnistes, songer à réduire la taille des chats ne représenterait par ailleurs aucun avantage pour l'animal.

Dernières recherches

Lorsque nous avons posé cette question il y a quinze ans, nous avons admis que les chats ne possédaient pas de gènes susceptibles d'être modifiés et qu'il n'existait aucune demande particulière justifiant la réduction de la taille des chats domestiques.

Même s'il est parfois difficile d'admettre qu'un chihuahua et un saint-bernard font partie de la même catégorie, la différence serait de toute façon moins saisissante entre un chat commun et un chat miniature. Connaissez-vous cette race très populaire en ce moment, nommée munchkin (ou chat teckel) ? Son ancêtre a été trouvé en Louisiane sous un camion, dans les années 1980, par une femme, Sandra Hochenedel. Cette chatte possédait de très courtes pattes et fut nommée Blackberry. Elle donna naissance à des chatons dont est issue cette race très prisée. Les munchkins sont tout à fait capables de courir et de sauter, mais restent cependant moins agiles.

Les femelles singapura, autre race naturelle connue sous le nom de « chat d'égout », originaires de Singapour, ont pour particularité de ne pas peser plus de 2 à 3 kg.

Par ailleurs, de nombreux éleveurs tentent aujourd'hui de réduire la taille des races plus populaires comme les persans ou les siamois.

Nous n'en sommes pas encore arrivés à ce que Paris Hilton, que l'on a remarquée en compagnie de son chat nain, exhibe un « chapeau-chat » en discothèque, mais dans quinze ans, il y a des chances pour qu'il existe plus de chats miniatures que de photos de Paris Hilton sur les couvertures de magazines.

Les lions et les tigres **raffolent-ils** de l'herbe-aux-chats ?

L'herbe-aux-chats ou menthe-des-chats ou encore cataire (dont le nom scientifique est *Nepeta cataria*) est une plante vivace dont les chats sont très friands.

Elle provoque quatre types de réactions courantes :

1 Le chat renifle l'herbe.
2 Il la lèche et la mordille en remuant la tête.
3 Il se frotte le menton et les joues contre la plante.
4 Puis il remue la tête et se frotte tout le corps contre la plante.

Le cycle complet dépasse rarement quinze minutes. Certains chats font même des vocalises après s'être roulés sur le sol, certainement à la suite d'hallucinations. Bien que les chats exposés réagissent à cette plante principalement à la saison des amours, elle n'augmente pas l'attirance ou l'activité sexuelles, et ne provoque pas non plus de chaleurs intempestives.

Les scientifiques en savent peu à ce sujet. La plupart des chats ne réagissent pas à cette plante avant l'âge de 6 à 8 semaines et même 3 mois pour certains ; un tiers des chats n'éprouvera d'ailleurs jamais de réaction.

Un vétérinaire nous a raconté que l'herbe-aux-chats intéressait aussi les humains. Employée pour confectionner du thé, des jus de fruits, des teintures, des cataplasmes et des infusions, elle était également fumée et mâchée pour ses vertus thérapeutiques et hallucinogènes ainsi que pour ses propriétés euphorisantes.

Quels sont les effets sur les autres animaux ? La conclusion du Dr N.B. Todd est très claire : même si certains individus, dans la plupart des espèces, réagissent à l'herbe-aux-chats, ces derniers y sont nettement plus sensibles.

Sur 16 lions testés, 14 eurent des réactions similaires à celles des chats domestiques. La moitié environ des 23 tigres testés n'eurent aucune réaction, et le reste, des réactions partielles : certains l'ont reniflée, beaucoup l'ont léchée, et seuls 2 d'entre eux l'ont mâchée. Aucun ne s'est frotté avec. En revanche, les jeunes tigres eurent des réactions violentes, ainsi que la plupart des léopards, des jaguars et des léopards des neiges. Les lynx raffolent de cette herbe, d'ailleurs utilisée pour les capturer.

Les autres espèces d'animaux, comme les civettes ou les mangoustes, semblent pour la plupart parfaitement indifférentes.

Une étude récente effectuée par Todd conclut que les chiens, les lapins, les souris et les rats, ainsi que les cochons d'Inde et les volailles, sont indifférents à l'herbe-aux-chats en poudre. En revanche, certains propriétaires de chiens rapportent que leur animal s'avère sensible à cette herbe.

Par curiosité, nous avons contacté des zoos pour savoir s'ils proposaient de l'herbe-aux-chats à leurs fauves. Selon un éleveur, « les jaguars adorent ça ! Ils deviennent complètement zinzin ! ». Les autres espèces réagissent de manière aléatoire.

Un directeur de zoo nous déclare que la plupart des propriétaires de félins vaporisent

l'odeur de l'herbe-aux-chats sur leurs jouets favoris, mais les zoos ne pratiquent pas cette méthode. Un jaguar ou un lion déchiquettent le jouet puis le mangent, c'est pour cette raison qu'il préfère vaporiser une planche de bois ou une bûche, qu'ils peuvent mâchouiller. Tous les fauves réagissent plus ou moins à l'herbe-aux-chats, mais les jeunes y sont plus sensibles. Dans tous les cas, la première présentation suscite plus de réactions que lors des expositions suivantes.

Pourquoi les lapins remuent-ils le nez en permanence ?

Nous pourrions penser qu'il s'agit là d'une fonction normale de leur système respiratoire. Il y a en fait quatre raisons :

1 Ces mouvements activent la glande sébacée (située sur les muqueuses) et lubrifient les muqueuses afin qu'elles restent humides et soient plus résistantes. Comme d'autres animaux (dont les chiens), les lapins sentent mieux à partir d'une surface humide.

2 Ces mouvements dilatent les narines afin de faciliter l'inhalation. Ainsi, selon un expert, ce mouvement rafraîchit les lapins lors des journées chaudes.

Pourquoi les chats n'aiment-ils pas nager ?

La plupart des gens pensent que les chats ont peur de l'eau. C'est faux. Un chat peut se jeter à l'eau spontanément. Les grands fauves, comme les tigres et les jaguars, aiment nager. Les jaguars plongent même dans les rivières pour attaquer les alligators. Et notons qu'un chat domestique affamé n'hésitera pas à pêcher.

Alors pourquoi votre chat ne veut-il pas mettre une patte dans la piscine ? Tout simplement parce qu'il est paresseux... Le chat, contrairement au chien, refuse de prendre du bon temps s'il doit en payer le prix. Il n'est pas question pour lui de se mouiller pour le plaisir et d'être ensuite contraint de se lécher pour se sécher.

Pour un lapin, la seule méthode pour se rafraîchir consiste à expulser la chaleur excédentaire vers l'extérieur par convection au niveau des oreilles, lesquelles jouent un rôle important dans la régulation de la température interne de cet animal. Ainsi, l'inhalation d'un volume d'air important reste fondamentale.

Le rythme respiratoire normal d'un lapin domestique est d'environ 120 inspirations par minute. Or, lors de fortes chaleurs, il n'est pas rare que ce taux approche 300 à 350 inspirations par minute.

Les narines contrôlent la quantité d'air inhalée par les lapins. Pour augmenter le volume d'air, le lapin tord le nez afin d'activer les différents types de muscles entourant chaque narine pour en augmenter l'ouverture.

3 Lorsque l'on touche les moustaches d'un lapin, les muscles autour des narines s'activent pour les ouvrir et les fermer afin de stimuler les fonctions olfactives de l'animal.

4 Un lapin remuant sans cesse son nez semble nerveux. Un vétérinaire nous explique :

Lorsqu'un lapin est calme et détendu, ses narines restent généralement dans la même position. Cependant, si le lapin s'excite, son rythme respiratoire augmente, et il se produit une intervention nerveuse du nez qui cause une tension et une relaxation des muscles paranasaux.

Des petits malins nous ont suggéré que la croissance continuelle de leurs incisives pourrait être la cause de ce mouvement permanent du nez, mais les experts démentent cette hypothèse.

Pourquoi propose-t-on un abreuvoir-biberon aux rongeurs domestiques à la place d'une gamelle ou d'un bol ?

Pour une raison simple : les magasins spécialisés nous invitent à les acheter. En fait, les hamsters et les cochons d'Inde se contenteraient tout à fait de boire dans des bols ou des gamelles. Dans la nature, les rongeurs doivent se débrouiller pour trouver de l'eau et boivent dans des lacs ou des mares. Il est d'ailleurs plus fréquent qu'ils extraient l'eau des plantes ou lèchent les gouttes ou la rosée à la surface des végétaux. Avec un peu de chance, ils trouvent des flaques d'eau (la gamelle naturelle d'eau fraîche).

Un vétérinaire nous explique que l'abreuvoir-biberon est utilisé par les chercheurs qui s'occupent des animaux en laboratoire. Une gamelle laissée à l'air devient rapidement un nid à microbes et à bactéries, cause de maladies.

Les propriétaires de rongeurs ont adopté cette pratique pour les mêmes raisons, et surtout parce qu'elle évite de changer l'eau dès qu'elle est sale.

Pourquoi les chevaux dorment-ils debout ?

Les chevaux possèdent un système ligamentaire relié à leurs membres, comparable à des bretelles. Il leur permet de supporter le poids de leur corps sans tension lorsque leurs muscles sont complètement relâchés. Ainsi, les chevaux n'ont pas besoin d'exercer une énergie consciente pour rester debout, leurs jambes étant verrouillées dans une position naturellement confortable durant leur sommeil.

Les vétérinaires assurent qu'il n'est pas rare de voir des chevaux rester continuellement debout pendant un mois ou plus. Les chevaux étant relativement lourds et leurs membres, très fragiles, se coucher dans une certaine position pendant un long moment peut provoquer des crampes musculaires.

Les chercheurs qui s'interrogent sur l'évolution morphologique de cet animal pensent que les chevaux sauvages dormaient debout pour des raisons de sécurité. Le chef du groupe devait protéger les autres chevaux et monter la garde pour pouvoir donner le signal de la fuite en cas d'attaque par un prédateur. Debout, ils étaient moins susceptibles d'être blessés ou capturés par surprise et donc moins vulnérables.

Dernières recherches

La plupart des chevaux restent debout lorsqu'ils dorment, mais nous avons exagéré ce phénomène en le généralisant à tous les chevaux. Il reste vrai que les chevaux sont capables de rester debout pendant de longues périodes, et que dans la nature, il s'agit d'un moyen efficace pour se protéger des prédateurs. De nouvelles recherches indiquent que les chevaux dorment couchés plus souvent que nous ne le pensions. La plupart des propriétaires et des chercheurs confirment bien que ces animaux restent debout pour dormir. Mais, lorsque les chevaux entrent en phase de sommeil paradoxal (REM), leurs membres ont tendance à flancher. Ainsi, au milieu de la nuit, les chevaux entrent en sommeil profond et s'allongent alors sur le flanc pendant deux à quatre heures pour se détendre. S'ils ne peuvent pas s'allonger complètement pour dormir, ils s'appuient contre une surface stable, comme un mur.

Pourquoi mesure-t-on les chevaux au garrot et pas en haut de la tête ?

Un expert explique que mesurer un cheval est à peu près aussi pénible que de prendre les dimensions d'un enfant agité. Pire encore, car il est toujours possible de placer l'enfant bien droit contre un mur et de le contraindre à y coller les jambes, le dos et la tête. Mais comment faire avec un cheval ?

> Lorsqu'on mesure un cheval, dont la colonne vertébrale est parallèle au sol, il n'est jamais vraiment possible de maintenir sa tête et son cou sur un même repère. Les mesures prisent en haut de la tête sont donc trop variables et représentent peu d'intérêt.

Lorsqu'un cheval se tient bien droit sur ses quatre membres, le haut du garrot (le point le plus haut au-dessus de son épaule) est toujours à la même distance du sol, ce qui permet alors de mesurer sa taille. Une mesure prise au sommet du crâne présente des variations de plusieurs dizaines de centimètres selon l'humeur du cheval, qui peut placer la tête plus ou moins haut en l'absence d'une position standard.

Qui a eu l'idée d'inventer les fers à cheval ? Et qu'arriverait-il si les chevaux n'étaient pas ferrés ?

Les chevaux peuvent haïr les Romains pour le reste de leur existence. Ils étaient très heureux de galoper sans fers, jusqu'à ce que les chefs de l'Empire romain décident de construire des routes pavées. Sans protection, les sabots des chevaux n'auraient pas résisté longtemps sur un sol si dur. Rappelons que les chevaux sont des ongulés dont le doigt unique est recouvert d'une matière cornée, le sabot.

Les chevaux domestiqués étant contraints à porter de lourdes charges ou à tirer des charrettes, les Romains employèrent des tampons cloués qui firent office de premiers fers.

Un expert nous rapporte que, même si les pieds des chevaux sont de nos jours moins résistants, beaucoup peuvent encore vivre sans être ferrés :

> Les fers ne sont pas nécessaires pour un cheval laissé au pré ou monté très occasionnellement. Cependant, les chocs qu'endurent les pieds des chevaux lors des sauts, des courses ou des concours obligent tout propriétaire attentif à ferrer son animal. Il s'agit là d'une mesure de protection fondamentale.

Pourquoi les vaches passent-elles leur langue sur leurs narines ?

« Parce qu'elles en sont capables ! » serions-nous tentés de répondre... Nous pensions a priori que la langue représentait le moyen le plus efficace pour lubrifier le « nez sec » des vaches. Faux. Voici les deux raisons principales :

1 Les vaches possèdent des glandes naso-labiales situées dans le derme (juste sous l'épiderme), qui produisent une sécrétion leur permettant de conserver le mufle humide. Comme d'autres ruminants, elles utilisent ces sécrétions pour digérer les aliments. Un expert nous explique :

> Elles plongent fréquemment le mufle dans la nourriture et, lors de la rumination, projettent leur langue sur leurs narines et sur leur mufle pour ramener les sécrétions dans leur bouche. Les propriétés chimiques des sécrétions naso-labiales sont similaires à celles de la salive et favorisent le processus de digestion.

Il ajoute que les buffles ont la même habitude.

2 Les vaches sont sujettes à des infections respiratoires qui sont souvent dues aux sécrétions nasales, parfois très abondantes. Un vétérinaire nous apprend que ces sécrétions, extrêment irritantes, doivent être expulsées. Et comme les vaches n'utilisent pas de mouchoir...

Les éléphants **sautent-ils** ?

Aucun des experts sollicités n'a jamais vu un éléphant sauter. La plupart pensent qu'il est physiologiquement impossible pour un éléphant adulte de le faire, bien que des éléphanteaux semblent en être capables. La question de poids et de résistance à un tel choc est évidente, mais la morphologie même des éléphants et les caractéristiques de leurs membres ne leur permettent pas de résister à ce type d'exercice. Leur structure osseuse les empêche de plier suffisamment les pattes pour prendre de l'élan et envisager le saut.

Néanmoins, des personnes affirment avoir assisté à des sauts d'éléphants dans la nature. Des livres illustrent ce propos. Certes, un auteur confirme notre opinion en écrivant : « Les éléphants étant trop lourds, ils ne peuvent sauter ni même courir à proprement parler, car ils doivent toujours conserver un pied à terre », mais un autre décrit un éléphant bondissant par-dessus un fossé « comme une gazelle sautant un ruisseau ».

Être capable de courir rapidement ou de sauter sert avant tout à échapper à ses prédateurs ; or les éléphants n'ont pas de prédateurs naturels. Selon un expert, « seuls les hommes tuent les éléphants. Le seul animal capable de tuer un éléphant serait un tigre de 14 tonnes ».

La plupart des zoologistes s'accordent à dire qu'il n'existe pas de raison particulière pour qu'un éléphant saute dans son milieu naturel. De plus, les pachydermes sont, par nature, plutôt prudents dans leurs mouvements.

Les éléphants ne sont pas pour autant inoffensifs. En Inde, on creuse des « tranchées anti-éléphants » pour contrôler les déplacements de ces animaux destructeurs. Un vétérinaire précise que la tranchée tradition-nelle doit faire au moins 2 m de profondeur et 2 m de large, la terre déblayée étant éloignée de 50 cm des bords de la tranchée :

Les tranchées sont conçues pour empêcher les éléphants de franchir les zones cultivées. En Ouganda, une tranchée communautaire a été réalisée pour former une barrière protectrice sur 15 km, et il est déjà prévu de l'étendre. Les plus gros spécimens sont néanmoins capables d'y entrer et d'en sortir en grattant le sol afin de remplir la tranchée de terre et ainsi faciliter sa traversée.

Pourquoi sauter quand on a un cerveau !

Pourquoi les biches sont-elles hypnotisées par les phares des voitures ?

Personne n'a envie de mourir sous les roues d'une auto. Tous les animaux ont l'instinct de survie. Nous avons posé la question à des experts animaliers qui nous ont soumis trois théories différentes :

1 La première serait la peur.

Beaucoup d'animaux – et d'hommes – ne réagissent que quelques secondes après avoir été exposés au stimulus déclencheur (l'objet de la peur). L'instinct de survie prend alors le dessus, et l'animal ou la personne décide de combattre ou de fuir. Malheureusement, certains animaux restent figés trop longtemps et sont alors heurtés par la voiture sans avoir pu prendre de décision.

2 Il n'y a pas que la peur qui pétrifie les biches sur place : elles sont également aveuglées par les phares. Leur taille les plaçant à la hauteur du faisceau lumineux, elles sont plus vulnérables que des animaux plus petits comme les chiens et les chats. Si nous étions aveuglés par une voiture arrivant à toute allure, penserions-nous qu'il est préférable de ne pas bouger ou de fuir ?

3 La posture figée est une seconde nature pour une biche face au danger. Nous n'étions que partiellement convaincus par les précédentes théories... Pourquoi une telle proportion de victimes chez les biches en particulier ? Un naturaliste nous a en effet certifié que biches et écureuils étaient nettement plus victimes des voitures que les autres animaux.

Voici donc son explication. Qu'ont en commun ces deux animaux ? Dans la nature, ils sont des proies plus que des prédateurs. Leur seule chance de ne pas se faire tuer reste souvent de ne pas bouger. Ils fuient seulement lorsqu'ils sont certains que le prédateur s'est éloigné. D'ailleurs, les faons ne tentent même pas de s'échapper lorsqu'ils sont attaqués.

La stratégie des proies est de se fondre dans le décor et d'obliger le prédateur à se manifester. D'ailleurs, les chasseurs cherchent toujours à faire sortir les lapins, les biches ou les oiseaux en faisant du bruit ou par des mouvements brusques.

Prédisposées à ne pas bouger, les biches ne semblent pas être programmées pour réagir face aux phares des voitures.

Les mouffettes **savent-elles** qu'elles empestent ?

Les mouffettes dégagent une odeur épouvantable. Mais la sentent-elles elles-mêmes ?

Contrairement aux dessins animés de notre enfance, les mouffettes ne répandent pas leur odeur nauséabonde par plaisir. Notre consultant nous explique :

> Les mouffettes dégagent cette odeur dans le but de se défendre. C'est d'ailleurs là leur seul moyen. Chaque mouffette procède de façon différente, selon le degré de sa peur. Certaines vont expulser le liquide trois fois avant de se fâcher vraiment, ce qui laisse une chance à l'intrus de s'en aller.

Que se passe-t-il exactement lorsqu'une mouffette projette ce liquide ? Nous avons posé la question à un biologiste :

> Les glandes odoriférantes de la mouffette se situent à la base de la queue, de chaque côté du rectum. Elles sont recouvertes par un petit muscle contrôlé par une connexion nerveuse directement reliée au cerveau. La décision d'expulser le liquide nauséabond est tout à fait consciente. Le petit muscle se contracte légèrement pour contraindre le liquide à passer dans des canaux connectés aux glandes, le sphincter anal étant retourné pour mieux viser la cible.
>
> Lorsqu'une mouffette est pourchassée par un prédateur qu'elle n'arrive pas exactement à situer, elle émet en s'éloignant un léger nuage odorant qui s'installe sur le sol. Le prédateur s'en

approche et, en général, arrête immédiatement la poursuite. Lorsque la mouffette est coincée, ou bien si elle localise exactement son prédateur, elle émet un jet directement vers l'animal qui le pourchasse. Ce nuage aveugle temporairement le prédateur, qui abandonne.

Les dessins animés n'étaient donc pas si loin de la vérité. La méthode de Pépé la mouffette était tout aussi ravageuse, même si elle s'attirait immanquablement les foudres de petites femelles mouffettes. Cette odeur repousse-t-elle les autres mouffettes ? Oui, répondent nos experts. Lorsqu'une mouffette sent l'odeur d'une autre mouffette, elle s'agite immédiatement. Il est néanmoins difficile de savoir s'il s'agit d'une simple réaction à l'odeur ou plutôt d'un signal de danger. On compare le comportement des mouffettes en présence de cette odeur avec la réaction d'un chien avant un tremblement de terre.

Considérant que les mouffettes n'apprécient pas l'odeur de leurs congénères, il est curieux qu'elles ne l'emploient pas lors de leurs combats. Un chercheur nous répond :

Les mouffettes n'aiment pas l'odeur des autres mouffettes, et si accidentellement l'une d'elles se trouve dans le champ d'expulsion d'une autre, elle ne répondra pas à cette agression. Par une sorte de pacte tacite, elles ne se projettent pas de liquide les unes sur les autres.

Notons qu'arroser un congénère n'est pas si fréquent : seuls les plus jeunes abusent de ce procédé. Un protecteur de l'espèce nous écrit :

La seule fois où j'ai vu des mouffettes s'échanger des insultes liquides fut lors d'une tentative d'association de litières entre jeunes mouffettes. Elles se sont alors livrées à une bataille d'expulsions pendant 5 à 6 minutes, accompagnée de coups de pattes et de grondements, avant d'aboutir à une sorte de cohabitation plus sereine. S'agissait-il d'établir une certaine loi ou de chercher à unifier l'odeur ? Aucune d'elles n'a pris ses distances. Elles ont continué à expulser plusieurs fois du liquide, puis elles sont retournées dans leur coin.

Selon un expert, s'il pressent qu'il devra se soumettre, un animal plus faible arrosera un rival plus fort. Les mâles ayant tendance à tuer les jeunes mouffettes, il arrive aux plus jeunes d'expulser du liquide sur un sujet adulte inconnu.

La réaction d'une mouffette victime d'une projection de la part de ses compagnons est identique à celle des autres animaux. Elle se frotte la tête sur le sol pour tenter d'éliminer l'odeur et se lave en se léchant les pattes et le museau.

Les mouffettes sont-elles, comme les humains, plus tolérantes envers leur propre mauvaise odeur ? Selon les experts :

Les mouffettes peuvent répandre leur odeur sans qu'elle ne les atteigne. Ce sont en fait des animaux très propres. C'est le liquide émis qui sent mauvais. Si une mouffette se trouve souillée par son propre liquide, elle a peu de chances de survivre. Une mouffette renversée par une voiture expulse fréquemment du liquide qui se répand sur sa fourrure, et elle en meurt souvent. Si une mouffette est capturée par un prédateur, il arrive, lors de l'affrontement, qu'elle soit atteinte par son propre jet. Et malheureusement, dans cette situation, le prédateur a déjà été soumis à la projection sans en être découragé. La mouffette expulse du liquide pour se défendre, même si elle doit en être victime.

L'odeur et la composition chimique du liquide expulsé sont les mêmes pour tous les sujets (avec de potentielles variations individuelles). Et l'expulsion est toujours une arme redoutable.

Les manchots **ont-ils** des genoux ?

Rappelons tout d'abord qu'il ne faut pas confondre le pingouin *(Alca torda)*, une espèce de l'Atlantique Nord, et le manchot (famille des sphéniscidés), un oiseau de l'hémisphère Sud très présent dans les régions antarctiques, qui ne vole pas mais, pour certaines espèces, nage merveilleusement bien. Donc, les manchots ont-ils des genoux ? Ils en possèdent, même s'ils sont dissimulés sous leurs plumes. Anatomiquement parlant, toutes les pattes d'oiseaux sont à peu près similaires, même si les dimensions de certains os varient selon les espèces.

Comme les autres oiseaux, les manchots possèdent des pattes divisées en trois parties. La section la plus haute, l'équivalent de notre cuisse, est le fémur ; la section centrale est représentée par le tibia, dont les deux os sont de petite taille chez le manchot. Le fémur et le tibia sont articulés par le genou. Après le tibia vient le pied de l'oiseau, formé du tarso-métatarse et des phalanges. Le pied est dénué ou partiellement couvert de plumes.

Les oiseaux possèdent une articulation tibio-tarsale munie d'une articulation qui se plie et fonctionne un peu comme notre rotule. Un ornithologue explique que cette articulation (perçue comme un genou chez les flamants) est en fait leur cheville. La zone située sous cette jointure est donc le haut du pied. En d'autres termes, les manchots (comme d'autres oiseaux) se tiennent sur la pointe des pieds, comme les danseurs de ballet.

Les pattes des manchots, très à l'aise sous l'eau, leur servent surtout à nager ; sur terre, ils se dandinent. Leurs ailes les aident à se propulser dans l'eau et leurs pieds allongés à se diriger.

Par conséquent, les manchots possèdent bien des genoux. Et ils savent s'en servir.

Pourquoi les manchots qui vivent en Antarctique n'ont-ils pas d'engelures aux pattes ?

Le manchot empereur *(Aptenodytes forsteri)*, le plus grand de la famille des sphéniscidés, passe toute sa vie sur la neige et nage dans les eaux glacées. Ses plumes denses le protègent heureusement du froid, mais comment fait-il pour ne pas se geler les pattes, alors que les humains eux-mêmes ne peuvent coloniser ce continent et limitent leur présence à quelques bases scientifiques ?

Les pattes des manchots sont extraordinaires : possédant une forme plus allongée que celle des autres oiseaux, elles leur permettent de marcher droit et surtout de nager. Après le dauphin, le manchot est le nageur le plus rapide des océans.

Lorsqu'il se propulse sous l'eau (à une vitesse allant de 15 à 30 km/h), ses pattes font office de rames et de système de freinage.

Lors de la saison de l'accouplement, le père et la mère plongent à tour de rôle dans l'océan pour pêcher. La température de l'eau est de − 20 °C avec un vent de 110 km/h. C'est pourquoi la peau des manchots est protégée par une couche d'air retenue sous leurs plumes, et seul le bout des pattes touche l'eau.

Après la ponte, l'œuf est placé en équilibre sur les deux pieds de l'un des parents, généralement le mâle, qui ne peut plus se déplacer. Protégé par les plumes des pattes, l'œuf est ainsi isolé du sol glacé pendant l'incubation, car le moindre contact avec le sol fendillerait la coquille et tuerait l'embryon.

Pendant que les manchots s'occupent de leurs oisillons sur terre, comment leurs pattes résistent-elles à la neige glacée ?

Grâce à un système circulatoire très élaboré. Alors que les artères ramènent le sang chaud vers le bout des pattes, les veines transportent en retour du sang froid dans le sens opposé. Ainsi, les deux réseaux sanguins échangent la chaleur de façon à ce que l'afflux de sang reste suffisamment bas pour conserver la chaleur tout en étant suffisamment élevé pour éviter d'endommager les tissus et provoquer des engelures. Les pattes des manchots sont munies de peu de muscles. En revanche, elles présentent un vaste réseau de tendons, plus utiles que les muscles lorsqu'il fait froid.

Les oiseaux transpirent-ils ?

Non, même quand ils sont nerveux.

Animaux à sang chaud, les oiseaux ont une température corporelle un peu plus élevée que la nôtre. Ils ne possèdent pas de glandes sudoripares, donc ils ne suent pas : ils utilisent d'autres méthodes. Comme les chiens, ils se rafraîchissent en haletant. De même, lorsqu'ils secouent leurs plumes, ils amènent de l'air vers leur corps de façon à favoriser l'évaporation.

Les oiseaux sont si actifs et brûlent tant de kilojoules lorsqu'ils volent à la recherche de nourriture (sans parler des migrations qui, pour certaines espèces, représentent des milliers de kilomètres de vol) que maintenir leur température corporelle reste un défi permanent. Pour lutter contre l'hypothermie (l'abaissement excessif de la température du corps), certaines espèces ont même développé des mécanismes spécifiques. Avez-vous déjà remarqué comme la partie charnue du bec des oiseaux vibre ? Très visible chez les hérons, les fous et les grands géocoucous, ce phénomène régule leur température. La vibration des muscles hyoïdes et des os dans leur gorge provoque ainsi un processus de refroidissement. Une ornithologue nous explique que d'autres utilisent leurs pattes pour se rafraîchir :

> Les hérons et les mouettes sont capables de perdre une grande quantité de chaleur grâce à leurs pattes. Les veines et les artères de celles-ci sont entrelacées et le sang coulant vers les extrémités du corps dans les artères est rafraîchi par le sang revenant dans le corps par les veines. C'est ce que l'on nomme l'échange à contre-courant. C'est aussi grâce à cela que les canards peuvent rester sur la glace sans que leurs pattes ne gèlent.

Elle ajoute : « Lors de leur évolution, la sélection naturelle a favorisé les modifications physiologiques et morphologiques afin de les rendre plus légers. »

Pourquoi les oiseaux migrateurs ne souffrent-ils pas du décalage horaire ?

Non, les oiseaux ne semblent pas souffrir du décalage horaire. Mais ils ne souffrent pas non plus des attentes dans les aéroports...

Chez les humains, le décalage horaire est causé par le passage trop rapide d'un ou de plusieurs fuseaux horaires à l'autre. Les oiseaux migrent habituellement du nord vers le sud, ou inversement, sans changer de fuseau horaire. Un vétérinaire suppose que si on emmenait un oiseau en avion de l'est vers l'ouest, il ressentirait lui aussi le décalage horaire.

Mais les oiseaux, contrairement aux hommes, n'essaient pas de voler de Paris vers l'Australie en une seule journée. Certaines migrations durent des semaines. Ils ne forcent pas sur leurs limites physiques — à moins d'y être obligés, comme lorsqu'ils traversent de larges étendues d'eau. S'ils sont fatigués, ils s'arrêtent de voler et se reposent. En fait, la migration n'affecte en rien les habitudes naturelles des oiseaux puisqu'ils dorment quand il fait noir et se réveillent quand le jour se lève. Les humains, eux, sont particulièrement sensibles au décalage horaire lorsqu'ils voyagent de nuit.

Pourquoi, lorsqu'ils ne volent pas, certains oiseaux marchent-ils alors que d'autres sautillent ?

Les oiseaux font partie des quelques vertébrés capables à la fois de marcher et de voler. Physiologiquement, voler est plus éprouvant que marcher. Généralement, un oiseau qui n'a pas peur d'être attaqué par des prédateurs dans son milieu naturel peut devenir un oiseau coureur. En Nouvelle-Zélande, cette île océanique pauvre en prédateurs, certains cormorans, grèbes et troglodytes sont ainsi des oiseaux terrestres, médiocres voiliers ou franchement inaptes au vol. Un auteur spécialisé dans la vie des oiseaux écrit :

> Pourquoi conserver de magnifiques ailes quand les pattes assument un rôle suffisant ? Ce principe pourrait expliquer pourquoi certains oiseaux sont de bons coureurs mais volent mal ou pas du tout. Par ailleurs, ceux qui volent le mieux, comme les martinets, les colibris et les hirondelles, sont très mal à l'aise sur leurs pattes. Ces oiseaux sautillent plutôt qu'ils ne marchent. Ceux qui marchent ou courent possèdent de longues pattes et vivent dans les grands espaces. Alors qu'ils n'ont que deux ou trois doigts à chaque pied, les habitants des arbres, eux, en ont quatre. Ces derniers sont des sautilleurs, parce qu'il est plus aisé de naviguer de branche en branche en sautillant qu'en marchant. Beaucoup sautillent également une fois au sol. Mais, bien qu'un sautillement permette d'avancer plus vite qu'un pas, cette action reste nettement plus éprouvante.

Un vétérinaire nous signale que certains sautillent ou marchent selon la distance à parcourir : « Pour quelques pas, il est plus facile pour un oiseau de sautiller d'un endroit à l'autre comme il le ferait de branche en branche dans un arbre. Pour parcourir de longues distances, il préférera marcher ou courir. »

Pourquoi les pigeons émettent-ils un sifflement lorsqu'ils s'envolent ?

Le son que vous entendez n'est pas émis par le pigeon mais par ses ailes. Un expert nous explique qu'il est produit par l'air passant à travers les plumes déployées pour l'accélération et rappelle le vent qui souffle dans les branches des arbres. Bien que ce type de son haute fréquence soit associé au colibri, d'autres oiseaux en produisent.

Pourquoi les coqs chantent-ils le matin ?

Pour réveiller les humains ? Blague à part, quelqu'un croit-il vraiment que les coqs chantent lorsqu'ils sont tout seuls ? Bien sûr que non !

Un coq chante pour marquer son territoire. Notre ornithologue préférée l'explique :

> Les coqs chantent plutôt le matin parce que c'est le moment de la journée où les oiseaux sont le plus actifs, et qu'il s'agit pour eux de marquer dès l'aurore leur territoire. D'autres vocalises auront lieu ensuite au cours de la journée, mais elles auront d'autres significations : les signaux de rassemblement, par exemple, permettent aux différents membres du groupe de se retrouver, surtout s'ils sont hors du champ de vision de l'animal.

Pourquoi les oiseaux ne tombent-ils pas à la renverse lorsqu'ils dorment sur les fils électriques ?

Un fil électrique est simplement une branche de substitution. La plupart des oiseaux dorment dans les arbres sans avoir peur de tomber, même par grand vent. Des tendons spécifiques, situés à l'avant de l'articulation du genou et derrière celle de la cheville, contrôlent leurs doigts de pied. Sur une branche, le poids de leur corps pèse sur les tendons de façon à plier les doigts de pied et à les pencher en arrière afin que ces derniers se referment autour de la branche. D'autres tendons, situés sous les os des orteils, garantissent également un maintien

pendant le sommeil. Ainsi, le tendon fléchisseur du muscle de la cuisse, qui passe devant le genou, oblige les doigts à se bloquer en position verrouillée. Le poids de l'oiseau appuie alors sur le support – fil électrique ou branche. Cela dit, bien que ce système soit très largement développé chez la plupart des oiseaux, certains ne se perchent pas pour dormir. Ils sommeillent sur le sol ou en planant dans les airs.

Pourquoi les oiseaux dorment-ils souvent sur une patte ? Et pourquoi se mettent-ils alors la tête sous l'aile ?

Grâce au système décrit plus haut, les oiseaux sont capables de rester perchés facilement sur une seule patte. La réponse est simple, ils reposent leur patte et cherchent à la réchauffer, comme nous l'explique un naturaliste :

> Les pieds des oiseaux n'étant pas recouverts de plumes, ils perdent potentiellement une grande quantité de chaleur, surtout lorsqu'ils marchent sur la glace ou dans l'eau froide. Leur métabolisme étant élevé, les oiseaux tentent ainsi de conserver autant d'énergie que possible, d'où l'habitude de lever une de leurs pattes.

C'est pour la même raison qu'ils se mettent la tête sous l'aile.

Pourquoi ne voyons-nous jamais d'oiseaux morts ?

Nous croisons des dizaines d'oiseaux par jour et, occasionnellement, nous remarquons un oiseau heurté par une voiture, gisant sur le bitume, mais pourquoi ne voyons-nous jamais d'oiseaux morts naturellement ? Ne meurent-ils jamais en vol ? Se rendent-ils quelque part pour mourir ?

Non, les oiseaux ne volent pas vers un lieu particulier pour mourir. La raison pour laquelle nous ne voyons pas leurs cadavres, c'est qu'ils sont rapidement récupérés par d'autres animaux. Cela peut paraître cruel, mais admirons plutôt

l'efficacité de la nature : à partir du moment où un oiseau n'est plus qu'une dépouille, il devient une ressource pour d'autres animaux. Les oiseaux morts, comme du reste les autres cadavres d'animaux sauvages dans la nature, sont mangés par les mammifères opportunistes (chats, chiens, rats, prédateurs divers affamés), les insectes nécrophages et des agents de décomposition comme les bactéries. On parle de recyclage de la matière organique.

Le corps de l'oiseau peut être dévoré en une heure. Et, en 24 heures, il ne reste assurément plus qu'un tas de plumes et d'os plus ou moins éparpillés.

Un ornithologue nous raconte que beaucoup d'oiseaux meurent en vol (même s'il n'en a jamais vu !). Les plus fréquents sont les migrateurs qui traversent les océans, loin de toute ressource et sans possibilité de se reposer lorsqu'ils sont exténués.

Pourquoi ne voyons-nous jamais de bébés pigeons ?

Les pigeons ou les colombes, comme nous l'explique un expert, sont répertoriés en tant que nicheurs. Dans la nature, ils construisent des nids sur les falaises et les terrains escarpés. Mais les pigeons sont plus à l'aise sur des structures réalisées par les hommes, comme les ponts ou les bâtiments. Vous ne verrez jamais un pigeon nicher dans un arbre.

Les pigeonneaux possèdent un métabolisme extrêmement élevé : ils mangent chaque jour une quantité égale au poids de leur corps. Ils atteignent si vite leur taille adulte que leur mère les chasse parfois rapidement du nid (généralement 1 mois après leur naissance). Alors, si vous pensiez avoir déjà vu des pigeonneaux avec leurs parents, c'est que vous avez confondu deux espèces d'oiseaux !

Un pigeon mature se distingue d'un jeune sujet par son plumage. Les plus jeunes ont des plumes ternes et de piètre aspect, surtout au bout de la queue, et les adultes présentent des plumes plus brillantes.

Pourquoi les oiseaux tels que les perroquets imitent-ils le langage humain et les sons qui les entourent ?

Ne serait-ce pas le paradis de traverser la jungle avec un perroquet à tête jaune sur l'épaule comme guide ? Mais, dans la nature, même le plus bavard des perroquets ou des mainates n'imite pas le langage humain. En revanche, il imite d'autres sons, surtout le chant des oiseaux.

Selon les circonstances, les oiseaux imitent d'autres espèces pour attirer les membres du sexe opposé, pour duper des prédateurs en brouillant les pistes ou tout simplement pour perturber des concurrents à la recherche de nourriture sur leur territoire.

Les oiseaux aiment vivre en groupe. Pour un perroquet, la présence de congénères est cruciale pour sa survie. En effet, pendant que l'un cherche la nourriture, les autres surveillent les prédateurs. Lorsqu'ils sont capturés et contraints de vivre enfermés, ils s'imprègnent de leur nouvel environnement, et imiter les êtres humains semble alors un moyen de se rapprocher de leurs nouveaux compagnons. Un expert explique :

> Le fait que les perroquets domestiques empruntent le langage et les sons de la vie des humains est à l'origine de leur désir de faire partie d'un groupe, même s'il n'est pas naturel. Gardez à l'esprit que la plupart des espèces de perroquets sont très sociables, et leur besoin de relations sociales est si fort que leurs aptitudes innées s'en trouvent modifiées pour s'adapter à la situation.

Si les perroquets domestiques sont en attente d'une certaine interaction sociale, pourquoi continuent-ils leurs imitations même lorsque leur propriétaire a quitté les lieux ? Un éthologiste (spécialiste du comportement animal) nous propose sa théorie :

> En même temps qu'ils s'attachent à leur propriétaire, ils remarquent que leurs vocalises ont tendance à retenir l'attention et que le résultat systématique d'une production vocale, ou plus particulièrement d'une imitation, est un véritable contact social. Cela expliquerait le fait qu'un perroquet est nettement plus

bavard lorsque son maître a quitté la pièce, comme s'il cherchait à le ramener près de lui.

Cette théorie signifierait que la psychologie des oiseaux diffère peu de la psychologie infantile. Irène Pepperberg est une scientifique qui a écrit de nombreux ouvrages concernant les habitudes des perroquets gris du Gabon, et plus particulièrement celles de son sujet le plus âgé, Alex. À l'instar d'autres scientifiques qui ont prouvé que les primates étaient capables de communiquer de façon complexe, Pepperberg a démontré que les perroquets pouvaient aller plus loin que la simple imitation. Ainsi, lorsqu'elle proposait à Alex deux blocs identiques mais de teintes différentes et qu'elle lui demandait la différence entre les deux, Alex répondait « couleur ». Il maîtrisait les nombres, les formes, les lieux, l'emplacement et le nom d'objets particuliers, et avait même appris à les réclamer. « S'il disait qu'il voulait du raisin et que je lui donnais une banane, la peau de banane finissait directement sur ma tête ! », nous raconte-t-elle. Elle estime que les capacités cognitives d'Alex sont comparables à celles d'un enfant de 4 à 6 ans, avec la maturité émotionnelle d'un enfant de 2 ans.

Pepperberg a également testé un jeu de passe-passe avec lui et d'autres perroquets : lui présenter trois tasses et cacher une noisette sous l'une d'entre elles. Alex trouvait facilement la noisette, sauf quand elle trichait. Parfois, les scientifiques détournaient l'attention du perroquet et changeaient la noisette de place :

> Alors Alex allait directement là où il pensait la trouver, retournait la tasse et constatait que la noisette n'y était pas. Il commençait à taper son bec sur la table et à renverser les tasses. Un tel comportement prouve qu'Alex savait que quelque chose s'était passé, et que sa conscience et ses attentes avaient été trompées.

Dans la nature, les perroquets savent tromper les prédateurs, repérer la nourriture et trouver un partenaire. Leur faculté à résoudre des problèmes doit être aussi innée que leurs capacités d'imitation. Si les capacités cognitives d'un perroquet domestique lui semblent aussi importantes que celle d'Alex, Pepperberg implore ses propriétaires de lui fournir une stimulation suffisante :

> J'essaie de les convaincre qu'ils ne peuvent pas laisser un perroquet enfermé dans une cage 8 heures par jour sans aucun échange. Je ne parle pas simplement des échanges avec des

personnes, mais également avec d'autres oiseaux ; les perroquets doivent absolument être stimulés intellectuellement.

Un de nos spécialistes pense que les perroquets, comme les autres oiseaux, imitent notre langage et les sons environnants « parce qu'ils sont capables de le faire. C'est même pour eux une forme de divertissement ». Les perroquets doivent bien s'amuser en écoutant leur maître...

Pourquoi les oiseaux mâles ont-ils tendance à être plus colorés que les femelles ? Y a-t-il là un avantage en termes d'évolution ?

« Dimorphisme sexuel » est le terme scientifique employé pour décrire les différences visibles entre les mâles et les femelles d'une même espèce. Charles Darwin prétend, dans sa théorie de la sélection naturelle, que certains attributs physiques des oiseaux se sont développés uniquement pour attirer le sexe opposé. Comme le souligne la rédactrice d'un magazine ornithologique : « Il suffit de constater la diversité des oiseaux dans le monde pour comprendre les avantages de l'évolution pour leurs espèces. »

Pour beaucoup d'ornithologues, le rôle principal du dimorphisme sexuel est d'envoyer un message visuel aux prédateurs. Lorsque la femelle couve, elle est à la merci des attaques ennemies : « Il est donc préférable pour elle d'être peu colorée de façon à être plus discrète lorsqu'elle niche », nous explique un expert.

Inversement, le plumage brillant de beaucoup d'oiseaux mâles illustre le principe selon lequel la meilleure des défenses, c'est l'attaque. Les mâles, exemptés de la responsabilité du nid et généralement de plus grande taille, sont plus aptes à impressionner les prédateurs.

Pourquoi les lézards ne prennent-ils pas de coups de soleil ? Et pourquoi certains animaux ne sont-ils pas sensibles au soleil ?

Comment font les lézards pour rester toute la journée au soleil ? La plupart des mammifères ont l'épiderme sensible, mais les reptiles sont visiblement différents.

Pourquoi y a-t-il une tache noire dans les fientes blanches des oiseaux ?

La tache noire, c'est la matière fécale, et la substance blanche l'urine. Les excréments et l'urine sont mêlés et évacués simultanément par l'anus, car les oiseaux n'ont pas de vessie. Les matières fécales ont tendance à rester au milieu de la fiente car l'urine, plutôt collante, s'accroche à elles.

Un expert nous explique : « Les reptiles conservent sur la peau une couche extérieure de cellules mortes jusqu'à ce qu'une nouvelle soit prête. Ensuite, ils muent. » Il ajoute que l'épiderme des lézards est composé de kératine qui forme des écailles, le rendant plus résistant aux rayons ultraviolets. La kératine est une protéine que l'on retrouve dans nos ongles, par exemple.

Comme pour les humains, le pigment de mélanine aide les animaux à se protéger des rayons les plus chauds. Un vétérinaire ajoute que les animaux fortement pigmentés sont naturellement protégés du soleil. Néanmoins, même avec une fourrure, beaucoup d'animaux y restent très sensibles et sont sujets au cancer de la peau. Les chiens et les chats à oreilles blanches développent souvent des carcinomes. « Pour des raisons diverses, observe le vétérinaire, les terriers semblent aimer les bains de soleil, ce qui leur cause parfois des lésions sur le ventre. » Il serait peut-être intéressant de mettre en vente des produits solaires destinés aux animaux domestiques !

Pourquoi les serpents tirent-ils la langue ?

Même si les enfants sont terrifiés lorsqu'ils voient un serpent, prêt à attaquer une proie, sortir la langue, cette dernière est parfaitement inoffensive.

Inestimable organe sensoriel, la langue lui permet de trouver de la nourriture et le renseigne sur la nature des matières organiques qu'il rencontre, qu'il sent et qu'il goûte. Elle lui fournit également une aide précieuse pour se repérer et, sensible aux vibrations sonores, l'avertit en cas de danger, notamment de présence d'un prédateur.

Ce qu'il faut craindre chez les serpents, en tout cas les espèces venimeuses, ce sont les crochets à venin, pas la langue !

Les serpents éternuent-ils ?

Un expert en reptiles nous répond : « Autant que je sache, les serpents n'éternuent pas au sens où nous l'entendons, mais il leur arrive de nettoyer leur gorge encombrée par un liquide avec une sorte d'expulsion d'air bruyante qui vient des poumons et que l'on pourrait apparenter à un éternuement. »

En fait, rares sont les herpétologistes que nous avons contactés qui démentent le fait que les serpents éternuent. L'un d'eux affirme :

> Les serpents éternuent pour les mêmes raisons que les autres vertébrés, c'est-à-dire pour dégager leurs voies respiratoires. Mais ils le font rarement ; il s'agit davantage d'un signe de difficulté pulmonaire due à la présence d'un fluide dans les voies respiratoires.

Pourquoi les grenouilles ferment-elles les yeux lorsqu'elles avalent ?

Les gros yeux des grenouilles ne sont pas bombés uniquement vers l'extérieur mais également vers l'intérieur de leur tête. La partie postérieure de leurs orbites est ainsi recouverte par une membrane qui appuie à l'intérieur de leur bouche. Les grenouilles doivent utiliser leurs yeux pour pousser la nourriture vers leur estomac et avaler. Un expert nous explique :

> Pour avaler, les grenouilles doivent pousser la nourriture de leur bouche vers l'œsophage. Les humains utilisent leur langue pour accomplir cette tâche. Chez les grenouilles, ce sont les yeux. Lorsqu'ils se ferment, la nourriture est repoussée vers l'arrière de la bouche. Les grenouilles emploient également ce système pour respirer puisqu'elles ne possèdent pas de diaphragme.

Il est vrai que si nous mangions ce que mangent les grenouilles, nous fermerions également les yeux avant d'avaler !

Pourquoi les abeilles bourdonnent-elles ?
Est-ce pour communiquer avec les autres ?

Le bourdonnement des abeilles est en fait les vibrations de leurs ailes se frottant lorsqu'elles volent. Leurs ailes battent en effet un peu plus de 200 fois par seconde. Un entomologiste note :

Même un vol lent provoque un certain bourdonnement. Certaines abeilles sont si petites que l'ouïe humaine n'est pas capable d'entendre le son qu'elles produisent. De plus, la vitesse à laquelle une abeille vole peut altérer la qualité du son parvenant à l'oreille humaine.

Le bourdonnement des abeilles est en fait généré par l'architecture du thorax déformé par les muscles du vol. Les espèces de grande taille produisent un son plus sourd que les petites.

Approfondissons un peu nos connaissances avant de poursuivre... L'abeille appartient à la famille des apidés (qui comprend beaucoup d'autres insectes, dont les bourdons et les guêpes). Environ 500 espèces, parmi les 20 000 existantes, sont des abeilles sociales (dont l'abeille à miel, *Apis mellifera*, seul cas de domestication d'un insecte par l'homme avec le ver à soie). Ces colonies sont souvent filmées dans les documentaires animaliers. Notre entomologiste ajoute :

95 % des abeilles sont solitaires et n'ont aucune raison de communiquer avec les autres individus, sauf pour trouver un mâle. Seules les abeilles sociales (vivant en colonie) ont besoin d'un type de communication entre individus. La communication liée à l'accouplement est de toute façon assurée par des signaux visuels et olfactifs.

Une spécialiste des abeilles nous explique qu'elles sont capables de diverses formes de communication non vocale : vibrations créées en heurtant le sol, signaux tactiles avec leurs antennes...

Les abeilles ne possèdent pas d'oreilles et ne perçoivent pas les sons de la même manière que nous. Elles détectent simplement les sons en ressentant les vibrations grâce à leurs antennes et leurs pattes.

Lors de leurs « danses », ces vibrations ont-elles un sens ? En 1973, Karl von Frisch obtint le prix Nobel en découvrant comment les abeilles à miel ouvrières appellent leurs compagnes qui rapportent le nectar suprême à la ruche. Les abeilles mettent en place deux types de danses. Si l'une d'elles dessine des cercles, cela signifie qu'elle a découvert une source de nourriture mais qu'elle ne la situe pas encore très bien. Elle peut également danser pour disperser l'arôme des fleurs visitées, permettant ainsi aux autres abeilles de localiser la source de nourriture. Si elle remue l'abdomen, elle bat également très fortement des ailes, générant ce bourdonnement si particulier.

Entre elles, elles ressentent les différences de vibrations grâce à leurs pattes. Les continuateurs des travaux de von Frisch ont confirmé l'exactitude de sa découverte en créant un « robot-abeille » capable de transmettre des informations à d'autres abeilles, qui les ont interprétées avec succès.

Un scientifique nous explique que le battement des ailes lors de la danse est beaucoup plus lent que celui du vol courant. C'est pourquoi ce bourdonnement ressemble davantage à celui d'un bourdon au ralenti : « La tonalité serait comparable à celle produite par des notes basses jouées sur un piano. La tonalité habituelle du bourdonnement des abeilles est nettement plus haute. »

L'autre forme commune de bourdonnement est « le bourdonnement du corps ». Contrairement au bourdonnement précédent, il est effectué ailes repliées, les muscles thoraciques produisant les vibrations. Alors que le bourdonnement des ailes semble être lié au vol (un signal pour effrayer les prédateurs), le bourdonnement du corps aurait plutôt un rapport avec les nombreux contextes biologiques dans lesquels les abeilles vivent.

Généralement, toutes les abeilles bourdonnent, qu'elles soient dans leur terrier (gardez à l'esprit que plus de 16 000 espèces d'abeilles vivent sous terre ou perchées, certains même parlent de 20 000 voire de 30 000 espèces) ou en ruche.

Quant aux bourdons, ils bourdonnent pour réchauffer leur corps et produire de la chaleur pour leurs petits. Les abeilles mâles de nombreuses espèces vibrent lors de l'accouplement, et le bourdonnement semblerait alors constituer un rituel, différent en fonction des espèces.

Un étudiant chimiste suédois, auteur d'études sur les bourdons et la pollinisation, a découvert un autre type de bourdonnement. Ainsi, bien que la plupart des anthères de fleurs (partie de l'étamine contenant le pollen) s'ouvrent de façon longitudinale et restent donc plutôt faciles d'accès pour les abeilles, certaines fleurs sont plus étroites ou en forme de trompette. Les abeilles ont donc mis au point une formidable méthode :

> Dans ce type de fleurs, les abeilles ne peuvent pas recueillir le pollen aussi facilement, alors elles utilisent la technique du bourdonnement. Habituellement, les abeilles restent au-dessus de la fleur tout en maintenant l'anthère avec leurs six pattes. Dans ce cas précis, plutôt que de s'accrocher à la fleur, elles bourdonnent. Les vibrations sont alors transmises dans la fleur et dispersent le pollen des anthères dont une partie est captée par le ventre velu des abeilles.

Pourquoi certains insectes volent-ils en ligne droite alors que d'autres zigzaguent ?

Selon un entomologiste, « le comportement en vol est une optimisation due à la nécessité d'éviter les prédateurs et de rechercher de la nourriture ou un partenaire ».

Un insecte zigzague pour éviter un ennemi ou parce qu'il ne dispose pas d'un bon angle de vue par rapport à la source de nourriture repérée. Au contraire, un insecte prédateur vole plutôt en ligne droite parce qu'il n'a pas de raison d'être effrayé par les autres, ou parce qu'il essaie de gagner du temps lorsqu'il migre.

Un expert nous explique que les types de vol peuvent varier considérablement :

> Les types de vol sont habituellement déterminés par des stimulations visuelles, auditives ou olfactives. Ainsi, les abeilles et les papillons orientaux sont de même couleur et de même taille que les fleurs locales ; les libellules orientales se sont adaptées à leurs proies et les papillons de nuit orientaux emploient le vent pour propager une odeur spécifique, généralement une phéromone, c'est-à-dire une substance chimique dont la perception par un ou une congénère provoque en réaction un comportement déterminé.

Lorsqu'une mouche se pose au plafond, comment fait-elle pour se retrouver à l'envers ?

Comme le décrit David Bodanis, un biologiste : « Les mouches, comme la plupart des avions, perdent leur équilibre lorsqu'elles essaient de traverser l'air à l'envers, et elles finissent par piquer du nez. »

Un spécialiste des mouches nous a répondu de façon catégorique : « Une mouche atterrit en relevant ses pattes de devant dans l'axe de la tête de façon à faire contact avec le plafond, puis elle ramène ses pattes arrière vers le plafond. Les mouches se retournent donc à l'atterrissage. » Bodanis nous décrit ainsi la remarquable efficacité technique dont elles font preuve, grâce aux sortes de ventouses dont l'extrémité de leurs pattes est dotée :

Au moment où ses deux pattes de devant entrent en contact avec le plafond, la mouche replie le reste du corps vers celui-ci. La manœuvre place ainsi le corps de la mouche à l'envers, sans qu'elle ait eu à faire un tour sur elle-même... Une remarquable gestuelle digne des meilleurs numéros d'acrobatie !

Une araignée peut-elle se prendre dans la toile d'une autre araignée ? Serait-elle aussi habile pour s'y déplacer ?

Oui, les araignées se prennent souvent dans les toiles d'autres araignées. Et ce n'est jamais une bonne expérience. Théoriquement, elles devraient pouvoir s'y déplacer facilement... Mais les araignées s'attaquent entre elles, et entre spécimens de la même espèce.

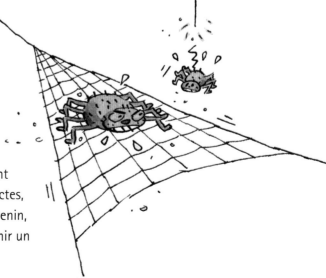

La propriétaire de la toile se saisit de l'intruse et la mord afin de lui injecter son venin. Une spécialiste des arachnides (rappelons que les araignées ne sont pas des insectes, car elles ont huit pattes, et les insectes, six) nous explique que « la victime, paralysée par le venin, ne peut plus se défendre et succombe avant de devenir un bon repas ! ».

Différentes stratégies sont mises en place pour attraper des proies. Les espèces de la famille des mimétidés, surnommées « araignées-pirates », ce qui n'est pas très scientifique mais parfaitement évocateur, sont spécialisées dans la capture exclusive d'autres espèces d'araignées.

Elles leurrent la propriétaire de la toile en tirant sur ses extrémités. L'araignée trop crédule se précipite, croyant avoir fait une prise, et se fait attaquer. L'agresseuse mord le corps de sa victime, aspire les substances nutritives et l'ingère tout entière.

Les petites araignées sauteuses, de la famille des salticidés, capturent leurs congénères et s'attaquent même à de grosses araignées tisseuses sur leurs propres toiles.

D'autres capturent leurs proies en les emprisonnant avant de les mordre et de les envelopper dans de la soie. Un expert nous cite d'autres exemples :

Certaines araignées utilisent leur toile comme un piège pour capturer leurs proies. D'autres, comme celles de la famille des aranéidés, fabriquent des fils gluants. Les fils collants des uloboridés sont constitués d'une fine maille (leur toile étant dérivée du modèle orbitèle, c'est-à-dire une structure à peu près circulaire retenue dans un cadre polygonal tendu entre les différents points d'appui). Les dinopis, eux, lancent une petite toile rectangulaire sur leurs proies, les retenant prisonnières.

Rainer F. Foelix, auteur du célèbre ouvrage *Biology of Spiders* (la biologie des araignées), note que « le plus grand ennemi des araignées, ce sont les araignées elles-mêmes ».

Toutes les araignées n'attaquent pas leurs voisines. Il existe une vingtaine d'espèces d'araignées sociales qui vivent pacifiquement au sein d'importantes colonies... Ce qui est peu, nous en convenons !

qui ? pourquoi ? quand ? où ? quel ? comment ? qui ? pourquoi ?

Pourquoi seules les femelles des moustiques se nourrissent-elles de sang humain ? Que mangent les mâles ?

En fait, la nourriture principale des moustiques mâles comme des moustiques femelles reste le nectar des fleurs. Le nectar est transformé en glycogène, un liquide suffisamment riche en glucose pour leur procurer l'énergie nécessaire à un vol de quelques minutes. Certaines espèces de moustiques, dites autogènes, vivent sur leurs réserves de glucose accumulées au stade larvaire et ne sont donc pas susceptibles de piquer.

Les moustiques mâles vivent parfaitement avec un régime unique de nectar ; leur bouche ne leur permet pas de mordre la peau des hommes.

Chez certaines espèces, les moustiques femelles ne sont pas capables de pondre des œufs tant qu'elles ne se sont pas nourries d'un complément nutritionnel d'exception : le sang humain ou animal. Leurs organes transforment les lipides du sang en fer et en protéines, augmentant ainsi considérablement leur fécondité. Parfois, il leur arrive de consommer une quantité de sang supérieure à leur propre poids. Un moustique qui pondrait 5 à 10 œufs sans complément pourrait pondre jusqu'à 200 œufs avec une goutte de sang supplémentaire.

Des études indiquent que, à choisir, les moustiques préfèrent le sang des vaches à celui des humains et que, dans la jungle, ils préféreront prélever le sang d'un singe ou d'un oiseau. Les batraciens sont parfois mis à contribution.

Pourquoi les moustiques préfèrent-ils piquer certaines personnes plutôt que d'autres ?

Certains experts répondent que les différences entre les types de sang humain représentent un facteur « gastronomique » important chez les moustiques. L'un d'eux nous écrit qu'il fut l'un des premiers à penser que la variété de sang humain représentait un critère en matière de goût chez les moustiques, mais cette théorie a été depuis discréditée. Il poursuit :

Presque tous ceux qui vivent ou travaillent avec les moustiques ont remarqué qu'ils piquaient certaines personnes plutôt que d'autres. Mais en réalité, certaines sont plus sensibles aux piqûres et les remarquent donc davantage.

Cependant, il est vrai – et scientifiquement prouvé – que certains sont plus attaquées par les moustiques que d'autres... Si vous placez deux personnes dans une même tente, il se peut que l'une d'elles attire nettement plus les moustiques. Mais cela ne veut pas dire pour autant qu'elle sera davantage piquée ; les moustiques peuvent parfaitement piquer un certain type de gens tout en étant attirés par d'autres.

Les entomologistes indiquent que deux facteurs influencent les moustiques : la chaleur et la différenciation visuelle – aussi difficile à démontrer que cela puisse être. Ainsi, les moustiques du genre *Aedes* semblent attirés par les corps chauds uniquement lorsque la température est inférieure à 15 °C.

Mais ce qui est certain, c'est que le facteur dominant reste l'odeur qui se dégage de votre corps. Les moustiques sont attirés par l'odeur du gaz carbonique (nous expulsons tous du CO_2 chaque fois que nous respirons), mais aussi par l'acide lactique et l'octénol. Comme nous l'explique un spécialiste :

Nous dégageons tous une odeur différente selon la chimie de notre corps. Tout comme nous aimons certaines odeurs et pas d'autres, les moustiques ont une perception des substances chimiques (un odorat) très évoluée et sont capables de détecter toutes les nuances olfactives.

Il est difficile d'isoler les composants particuliers susceptibles d'attirer les insectes, bien que cela soit nécessaire en matière sanitaire – puisqu'il serait ainsi plus facile d'identifier les personnes susceptibles d'être contaminées par les maladies transmises par les moustiques, comme le paludisme. De plus, les scientifiques seraient alors en mesure de concevoir des produits répulsifs efficaces.

La plupart des répulsifs consistent à masquer les odeurs qui les attirent ou à créer des odeurs qui les éloignent. Un entomologiste nous rapporte que « des ingestions régulières de substances spécifiques (comme la levure de bière), ensuite rejetées par les pores de notre peau, modifient notre odeur corporelle et s'avèrent efficaces afin de décourager les moustiques de nous piquer ».

qui ? pourquoi ? quand ? où ? quel ? comment ? qui ? pourquoi ?

Dernières recherches

La température ambiante et les attraits visuels restant des facteurs mineurs, tous les experts s'accordent à dire que les moustiques sont attirés par le parfum de certains humains.

Certaines personnes ont la chance de posséder plus de 10 composants chimiques séparés, « les odeurs masquées », qui repoussent les moustiques ou les empêchent de détecter l'odeur humaine qu'ils apprécient tant. Ces recherches confirment celles qui ont été effectuées sur le bétail. En isolant des vaches possédant des odeurs masquées, les scientifiques se sont aperçus que les moustiques revenaient en nombre vers le troupeau. Nous connaissons des gens qui emplissent immédiatement une pièce avec leur parfum, mais les moustiques et les humains ne semblent pas partager les mêmes goûts.

Les papillons de nuit **sont-ils** vraiment attirés par la lumière ? Qu'essaient-ils de faire lorsqu'ils tournent autour d'une ampoule ?

Les papillons de nuit, comme beaucoup d'espèces du monde animal, passent le plus clair de leur temps à dormir, à chercher de la nourriture et à se reproduire. La plupart dorment le jour. Sans carte ni boussole, ils partent à la recherche de nourriture et procréent la nuit.

Après des siècles d'évolution, ils se sont accoutumés à la lumière, et particulièrement à la lumière de la lune lors de leur navigation. En maintenant un même angle par rapport à la source de lumière, ils arrivent à se repérer. Malheureusement pour eux, les humains ont généralisé la lumière artificielle, que nos papillons confondent avec leur référence habituelle.

Un biologiste anglais, R. R. Baker, a développé des hypothèses en partant du fait que, si un papillon de nuit choisit une lumière artificielle comme source de référence et qu'il tente de conserver son angle de navigation, il finit par tourner autour en petits cercles concentriques, jusqu'à ce qu'il s'y colle littéralement. Baker pense même qu'ils volent autour parce qu'ils sont tentés de se poser, croyant qu'il s'agit de l'arrivée du jour, c'est-à-dire l'heure du repos. Il est d'ailleurs fréquent qu'ils brûlent sur l'ampoule. Les papillons de nuit ne sont donc pas attirés par la lumière. Ils essaient simplement de se repérer et confondent la lumière de l'ampoule avec celle de la lune.

Pourquoi les cafards s'enfuient-ils lorsque l'on allume la lumière dans une pièce ?

Tout comme les tournesols sont génétiquement programmés pour se tourner vers le soleil, de nombreux animaux et plantes sont génétiquement programmés pour le fuir. Les cafards sont des animaux nocturnes, et la plupart de ces espèces courent se cacher lorsqu'elles sont exposées à la lumière. Les cafards urbains se sont bien adaptés à leur environnement. Lorsque nous dormons, ils sont libres de fouiner dans nos cuisines et de se restaurer en toute quiétude. En errant la nuit, ils évitent les rongeurs, qui mangent plutôt le jour. La nuit, le seul danger pour eux reste l'insecticide... ou l'insomnie du propriétaire des lieux.

Pourquoi fuient-ils ? Est-ce à cause de la lumière ou parce qu'ils sont programmés pour réagir aux attaques des prédateurs ? Une entomologiste nous explique que la vitesse d'un cafard en fuite résulte de nombreux facteurs, dont celui inhérent à son espèce, l'humidité et l'intensité de sa faim. Les cafards voient très mal, ils perçoivent simplement les vibrations environnantes ; il est donc fort possible qu'ils fuient simplement par peur de l'inconnu. Un entomologiste nous écrit que les cafards possèdent deux appendices sensoriels à l'extrémité postérieure de l'abdomen, nommés cerques, recouverts de poils très sensibles aux courants d'air. Ainsi, ce qui les effraie n'est pas de nous voir ou de nous entendre, mais l'air généré par nos mouvements.

Pourquoi les cafards meurent-ils toujours sur le dos ?

Cette question continue d'énerver les entomologistes interrogés, qui travaillent activement sur la question. L'un d'entre eux nous précise que, lorsqu'un cafard meurt, ses pattes se raidissent et il tombe donc sur le côté. Comme la plupart ont une forme bombée et des côtés étroits, au moment de la chute, ils basculent sur le dos.

Un expert ajoute que les petits cafards, comme la blatte germanique et la blatte rayée, meurent plus fréquemment sur le dos. Les plus gros spécimens possédant un centre de gravité plus bas, comme la blatte américaine ou orientale, meurent parfois ventre contre terre.

Si les papillons de nuit sont attirés par la lumière, pourquoi ne volent-ils pas en direction du soleil ?

Même s'ils étaient tentés de voler en direction du soleil, ils n'en auraient pas l'occasion, la vaste majorité des papillons de nuit étant des animaux nocturnes. Pourtant, vous avez pu apercevoir ces insectes de jour. Cette question n'est donc pas si absurde...

Pourquoi les insectes semblent-ils sortir soudainement de la farine ou d'un fruit ? D'où viennent-ils en réalité ?

Si vous êtes persuadé que votre maison (ou votre appartement) est un calme et paisible refuge vous protégeant du chaos du monde extérieur, consultez l'ouvrage de David Bodanis *la Maison secrète*, une étude du monde naturel s'épanouissant à l'intérieur de nos foyers. Avec des photographies aussi magnifiques qu'effrayantes, Bodanis nous démontre que, pour un cafard surpris dans la cuisine, c'est en réalité une centaine de mites, d'acariens (des arachnides, pas des insectes !) et d'insectes minuscules qui y vivent en permanence et se nourrissent de nos squames (résidus de peau) et de nos cheveux.

Les petites bêtes à six ou huit pattes, voire plus dans le cas des myriapodes (les mille-pattes), sont intéressées par la nourriture entassée dans nos placards. Nommés « insectes des produits emballés », beaucoup se propagent dans la nourriture avant même qu'elle soit protégée, souvent sous forme d'œufs ou de larves. Tous ceux qui travaillent dans l'industrie alimentaire savent que les rongeurs et certains insectes infestent de nombreuses marchandises.

Même si les insectes ne sont pas dans la fleur ou le fruit au moment où vous l'achetez, ils sont attirés par cette nourriture lorsque vous la ramenez chez vous. Ceux qui infestent la farine, par exemple, ne sont pas visibles à l'œil nu. Il est ainsi facile pour un insecte de moins de 3 mm de long de s'introduire dans un paquet, surtout lorsqu'il est resté ouvert.

Ce combat est donc vain. Inquiétez-vous uniquement de ceux que vous voyez et ne pensez pas aux autres.

Les papillons (et autres insectes) éternuent-ils et toussent-ils ? Si c'est le cas, les humains peuvent-ils le percevoir ?

Tous les entomologistes contactés sont formels : les papillons, et les insectes en général, n'éternuent pas et ne toussent pas. En effet, ils ne possèdent pas de nez à proprement parler. Mais comment respirent-ils ? Un expert nous explique :

> Les papillons et les insectes respirent grâce aux trous – nommés stigmates – situés sur les côtés de leur corps et munis de valves qui expulsent la poussière et l'eau.

Un entomologiste confirme qu'il est impossible d'entendre les insectes respirer :

> Lors de mes nombreuses recherches, je n'ai jamais entendu un insecte expirer de l'air... Il est peut-être possible d'entendre la respiration d'un insecte à l'aide d'un amplificateur, mais pas à l'oreille nue.
> Pour communiquer, certaines mouches, hannetons et sauterelles, mais plus particulièrement les blattes siffleuses de Madagascar, émettent des sons en repoussant l'air par les stigmates.

Mesurant 5 à 8 cm, *Gromphadorhina portentosa*, notre blatte siffleuse de Madagascar, produit un son en contractant son abdomen et en expulsant l'air par les stigmates : ce bruit s'entend alors à plusieurs mètres aux alentours. Bien que la plupart des cafards évitent les prédateurs en fuyant, en s'envolant, voire en produisant des sécrétions déplaisantes, ce n'est pas le cas de *Gromphadorhina portentosa* : ses talents de siffleuse semblent être son plus efficace moyen de défense. Un expert nous donne un exemple : un maki de passage peut penser qu'il s'agit d'un serpent à sonnette ou d'un dangereux ennemi. « Une fois reposé à terre, le cafard siffleur recommence à se nourrir, peu inquiet du fait qu'il a failli se faire manger lui-même. » Ce cri est donc un réflexe volontaire, généralement employé face à un prédateur, ou lors de la recherche d'un mâle.

Où les papillons vont-ils lorsqu'il pleut ?

Les papillons préfèrent les journées ensoleillées parce qu'ils ont besoin de la lumière du soleil pour réguler leur température corporelle. Qu'il pleuve ou non, lorsque le soleil est caché ou sur le point de se coucher, ils vont immédiatement s'abriter sous les couvertures que leur fournit Dame Nature. Selon le rédacteur en chef d'un magazine spécialisé, ils apprécient particulièrement de se poser sous une feuille, un buisson ou sur les brins d'herbe.

Si le papillon reste néanmoins exposé à la pluie, celle-ci glisse sur les écailles de ses ailes. Mais attention : un expert ajoute que beaucoup ne survivent pas s'ils volent sous une pluie battante : le vent et les grosses gouttes d'eau qui les percutent représentent un risque majeur.

Pourquoi les vers de terre sortent-ils après la pluie ?

La plupart de ces animaux vivent dans des galeries ou des petits trous dans le sol. Lorsqu'il pleut, la terre s'imbibe d'eau, et, si les vers ne sortent pas immédiatement, ils se noient. Vous avez le droit de les trouver répugnants, mais ils ne sont pas stupides pour autant, et, surtout, ils sont très utiles en contribuant naturellement à la fertilisation des sols !

Mais alors pourquoi s'agglutinent-ils sur le chemin après la pluie ? Parce que le chemin représente un support plus solide que la terre ou l'herbe lors d'une averse. Si vous scrutez l'herbe après la pluie, vous verrez de nombreux vers de terre tentant de s'extirper de l'eau et d'atteindre rapidement la terre ferme.

Qu'arrive-t-il à une fourmi séparée de sa colonie ?

Les fourmis sont des animaux sociaux – leur mode d'organisation n'ayant pas pour but de se faire des amis mais plutôt de trouver de la nourriture et d'obtenir une certaine protection face aux prédateurs et à un environnement parfois hostile. Tous les experts consultés indiquent qu'une fourmi travailleuse isolée, loin de ses congénères, verra sa durée de vie abrégée d'une à deux semaines. Il est fort à parier que, totalement désorientée, elle aura longtemps cherché sa colonie.

En effet, les fourmis s'entraident en laissant une trace entre la source de nourriture et la colonie, déposant des signaux chimiques nommés phéromones. Notre fourmi solitaire essaiera donc de les suivre, en espérant qu'ils la ramèneront chez elle.

Trois dangers menacent une fourmi perdue.

Le premier est la faim. Les fourmis sont naturellement fourragères mais ont l'habitude de recevoir des informations d'autres fourmis pour repérer les sources de nourriture. Une fourmi isolée n'aura pas la capacité de faire suffisamment de stocks pour survivre très longtemps. De plus, les fourmis ne mangent pas forcément la nourriture telle qu'elles l'ont trouvée. Un naturaliste nous donne l'exemple de la fourmi coupeuse de feuilles qui trouve des plantes et les ramène au nid. Là, elles sont amassées et employées en tant que support organique pour cultiver des champignons dont se nourrira la colonie entière. Sans ce type d'organisation et l'assistance du groupe, une fourmi champignonniste est incapable de s'alimenter seule.

Le deuxième danger reste le froid. Les fourmis sont ectothermes, c'est-à-dire qu'elles ont besoin de chaleur mais ne sont pas en mesure d'en générer elles-mêmes. Lorsque la température baisse, les fourmis en colonie profitent de la chaleur protectrice du nid. Isolée, une fourmi tentera de trouver une pierre ou un creux dans la terre pour se protéger, mais cette solution ne l'empêchera pas de mourir de froid.

Le troisième danger, ce sont les prédateurs. En collectivité, les fourmis s'entraident et se protègent mutuellement. Seule, une fourmi doit éviter un grand nombre d'ennemis, dont les autres fourmis.

Les poissons **dorment-ils ?**
Si c'est le cas, à **quel** moment ?

Notre fidèle encyclopédie définit le sommeil comme « un état naturel et régulier de repos pour le corps et l'esprit, *lors duquel les yeux sont habituellement clos, sans mouvement volontaire ou conscient* ». Ces mots en italique soulignent la difficulté de cette question.

Excepté les élasmobranches (poissons à squelette cartilagineux, comme les requins ou les raies), les poissons ne possèdent pas de paupières — ils peuvent donc difficilement fermer les yeux. Aucun ne présente de paupières occultant sa vision, mais certains sont dotés d'une membrane transparente qui protège leurs yeux des irritations.

Les poissons pélagiques (qui vivent au large, par opposition à ceux qui vivent le long des côtes), comme le thon, le tassergal et le marlin, ne s'arrêtent jamais de nager. Même les poissons côtiers, qui se reposent de temps en temps, ne dorment pas comme l'entendent les humains. Un spécialiste écrit à ce sujet :

> Certains poissons de récif deviennent inactifs et tanguent lorsqu'ils dorment, mais restent toujours à l'affût du moindre danger. D'autres, comme les poissons-perroquets et les labridés, se cachent la nuit sous un cocon de mucus qui les recouvre complètement. Ils se calent alors dans une crevasse au creux des récifs, s'enferment dans le cocon et restent ainsi, en semi-coma, tout au long de la nuit.
>
> Leurs yeux restent ouverts, mais, si un plongeur s'approche doucement, il pourra les prendre dans sa main, comme je l'ai déjà fait. Un geste brusque les ferait néanmoins s'enfuir, car ils ne sont pas totalement coupés du monde et restent sur le qui-vive.

En fait, les poissons dorment comme nous lorsque nous sommes à moitié somnolents. Nos yeux sont ouverts, mais nous choisissons, inconsciemment, de ne pas faire fonctionner notre cerveau et de nous fermer à tout ce qui nous entoure. Un bruit nous extrait facilement de notre torpeur, mais, si quelqu'un nous demande à quoi nous rêvions, nous sommes incapables de nous en souvenir.

Si nous acceptons qu'un poisson qui tangue est en train de dormir, alors la réponse à la seconde question mystérieuse est qu'ils dorment la nuit, a priori parce qu'il fait noir. Dans un aquarium, les poissons flottent mollement lorsqu'ils dorment la nuit, mais restent néanmoins toujours aussi gracieux, contrairement à nous dans notre sommeil.

Dernières recherches

Il apparaît que certains mammifères se comportent un peu comme les poissons dans leur sommeil. En 2005, des experts américains rapportaient que les nouveau-nés des dauphins à gros nez et des orques ne font pas de petits sommes lors de leurs premiers mois de vie. Peut-être, d'exaspération, leurs mères oublient-elles également de dormir lors de cette période.

Cette découverte a quelque peu perturbé les spécialistes du sommeil qui prétendent que le sommeil REM, ou sommeil paradoxal, est nécessaire au développement du cerveau des mammifères, et que les hormones de croissance s'activent lors du sommeil. Selon eux, les baleines et les dauphins ont développé ce mécanisme pour que les bébés puissent échapper aux prédateurs lors de cette période à haut risque. Mais pourquoi n'en est-il pas de même pour les autres animaux ? Un spécialiste nous répond que « dans la mer, il n'y a pas d'endroit protégé ».

Lorsque les baleines et les dauphins plus âgés dorment, ils flottent habituellement à la surface ou se couchent sur le fond. Mais les nouveau-nés nagent continuellement et ne commencent à dormir qu'au moment où ils deviennent adultes, lorsqu'ils ont 4 à 5 mois.

Contrairement aux poissons, les dauphins possèdent des paupières. Toutefois, ils ne dorment jamais vraiment profondément. Les chercheurs dans le domaine du sommeil n'ont jamais réussi à prouver qu'ils vivent une expérience de sommeil REM, et ils se sont rendus à l'évidence que seul un hémisphère du cerveau des dauphins était en phase de repos comparable au sommeil. Peut-être que les bébés baleines et les bébés dauphins dorment, en fait, d'une façon que nous n'aurions pas encore identifiée... Peut-être aussi ces mammifères marins entrent-ils dans une brève période de sommeil tout en nageant... Improbable, mais possible.

Pourquoi devons-nous ajouter un supplément d'oxygène dans un aquarium tropical alors que les poissons sont capables de survivre sans complément d'oxygène dans la nature ? Pourquoi est-ce nécessaire dans les aquariums d'eau de mer et pas dans ceux d'eau douce ?

Un spécialiste répond succinctement à la première question : « Vous devez apporter de l'oxygène dans tout aquarium contenant plus de poissons que de plantes et d'algues. Plus le nombre de poissons augmente, plus le besoin en oxygène est important » La plupart des plans d'eau sont naturellement oxygénés par les végétaux. Les océans profitent d'une profusion de plantes, plus abondantes que dans les autres milieux aquatiques. Néanmoins, le manque de flore dans les aquariums d'eau de mer ne peut être la seule cause d'un tel besoin en oxygène. Un océanographe nous explique :

> Les aquariums d'eau de mer doivent être plus aérés que les aquariums d'eau douce pour permettre aux poissons de survivre, le niveau d'oxygène y étant plus bas à cause de la présence du sel. En effet, l'eau salée absorbe beaucoup moins l'oxygène que l'eau douce.

Pourquoi les poissons d'aquarium conservent-ils des bulles dans leur bouche pour les laisser échapper au fond de l'aquarium ?

Notre expert en milieux aquatiques nous fournit trois explications.

1 La préparation du nid. Les poissons d'aquarium descendent au fond pour récupérer des petits cailloux qu'ils laissent ensuite échapper parce que cette technique leur permet de choisir et de nettoyer le substratum avant d'inciter l'élue de leur cœur à pondre à cet endroit. En effet, pour certains d'entre eux, la capacité de sélection d'un bon nid reste fondamentale. Les poissons suivent plusieurs étapes pour tester leur environnement : ils placent tout d'abord les matériaux destinés au nid dans leur bouche, puis ils les projettent vers le fond pour commencer à construire et à nettoyer le futur nid.

2 Les poissons n'apprécient pas forcément la nourriture que vous leur proposez. Dans la nature, grâce à l'apport riche et complexe des plantes, les bulles se chargent de substances souvent très appréciables. Ainsi, bon nombre de poissons cherchent la nourriture en triant le sable, le gravier et les bulles en les mastiquant dans leur bouche. La nourriture remonte ainsi à la surface et ils la sélectionnent.

3 Les poissons ne sont pas équipés de brosse à dents et de dentifrice. Un magazine spécialisé nous explique que les bulles et le gravier pourraient représenter un moyen de lutte efficace contre les parasites qui prolifèrent dans leur bouche.

Les poissons **urinent-ils** ?

Oui, mais tous ne procèdent pas de la même façon. Les poissons d'eau douce doivent constamment évacuer l'eau accumulée par osmose. Leurs reins sont contraints de produire des quantités importantes d'urine diluée pour protéger leurs tissus afin qu'ils restent imprégnés d'eau. Les poissons d'eau de mer évacuent l'eau par osmose mais produisent, eux, peu d'urine. Est-ce que les poissons boivent l'eau de mer ? Oui, ils ont besoin de récupérer l'eau évacuée par osmose, comme nous l'explique un expert :

> Ils compensent largement cette perte d'eau en buvant de grandes quantités d'eau de mer. Mais l'apport supplémentaire en sel pose alors un problème. C'est pour cette raison qu'ils expulsent ce surplus principalement par leurs branchies.

Ils sont capables d'expulser du liquide par leurs branchies mais également à travers leur peau, comme les humains le font en transpirant.

Les homards **sont-ils** ambidextres ?

Avez-vous déjà remarqué que le homard a une pince plus grosse que l'autre ? La plus grosse est appelée la pince broyeuse et la plus petite, la pince coupante. La pince broyeuse possède des dents plus larges et plus acérées mais bouge plus lentement. La pince coupante présente plutôt des dents fines et serrées, et se déplace plus librement. Les deux pinces ne semblent pas particulièrement différentes.

Les homards perdent leur coquille suite à trois mues au stade embryonnaire. Lorsqu'ils naissent, les deux pinces sont identiques, mais, à chaque étape de développement, les différences s'accentuent. Ce n'est qu'après la cinquième mue (la seconde mue postembryonnaire) que les deux pinces se différencient vraiment.

La pince broyeuse joue un rôle important en matière de défense contre les prédateurs alors que la pince coupante reste particulièrement utile pour se nourrir. Les pinces sont souvent endommagées par l'usure ou les combats. La plupart des spécimens sont capables de générer plusieurs pinces.

Si la pince amputée est la coupante, de nombreuses espèces profitent du « dimorphisme plastique » pour modifier la fonction de la nouvelle pince et la transformer en pince broyeuse — cette dernière étant probablement plus essentielle à leur survie. La pince régénérée est néanmoins capable de couper - ainsi les pinces deviennent-elles aussi habiles l'une que l'autre, les fonctions pouvant s'inverser.

Selon un expert, l'emplacement des pinces est aléatoire, la grosse pince pouvant se situer à droite comme à gauche.

Oui, les homards sont ambidextres puisque capables d'employer indifféremment et avec la même agilité les pinces de leur première paire de pléopodes (le nom savant pour parler des pattes de ces crustacés). Et comme les homards sont des décapodes et que nous n'avons pas encore parlé des quatre autres paires de pattes, sachez qu'elles sont dites ambulatoires...

Les étoiles de mer **ont-elles** un visage ?

Les étoiles de mer ne sont pas des poissons : ce sont des échinodermes (invertébrés marins) comme les concombres de mer et les oursins. Loin d'être des animaux calmes reposant dans l'océan, il s'agit en réalité de voraces carnivores à l'affût de la moindre source de nourriture.

Comme tous les échinodermes, les étoiles de mer n'ont pas de tête et sont parfaitement symétriques. Leur face antérieure se distingue nettement de leur face postérieure. Elles se déplacent facilement avec leurs cinq bras (ou plus), mais n'ont aucune fonction de marche avant et arrière.

À l'œil nu, il n'est pas évident de distinguer leurs organes sensoriels, mais elles en possèdent ! En revanche, elles n'ont ni ouïe, ni yeux.

La rainure qui court sur la face inférieure de chaque bras contient des centaines de tubes ambulacraires destinés à la locomotion. Équipés de ventouses, les ambulacres s'agrippent aussi aux surfaces rocheuses. Certains pieds ambulacraires, non dotés de ventouses, possèdent une capacité olfactive très développée, utile pour la quête de nourriture, ainsi qu'une fonction tactile.

Pas de tête, pas d'yeux, pas de nez, pas d'oreilles, n'avons-nous rien oublié ? Ah ! si, elles possèdent une bouche, généralement située au centre, du côté droit.

Comment utilisent-elles leur bouche pour dévorer leurs proies ? Les huîtres, les coques et les moules (des bivalves) constituent leurs repas favoris, mais aussi le corail, les poissons et autres animaux du fond des mers. Même s'il est parfois périlleux et délicat d'attaquer une huître ouverte, l'étoile de mer a mis au point une technique imparable. Elle enroule ses bras autour de l'huître et ouvre la coquille du mollusque. Puis elle sort son estomac gélatineux (dévagination) et le place dans la coquille. Les sucs digestifs émis par l'estomac entrent alors en action.

La digestion complète d'un mollusque comme une huître peut prendre vingt-quatre heures. Son estomac reste alors à l'extérieur et ne retourne dans la bouche de l'étoile de mer qu'une fois le processus de digestion terminé. Avec de telles habitudes alimentaires, inutile de chercher quel est son vrai visage...

Pourquoi les chauves-souris se pendent-elles la tête en bas ? Comment font-elles pour ne pas tomber ?

Les chauves-souris sont de grandes excentriques, elles sont en effet les seuls mammifères capables de voler. La nuit, elles virevoltent à la recherche de petits insectes, alors que le jour la plupart sont littéralement pendues la tête en bas.

Elles possèdent une musculature particulière pour rester ainsi pendant des heures. Alors que nous, nous devons tendre nos muscles, crisper nos mains, nos poignets, mais également nos épaules et nos bras pour tenir sur une barre horizontale, c'est exactement le principe contraire chez les chauves-souris.

Lorsqu'une chauve-souris trouve un endroit qui lui convient, elle sort ses griffes et s'agrippe avec les talons, ce qui ne tend pas ses muscles, mais au contraire les relâche. Le poids de la partie supérieure de son corps lui permet de conserver les talons bloqués — comme nous lorsque nous sommes assis sur une chaise. Ce peu d'effort lui autorise une forme d'hibernation, connue sous le nom de torpeur. Lors de cette période, sa température corporelle et sa pression artérielle diminuent, et elle bouge à peine. À la saison froide, elle entre en hibernation aussi longtemps qu'elle le souhaite.

Quel type d'effort doit-elle exercer pour se pendre la tête en bas ? (Les chauves-souris mortes sont souvent retrouvées dans cette posture, comme si elles dormaient tranquillement.) Aucun. Ce n'est qu'au moment de décoller qu'elles ont besoin de tendre leurs muscles.

Une autre particularité anatomique les aide à rester la tête en bas : leur cou extrêmement flexible leur fournit la possibilité de regarder derrière elles en tournant leur tête à 180 °. Leurs pattes postérieures sont placées de façon à ce que leurs genoux soient à l'arrière, ce qui les aide à s'agripper. Certaines espèces urinent, défèquent et même mettent bas pendues par les pattes.

Enfin, quelles sont les principales raisons de cette position ?

1 Les pattes des chauves-souris sont frêles. Ces pattes, presque inutiles avec leurs os légers et minces, leur permettent de voler plus vite mais les empêchent de rester debout, de marcher et de supporter leur propre poids. C'est pour cette raison qu'elles sont obligées de se percher.

2 Se percher la tête en bas autorise une gestion parfaite des décollages. Une fois posées, ces merveilleuses machines volantes n'ont cependant pas assez de puissance dans les ailes pour décoller du sol comme les oiseaux. Et si elles sont attaquées pendant leur torpeur, il leur suffit alors de quitter rapidement leur perchoir. Des chercheurs pensent que, à un certain moment de leur évolution, c'étaient plutôt des animaux planants que volants, leur mode de décollage étant plus proche de celui des animaux inaptes au vol.

3 Les prédateurs sont nombreux : des chouettes aux hiboux en passant par les serpents, les ratons laveurs et parfois les hommes. Actives pendant le sommeil de ces ennemis, elles leur échappent plus facilement. De plus, la tête en bas, elles se perchent aisément à l'abri du regard des prédateurs (sous les toits, les combles, les caves et les pentes des étables et des écuries).

Pourquoi les singes des zoos passent-ils tout leur temps à s'épouiller ? Pourquoi ne le font-ils que sur les autres singes ?

Dans la nature, les primates scrutent leurs poils très souvent mais lors de courtes séances. Généralement, ils tentent d'en extirper les insectes parasites, les toiles d'araignée ou les restes de nourriture.

Les singes en captivité ont moins de chances d'être parasités, mais sont affectés par d'autres types de problèmes de peau. Par leurs pores, ils expulsent du sel et passent beaucoup de temps à se gratter.

La plupart des spécialistes des grands singes — gibbons, chimpanzés... — nous assurent qu'ils « épluchent » les poils des autres pour des raisons sociales car ils n'ont aucune difficulté à se gratter le dos (ou toute autre partie de leur corps) eux-mêmes. Un psychologue note que « s'occuper des autres reste l'une des activités communautaires préférées des chimpanzés ».

Pourquoi les gorilles se frappent-ils la poitrine ?

Dans la nature, les gorilles se frappent la poitrine pour une simple raison : ils effrayent ainsi les autres gorilles autant que les humains.

La dernière étude à ce sujet est issue de l'ouvrage *Gorille de montagne : écologie et comportement,* de G. B. Schaller. Schaller identifie un rituel d'agression constitué de neuf étapes définies dans un ordre précis : hurler ; s'alimenter symboliquement ; se dresser sur les pattes arrière ; jeter en l'air de la végétation ; se frapper la poitrine (généralement 2 à 20 battements, les mains ouvertes, souvent accompagnés par des battements sur l'estomac ou les cuisses) ; donner des coups de pied en l'air en se frappant le poitrail ; courir sur le côté (d'abord sur une patte, puis sur les deux et enfin les quatre) ; frapper et déchiqueter la végétation ; enfin, frapper violemment le sol avec la ou les paumes pour terminer le rituel.

Seuls les gorilles mâles à dos argenté effectuent ce rituel intégralement, mais tout battement de poitrine est accompagné d'au moins l'un des autres comportements. Dans la nature, les femelles gorilles se frappent parfois la poitrine.

Alors pour quelles raisons agissent-ils ainsi ? Voici dans quelles circonstances ils le font généralement :

1 Le plus souvent lorsqu'un mâle adulte à dos argenté menant un groupe de femelles rencontre un rival potentiel qui cherche à séduire ces dames. Généralement, le rival est un gorille seul, mais il arrive qu'il se trouve lui-même entouré de femelles.

2 Lorsque des gorilles dominants veulent affirmer leur pouvoir ou leur statut dans un groupe.

3 Lorsqu'un gorille cherche à marquer son territoire convoité par un autre groupe.

4 Lorsqu'un individu veut se faire localiser. Dans son livre *Gorilles*, Colin Groves mentionne que, quand un gorille se frappe la poitrine, il s'attend à recevoir une réponse. Ainsi, cette action aurait une fonction de communication avec un autre groupe pour éviter la confrontation.

5 Lorsque les gorilles sentent la présence d'humains.

6 Tout simplement lorsqu'ils sont excités, comme le rappelle Dian Fossey dans son ouvrage *Gorilles dans la brume*.

Schaller note que les gorilles imitent parfois les battements de poitrine d'autres gorilles simplement pour jouer. Il est en effet très facile de savoir si un gorille se frappe la poitrine par colère ou par jeu. Un expert nous décrit un phénomène particulier dans les zoos : « Ce comportement fait partie de l'éducation des gorilles entre eux, et il n'est pas rare de voir de jeunes gorilles imiter leurs aînés. »

Néanmoins, un certain désaccord persiste entre les experts. Certains prétendent qu'il s'agit d'un acte transmis par les aînés lors de leur captivité. Alors que Groves assure que ce comportement est inné et non acquis, arguant que même les gorilles maintenus seuls en captivité se frappent la poitrine.

La réponse la plus intéressante reste celle que nous avons reçue de la part de Francine Patterson, la présidente et directrice des recherches pour la Fondation des gorilles. Cette fondation a mis en place le projet Koko, « le projet le plus complet concernant la communication entre les espèces ». Lancée en 1972, cette expérience a été menée afin d'apprendre à Koko, une femelle gorille, le langage des signes. Bien que deux autres gorilles aient relevé le défi, c'est Koko qui a montré le plus de capacités intellectuelles. Elle a réussi à travailler avec plus de 500 signes et à en imiter plus de 400. Koko comprend approximativement 2 000 mots et affiche un QI entre 70 et 95 sur l'échelle humaine.

Même Koko l'intellectuelle et ses deux copines de classe se frappent la poitrine lorsqu'elles jouent ensemble ou avec leurs compagnons humains. Patterson nous a d'ailleurs envoyé un charmant échange entre Koko et sa meilleure amie humaine, Barbara Chiller, une des fondatrices de la Fondation des gorilles :

BARBARA : Bon, peux-tu m'expliquer comment parlent les gorilles ?

(Koko se bat le torse.)

BARBARA : Que disent les gorilles lorsqu'ils sont contents ?

KOKO : Les gorilles s'étreignent. (Exprimé en langage des signes.)

BARBARA : Que disent les gorilles à leurs bébés ?

(Koko se bat le torse.)

qui ? pourquoi ? quand ? où ? quel ? comment ? qui ? pourquoi ?

Les lions **sont-ils** vraiment effrayés par les chaises ?

Donnez-nous un bazooka, un long pieu, 40 gardes du corps et une excellente assurance-vie, et nous irons peut-être affronter un lion avec une chaise.

Après réflexion, nous avons décidé de ne pas y aller. Mais comment les dresseurs de lions ont-ils eu l'idée saugrenue de s'équiper d'un fouet et d'une chaise ? Et pourquoi un lion aurait-il peur d'une simple chaise ?

Autrefois, les dresseurs de lions employaient des armes bien plus terrifiantes pour dompter les fauves. Dans son livre *Voilà le cirque*, l'auteur Peter Verney rapporte que le plus grand dompteur des années 1830 et 1840, Isaac Van Amburgh, utilisait de lourdes barres de fer. D'autres employaient des barres d'acier chauffées à blanc ou encore des tuyaux d'arrosage pour repousser ces fauves impressionnants.

La chaise a été introduite par le plus célèbre des dompteurs de lions du XXᵉ siècle, Clyde Beatty, qui entraîna des lions de 1920 aux années 1960 (succombant, ironie du sort, à un accident de voiture). Son successeur au cirque Clyde Beatty, David Hoover, avait des idées bien arrêtées concernant la psychologie des lions. Hoover pensait que chaque lion avait ses propres peurs. Ainsi, un des lions qu'il domptait était terrifié par le son d'un klaxon, alors qu'un autre devenait fou lorsque la machine à griller les cacahuètes du cirque se mettait en marche.

Hoover pensait que la seule façon pour un humain de contrôler un lion consiste à le dominer psychologiquement, ce qu'il appelait « le bluff mental ». Il croyait également qu'il est très important que le lion pense qu'il ne peut pas faire de mal au dompteur. S'il lui arrivait d'être blessé dans l'arène, Hoover arrêtait immédiatement de travailler avec le fauve, « car un animal travaille tout en étant persuadé qu'il ne peut pas vous blesser. Si vous quittez la cage après que l'animal vous a blessé, alors il sait qu'il vous a vaincu et vous ne pourrez plus jamais travailler avec lui ». Hoover conservait toujours avec lui un pistolet chargé à blanc et son fouet, le but étant d'attirer l'attention de l'animal :

> Ils ne se focalisent que sur une pensée à la fois. Un coup de feu tiré à blanc les force à se concentrer sur la commande formulée qui lui est déjà familière. Il l'exécute alors parce qu'il a perdu le cours de ses pensées.

Mais qu'en est-il de la chaise ?

La chaise fonctionne selon le même principe. La chaise propose quatre centres d'intérêt : les quatre pieds. L'animal a en tête de faire reculer le dompteur. Vous placez alors la chaise devant sa tête. Lorsqu'il voit les quatre pieds de la chaise, il interrompt le cours de ses pensées et se concentre sur la chaise en oubliant le dompteur.

La chaise est dorénavant employée davantage pour des raisons scéniques, et moins dans le but de se défendre. Quoi qu'il en soit, un dompteur nous a assuré que, lorsqu'un lion souhaite vraiment attaquer, une chaise ne représente plus aucune forme de protection.

Un autre dompteur qui entraîne des lions depuis vingt-deux ans n'a jamais employé de chaise. Il utilise plutôt un tabouret ou un manche de fouet. Le fouet, pense-t-il, représente une extension de la main du dompteur, pour pousser les lions, paresseux par nature, à s'activer. Un petit coup de fouet à côté d'eux ou sur les flancs les « motive » pour travailler. Et le fouet empêche les mauvaises réactions. Les lions apprennent que certains comportements induisent un coup de fouet et vont donc faire en sorte de les éviter.

Un spécialiste des fauves nous en dit davantage à propos des comportements instinctifs et automatiques. Même domptés depuis longtemps, les lions restent des animaux sauvages. Comme Hoover, il confirme qu'il ne faut jamais manifester la moindre crainte devant l'animal. Retrouvant ses instincts, celui-ci reviendrait à sa vraie nature : chasseur tapi, yeux qui louchent, oreilles en arrière, prêt à sauter sur sa proie.

Si le dompteur montre la moindre peur, le lion l'assimile à une proie. Mais, s'il l'approche avant d'être menacé, le cycle de chasse est interrompu. Dans la nature, aucune proie n'approche un lion, et il n'est donc pas génétiquement programmé pour répondre à ce type d'agression. Le spécialiste nous explique que si, un jour, vous rencontrez un lion dans la nature, surtout s'il vous a repéré, ne fuyez jamais. Avancez plutôt vers lui en hurlant « bugga bugga bugga » ou quelque chose qui résonne fort. Cela vous sauvera peut-être la vie, le lion préférant souvent s'en aller.

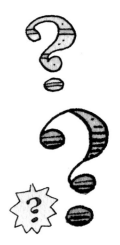

C'est pour cette raison que notre spécialiste considère que la chaise et le fouet sont une solution satisfaisante. Le bruit du fouet qui claque représente une excellente distraction alors que la chaise autorise le dompteur à s'approcher du lion tout en gardant une distance minimale de sécurité.

La question qui continue de nous préoccuper est comment Clyde Beatty a eu l'idée de se munir d'une chaise de cuisine la toute première fois...

qui ? pourquoi ? quand ? où ? quel ? comment ? qui ? pourquoi ?

Qu'est-ce qui différencie un animal d'un être humain ? C'est simple : quand un animal voit de la nourriture, il se contente de la manger, tandis que les humains cultivent, transforment, emballent, nomment, réfrigèrent et cuisinent leurs aliments ; ils les décorent, les servent sur de belles assiettes et sont capables d'en parler pendant des heures. Ils se mettent même parfois de drôles de chapeaux pour cuisiner...

Pourquoi cela ? Voici quelques réponses.

Pourquoi certains œufs ont-ils deux jaunes ? Et pourquoi le jaune d'œuf présente-t-il parfois des petits points rouges ?

Les poules naissent avec un ovaire entièrement formé, contenant plusieurs milliers de petits ovules en grappes. Une hormone de stimulation des follicules présente dans le sang développe ces ovules, qui finissent par se transformer en jaunes d'œufs. Lorsque les ovules sont mûrs, le follicule se rompt et les expulse. Généralement, lorsqu'une poule ovule, un seul jaune d'œuf est libéré à la fois. Puis il descend le long de l'oviducte, dans lequel se forment sa membrane blanche et la coquille.

Mais il arrive parfois que deux jaunes soient expulsés simultanément. Les œufs comprenant deux jaunes ne sont pas plus prévus que des jumeaux humains. Cependant, certaines poules sont plus susceptibles d'en produire que d'autres : les plus jeunes et les plus âgées. Chez les premières, le phénomène est dû au fait que leurs cycles de ponte ne sont pas encore synchronisés ; chez les dernières, on peut dire que plus elles sont vieilles, plus leurs œufs sont gros. Et les gros œufs sont plus sujets au double jaune.

Si une poule est surprise lors de la formation d'un œuf, de petits vaisseaux sanguins peuvent se rompre dans la paroi, causant les points rouges que l'on voit sur certains jaunes. Ces petites taches de sang n'enlèvent rien à la comestibilité des œufs.

Comment la levure fait-elle lever le pain ? Et pourquoi faut-il pétrir la plupart des pains ?

Bien qu'elle semble inerte à première vue, la levure de boulanger est en fait un organisme vivant, un petit champignon, *Saccharomyces cerevisiae*. Les fabricants de levure isolent une cellule saine, la gavent de nutriments et observent sa multiplication. Un seul gramme de levure fraîche contient environ 10 millions de cellules de levure vivantes — d'où sa réputation de « lapin » du règne des champignons.

Afin de répondre aux besoins des boulangers, les fabricants font fermenter la levure, obtenant ainsi un produit plus concentré. Mais la levure ne se satisfait pas de se retrouver oisive dans un récipient destiné à la faire fermenter : elle veut manger ! On la nourrit donc de mélasse, et elle continue à se développer. Le représentant d'un producteur de levure nous a déclaré que, dans des conditions idéales, 200 g de levure pouvaient se transformer, en seulement 5 jours, en environ 150 tonnes, une quantité suffisante pour fabriquer 10 millions de miches de pain.

Après s'être reproduite de façon aussi impressionnante, la levure est séparée de la mélasse et de l'eau, centrifugée, lavée, puis soit conditionnée sous forme de cubes, soit déshydratée et transformée en granules. Lorsque l'on dissout la levure dans de l'eau, cela réactive le champignon — et réveille également son appétit.

La levure aime se nourrir des glucides que contient la farine de la pâte à pain. Lorsqu'elle se combine avec ce sucre, cela fait démarrer la fermentation, au cours de laquelle le sucre est transformé en un mélange d'alcool et de dioxyde de carbone (ou gaz carbonique). L'alcool brûle et se dissipe dans le four, mais le dioxyde de carbone forme de petites bulles — qui restent prises dans la pâte — et fait augmenter le volume du gluten, une protéine naturellement présente dans la plupart des céréales — qui fait lever la pâte tout en gardant les bulles de gaz emprisonnées. Une fois que la pâte a doublé de volume (ce qui est la norme), elle est constellée de bulles qui lui confèrent une consistance plus légère que celle d'un pain cuit sans levure.

En pétrissant le pain, le boulanger renforce la structure des protéines de gluten dans la pâte, lui permettant ainsi de résister à la pression des bulles de dioxyde de carbone.

Pourquoi le jaune des œufs durs devient-il parfois vert ou gris, ce qui n'arrive jamais aux œufs à la coque ?

Cette coloration est due à des composés de fer et de soufre qui s'accumulent lorsque l'on cuit les œufs trop longtemps. Si un jaune d'œuf vert ou gris n'est pas très appétissant, il ne change pas de goût et ne présente aucun danger.

La façon la plus répandue de trop faire cuire un œuf est sans doute de le laisser dans l'eau chaude après la cuisson. C'est pourquoi il est recommandé de faire couler de l'eau froide dessus ou de le plonger dans de l'eau glacée. Non seulement cela l'empêche d'être trop cuit, mais cela permet également de l'écaler plus facilement.

Pourquoi, avec le temps, le pain, mou, durcit-il, alors que les biscuits, durs, ramollissent ?

Un ingénieur en boulangerie nous a expliqué qu'en moyenne le pain frais contenait 32 à 38 % d'humidité. Si le pain est laissé à l'air libre, il durcit dès qu'il descend à 14 % d'humidité.

Mais pourquoi perd-il son humidité et rassit-il ? Même si les ingénieurs de l'agroalimentaire n'en comprennent pas encore toutes les causes, on sait qu'il se produit un processus appelé rétrogradation, qui modifie la structure de l'amidon. Le pain est conçu pour posséder une mie plus souple que la croûte, mais, lorsqu'une partie de l'humidité de la première migre dans cette dernière au cours du processus de rétrogradation, la mie durcit et la croûte s'amollit.

Selon un spécialiste en boulangerie, lors de la rétrogradation, une partie de l'amidon contenu dans la farine se transforme progressivement au cours d'un autre processus nommé cristallisation, et cela conduit à un durcissement graduel du pain. Certains des ingrédients comestibles de la pâte — comme les enzymes et les monoglycérides — ont un effet ralentisseur sur la rétrogradation, mais le processus demeure inévitable et s'accélère dès que le pain est exposé à l'air sans protection.

Les biscuits sont, eux, craquants parce qu'ils ne contiennent que très peu d'humidité — généralement entre 2 et 5 %. Lorsqu'ils se ramollissent, ce n'est pas dû au fait qu'ils subissent la même modification de leur structure interne que le pain rassis, mais au fait qu'ils absorbent l'humidité ambiante. Selon un spécialiste que nous avons consulté, un biscuit est perçu comme mou dès que son taux d'humidité atteint 9 %.

Pourquoi les galettes de riz ne s'effritent-elles pas ?

L'un de nos rédacteurs, ayant parcouru la liste des ingrédients sur un paquet de galettes de riz, note qu'elle ne mentionne que du riz et du sel. Aussi se pose-t-il légitimement la question de savoir comment les fabricants de galettes de riz font pour qu'elles ne s'effritent pas. Se pourrait-il qu'elles contiennent un liant secret ?

Nous sommes certains que les producteurs nous répondraient que c'est l'amour, ce liant secret, mais franchement, les sentiments n'ont rien à faire ici.

Tous les fabricants de galettes de riz que nous avons contactés nous ont donné la même réponse sur le procédé de fabrication, ce qui est pour nous une expérience quasi inédite. La voici.

Pour commencer, on met du riz à tremper dans de l'eau, puis on y ajoute du sel — et parfois un peu d'huile. La phase de trempage est importante, car l'humidité du riz va contribuer à le faire gonfler lorsqu'il sera chauffé dans la machine à souffler, comme nous l'a expliqué un professionnel :

> On fabrique une galette de riz en soumettant les grains à une certaine chaleur et une certaine pression, ce qui les fait gonfler soudainement. On place des grains de riz dans un petit moule rond. Puis un cylindre chaud est abaissé sur le moule, qui se trouve soumis à une pression et à une température si élevées que, au bout de quelques secondes seulement, les grains gonflent en émettant un bruit d'explosion. Ainsi soufflés, les grains de riz se soudent entre eux. Durant ce processus, rien n'est ajouté, ni huile, ni liant, ni aucun autre additif.

Pour les galettes de riz parfumées, l'assaisonnement n'est ajouté qu'une fois les grains soufflés, et il n'a donc aucune incidence sur la capacité des galettes à rester soudées.

Les galettes de riz datent de 3000 av. J.-C. et sont originaires d'Asie du Sud-Est ; les gens qui cuisinent chez eux au quotidien n'ont jamais eu accès aux équipements spécialisés dont bénéficient aujourd'hui les fabricants industriels. Ils font tremper toute une nuit du riz gluant, le font cuire à la vapeur jusqu'à ce qu'il soit tendre et l'écrasent dans un mortier avec un pilon puis avec un maillet. Ils pétrissent alors le riz comme de la pâte à pain et le font cuire, ce qui produit une galette (ou une boulette) de riz plus souple que celles que l'on trouve en Occident.

Quelle que soit la méthode de production, traditionnelle ou industrielle, les fabricants de galettes de riz ne semblent pas avoir de difficultés sur la question de leur cohésion. Ah... Si seulement ils savaient aussi leur donner du goût !

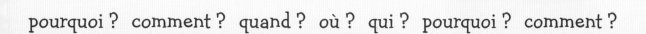

Pourquoi deux pétales de céréales flottant dans du lait ont-ils tendance à se rapprocher dès qu'ils ne sont plus éloignés que de quelques centimètres l'un de l'autre ?

Nos premiers essais pour trouver une explication à cette fascinante question débouchèrent sur une série de frustrations, puis vint la rédemption : une spécialiste des céréales, travaillant pour un des géants de cette branche, eut pitié de nous et se prit au jeu. Dans un article qu'elle écrivit par la suite pour le magazine de l'entreprise, elle nota :

Tout d'abord, nous avons pensé : « On ne joue pas avec la nourriture. » Et puis, comme la question ne cessait de nous sauter au visage du fond de chaque bol de céréales que nous mangions, nous nous sommes adressés à un membre de l'équipe Recherche et Développement en lui demandant de nous expliquer les mécanismes de cette apparente attraction.

La réponse de ce dernier fut simple :

La première explication est que cette attraction provient de la tension de surface. Celle-ci conduit le lait à former une sorte de mini-fossé autour de chaque pétale. Si deux pétales se rapprochent, leurs deux « fossés » se rejoignent et forment une unique dépression entre eux, dans laquelle les deux frêles esquifs glissent tout simplement l'un vers l'autre.

Cependant, pour être sûr de son fait, l'expert s'adressa à un physicien, dont il nous a résumé la réponse :

Prenant pour exemple deux feuilles dans un bassin, il a déclaré qu'elles se déplaçaient tout d'abord de façon arbitraire dans le bassin avant d'être suffisamment proches l'une de l'autre. Chacune des feuilles exerce une certaine pression sur la surface de l'eau ; ce poids déforme la tension de surface autour de la feuille et, si, les deux feuilles sont assez proches l'une de l'autre, l'eau se creuse entre elles, leur permettant de se rapprocher l'une de l'autre par le biais de cette légère dépression.

Pour illustrer son propos, mon interlocuteur conseille d'imaginer une feuille de caoutchouc tendu, sur laquelle on placerait deux billes. Chacune de ces billes appuierait sur la surface de caoutchouc, ce qui les ferait rouler l'une vers l'autre.

Un autre expert interrogé a émis l'hypothèse que le mouvement des céréales pouvait ne pas être aussi aléatoire que suggéré précédemment. Nous avons donc consulté différents forums de discussion sur Internet et nous nous sommes retrouvés submergés de divers « éléments aléatoires » supplémentaires, susceptibles d'affecter le mouvement de nos deux pétales de céréales... Un internaute a évoqué que, le mouvement moyen des particules ainsi que la tension superficielle dépendant de la température, celle du lait jouait un rôle dans notre affaire. D'autres ont ajouté que d'infimes courants d'air, des ondulations causées par la cuillère ou le fait que les pétales soient ou non recouverts de sucre ou d'une autre substance pouvaient également influer sur le mouvement des céréales.

Un physicien nous a rappelé que des mouvements apparemment insignifiants pouvaient aussi modifier la progression des pétales :

> Le fait de heurter la table ou de donner un coup de cuillère dans le bol peut également avoir une incidence. Il en va de même pour le mouvement que les céréales conservent après avoir été versées dans le bol. Sur une surface aussi peu stable que celle d'un bol de lait, il faut prendre grand soin de s'assurer que deux objets se meuvent sans avoir subi d'impulsion initiale.

Tandis que nous nous débattions avec notre question céréalière, une question similaire préoccupait un forum de discussion : « Pourquoi les feuilles de thé ont-elles tendance à s'amasser au milieu (et au fond) de la tasse ? » L'avis général était que, quand elles ont été agitées, les feuilles de thé se regroupent au milieu, car la force de frottement qui s'exerce sur leur bord interne est plus faible (les courants étant plus lents) que celle qui affecte leur bord externe (où les courants sont plus rapides).

Un physicien avança l'argument suivant : la tension superficielle peut expliquer l'attirance entre les deux pétales une fois qu'ils se sont rejoints, mais leur attraction initiale pourrait être due, elle, à la même tendance à se retrouver au centre que celle dont témoignent les feuilles de thé. Remarquant que la pression consécutive à l'ajout du lait dans le bol faisait tourner le liquide soit dans le sens des aiguilles d'une montre, soit dans le sens inverse, il écrivit :

> Je suppose que ces courants se prolongent pendant quelque temps. Comme ils sont plus importants du côté externe du pétale (c'est-à-dire du côté de la paroi du bol), celui-ci est poussé vers le centre. Je pense également que le pétale tourne lentement autour de son axe dans la même direction angulaire que le lait contenu dans le bol.

Nous avons aussi reçu un message de la part d'une personne souhaitant tester si, quand un bol de lait était légèrement réchauffé, la chaleur augmentant à partir des parois du bol poussait les pétales l'un vers l'autre :

> Pour faire cette expérience, j'ai pris un bol de lait que je venais de sortir du frigo et j'y ai déposé les deux pétales de céréales. Comme ils se déplaçaient, mais sans réellement converger, j'ai entouré le bol de mes mains. Au bout de quelques minutes, les pétales se sont rejoints. Il est bien sûr possible qu'ils se seraient rejoints sans la chaleur de mes mains, mais, à mon avis, ceci représente une découverte majeure.

Et à notre avis à nous, le prix de la découverte revient à un scientifique qui nous a envoyé l'e-mail suivant, littéralement surexcité par sa toute fraîche révélation :

> Je viens de descendre à la cuisine. Je n'avais pas de pétales de maïs, mais je peux vous assurer solennellement que les grains de riz soufflés sont, eux aussi, attirés les uns vers les autres. Quant à ce qui suit, je sais que ça va vraiment vous intéresser : de petits morceaux de cire hydrophobe (donc qui ne peut ni absorber de l'eau ou un autre liquide, ni s'y mêler) s'attirent également l'un l'autre. Mais ils ne sont pas attirés par le riz soufflé qui, lui, est hydrophile. Au contraire, ils se repoussent mutuellement. Je soupçonne la cire de ne pas aimer non plus les pétales de maïs...

Pourquoi les oignons nous font-ils pleurer ?

Essayons de considérer la question du point de vue de l'oignon. Il reste parfaitement courtois envers vous tant que vous ne l'agressez pas avec un couteau. Hélas, le fait de couper un oignon libère un gaz (le S-oxyde de propanethial) qui se combine à une enzyme de l'oignon pour libérer des composés soufrés. Résultat : quand vous le tranchez, le gaz monte vers vos yeux et se mêle à vos larmes pour fabriquer de l'acide sulfurique !

Vos yeux réagissent alors comme ils le font toujours lorsqu'une substance les agresse : ils se mettent à pleurer. Vous frotter les yeux est la pire chose à faire, étant donné que vos doigts sont, eux aussi, recouverts de la substance irritante.

On nous a indiqué toutes sortes de remèdes de grand-mère contre le phénomène : frotter l'oignon avec un citron, le couper sous l'eau, enfiler des gants, porter un masque de scaphandrier, etc. Mais nous sommes de la vieille école : on n'a rien sans rien !

Comment les fabricants de muesli font-ils pour empêcher les raisins secs de tomber au fond du paquet ?

La règle de « physique popcornienne » selon laquelle les grains de maïs non soufflés tombent au fond du bol a sauvé des générations de dents. L'explication de cette règle est facile à comprendre : si les grains non soufflés tombent au fond, c'est, d'une part, que leur densité est plus importante que celle des grains soufflés et, d'autre part, que le fait de remuer le pop-corn crée des interstices dans lesquels peuvent se glisser les grains plus compacts.

Des personnes curieuses ont cherché des équivalents à la règle de physique popcornienne. Par exemple, le dogme des « crèmes glacées glissantes » énonce que, quelle que soit la quantité de coulis, de sirop ou autre crème fouettée dont on couronne une crème glacée, ils finissent toujours par couler au fond de la coupe, où ils forment une flaque visqueuse.

Ce ne fut donc pas sans un certain effroi respectueux que nous avons abordé le sujet des raisins secs dans les paquets de muesli, connus pour défier les lois ordinaires de la gravité alimentaire. C'est une professionnelle des céréales du petit déjeuner qui nous a fourni une solution à la fois simple et élégante.

Les raisins secs ne sont mis dans le paquet que quand plus de la moitié des céréales s'y trouve déjà. Ainsi, les flocons de céréales peuvent se tasser dans le paquet. Dans des conditions de transport normales, les cartons sont quelque peu bousculés (l'équivalent de l'agitation que l'on cause au pop-corn en s'en servant une poignée), ainsi les raisins se trouvent en quelque sorte tamisés par les flocons de céréales, et répartis régulièrement dans tout le paquet.

La tendance des céréales à se tasser explique la mise en garde que l'on trouve sur la plupart des emballages, stipulant que le contenu est mesuré selon son poids et non selon son volume. Nous parions que vous étiez bien loin de vous douter que ce tassement était également responsable de la « loi de la poussée des raisins secs » !

Pourquoi le lait que l'on sort du réfrigérateur n'est-il jamais aussi froid que l'eau ou les sodas ?

En fait, le lait est aussi froid que d'autres boissons quand on le sort du frigo. La prochaine fois que vous n'aurez vraiment rien d'intéressant à faire, vous n'aurez qu'à plonger un thermomètre dans différents liquides sortis du réfrigérateur, dont du lait.

Le lait donne simplement une sensation de froid moins intense, en raison des matières grasses solides qu'il contient. En effet, nous percevons les solides comme étant moins froids que les liquides. Les experts en dégustation appellent ce phénomène la sensation en bouche.

Si le test lait/eau/soda ne vous a pas passionné, vous pouvez faire une expérience plus gourmande qui vous démontrera le même principe. Mettez au congélateur un bac de crème glacée bien riche et un bac de sorbet ou de glace au yaourt allégée. Quand tout est complètement refroidi, régalez-vous. Deux contre un que le yaourt ou le sorbet vous donnera l'impression d'être plus froid que la glace.

Pour le plaisir de la recherche, nous avons récemment mené à bien cette expérience avec toute la rigueur requise, et comme nous ne voulions rien négliger pour garantir la précision de l'expérience, nous sommes allés jusqu'à la mener sur plusieurs glaces de différents parfums. Que de sacrifices ne ferions-nous pas pour nos lecteurs !

Pourquoi se forme-t-il une peau sur le lait quand on le fait chauffer, alors que sur d'autres liquides épais — les sauces, par exemple — la peau disparaît justement quand on les chauffe ?

Les protéines et l'amidon réagissent différemment à la chaleur. Lorsque vous chauffez du lait, ses protéines coagulent ; par ailleurs, les globules de matière grasse ne peuvent plus rester en suspension dans le liquide et, étant plus légers que lui, ils remontent à la surface.

Un cadre travaillant pour une société laitière nous a expliqué que ces globules « adhèrent entre eux et forment une peau à la surface du lait dès que le liquide ne bout plus ». En revanche, lorsqu'on réchauffe de la sauce, l'amidon qui avait formé une peau à sa surface se dissout. Comme l'amidon est plus soluble que les protéines, ce qui formait une peau est réabsorbé par le reste de la sauce. On peut constater le même phénomène quand on réchauffe de la soupe sortant du réfrigérateur.

Pourquoi le lait chaud est-il, pour beaucoup de gens, un bon remède pour s'endormir ?

La science ne l'a pas encore confirmé, mais il semble bien que le lait favorise effectivement l'endormissement. Le lait contient du tryptophane, un acide aminé précurseur de la sérotonine, neurotransmetteur dont on connaît les vertus sédatives.

Mais le lait de vache contient-il suffisamment de tryptophane pour provoquer le sommeil ? Cela reste à prouver. Les représentants de l'industrie laitière, qui devraient pourtant être les premiers à revendiquer cet avantage, sont extrêmement prudents, et se montrent même ouvertement sceptiques à l'égard des vertus somnifères du lait.

Un attaché de presse travaillant pour la branche laitière, bien que lui-même très dubitatif, a néanmoins évoqué des recherches ayant démontré que, pour pouvoir mieux s'endormir, il serait nécessaire d'ingérer au moins 2 litres de lait. Or, si vous avalez autant de liquide, il est probable que votre vessie contredise votre cerveau sur le fait de dormir d'une seule traite pendant toute la nuit.

Quant à la température, se pose la question de savoir si le lait chaud est un somnifère plus efficace que le lait froid. Oui, si vous y croyez. Mais aucun des experts avec qui nous nous sommes entretenus n'a pu nous fournir un seul argument solide pouvant étayer cette idée.

Quel est le liquide qui se forme à la surface du yaourt ? Est-ce de l'eau ou bien a-t-il un intérêt nutritionnel ? Faut-il le jeter ou le mélanger au yaourt ?

Ce liquide, c'est du petit-lait. Lorsque les bactéries qui produisent le yaourt se sont suffisamment multipliées, le lait se solidifie. Or, quand elles caillent, les protéines du lait expulsent le petit-lait.

Ce liquide est certes aqueux, mais ce n'est pas de l'eau. Il contient du sucre, des sels minéraux, des protéines et du lactose. Ne le jetez pas. Mélangez-le avec le reste du yaourt. Cela vous rendra meilleur(e) — d'un point de vue nutritionnel, s'entend !

Pourquoi le jus d'orange a-t-il si mauvais goût quand on le boit après s'être brossé les dents ?

Une spécialiste des agrumes nous a fourni une réponse difficile à réfuter :

> Les dentistes conseillent généralement de boire le jus d'orange en premier, puis de se rincer la bouche à l'eau, et enfin de se brosser les dents, car c'est après avoir mangé ou bu qu'il faut s'occuper de son hygiène buccale. Mon expérience personnelle me permet de vous dire que le fait de boire le jus d'orange avant de se brosser les dents réduit considérablement les problèmes de goût.

Rien à redire à ce conseil mais, chère madame, où est votre goût du danger ? Celles et ceux d'entre vous qui n'ont jamais vécu dangereusement ont sans

Pourquoi le beurre fonce-t-il et durcit-il dans le frigo une fois le paquet ouvert ?

Le beurre fonce pour la même raison que les fruits brunissent : l'oxydation. Et, puisque le beurre n'a ni peau ni écorce, on l'entoure de papier avant usage pour le protéger de l'air. C'est pour ça que ce n'est qu'une fois le papier enlevé que le beurre fonce.

Mais pourquoi durcit-il également ? Parce que le froid fait évaporer son humidité. De nombreux autres aliments, notamment le beurre de cacahuète (ou beurre d'arachide), durcissent au réfrigérateur à cause de l'évaporation du liquide qu'ils contiennent.

doute connu une version édulcorée du « syndrome dentifrice-jus d'orange ». Par exemple, en buvant une gorgée de limonade après avoir goûté un gâteau très sucré, et en ayant trouvé, par contraste, la limonade plutôt âpre.

Le « syndrome dentifrice-jus d'orange » marche aussi en sens inverse. En effet, les oranges ont une saveur particulièrement sucrée quand on les mange juste après des cornichons. Ce type d'accords gustatifs peut exister pour le meilleur (les œnologues pourraient, par exemple, dire qu'un bordeaux rouge se marie particulièrement bien avec un steak cuit à point, chacun mettant l'autre en valeur) comme pour le pire, mais il ne s'agit pas de réactions chimiques à proprement parler. Le dentifrice contient des éléments chimiques basiques, notamment du bicarbonate de soude, tandis que le jus d'orange — comme tous les agrumes — contient de l'acide citrique. Les experts à qui nous nous sommes adressés n'étaient pas sûrs qu'il existe une réaction chimique qui affecte si radicalement le goût du jus d'orange.

Notre spécialiste des agrumes a évoqué le fait que le parfum de menthe de la plupart des dentifrices avait également une part de responsabilité :

> Quand on mange un bonbon ou qu'on mâche un chewing-gum à la menthe, le résultat est le même. Mais, de plus, la plupart des dentifrices sont conçus pour que leur parfum mentholé dure longtemps, afin de prolonger la sensation d'haleine fraîche.

Cependant, concernant l'horrible goût-de-jus-d'orange-après-le-brossage-de-dents, le coupable le plus probable est un ingrédient présent dans la plupart des dentifrices : le laurylsulfate de sodium. On trouve cette substance non seulement dans le dentifrice, mais aussi dans le shampooing, la crème à raser, le savon et... dans les matériaux de nettoyage du ciment, de dégraissage des moteurs, dans les produits de lavage de voiture (beurk !). Qu'est-ce que tous ces produits ont en commun ? Il leur faut produire de la mousse ! Dérivé de l'huile de coco, le laurylsulfate de sodium est un détergent moussant utilisé pour rompre la tension superficielle de l'eau et pénétrer des solides, tout en produisant des quantités prodigieuses de mousse.

Une chercheuse en goût nous a fait remarquer que la couche active du système gustatif était une couche de phospholipides :

Vous savez ce qui se passe quand vous ajoutez un détergent à une couche de lipides ? Eh bien, exactement la même chose que quand vous imposez un détergent à votre système gustatif – par exemple, en vous brossant les dents. Votre capacité à ressentir le sucré baisse, et tout ce qui, normalement, est sucré vous paraît avoir été mélangé à quelque chose d'amer.

Le laurylsulfate de sodium affecte également notre perception du salé. Si vous mangez quelque chose de très salé – des chips, par exemple – après vous être brossé les dents, le goût salé sera très faible ou même complètement imperceptible, tandis que la plus infime amertume se trouvera décuplée.

Si le « syndrome dentifrice-jus d'orange » détruit votre vie, vous pouvez toujours acheter en magasin bio un dentifrice ne contenant pas de laurylsulfate de sodium. Cela dit, nous ne savons pas s'il existe des pays interdisant l'usage de cette substance dans le dentifrice, mais nous avons trouvé sur Internet un grand nombre d'interventions de gens s'inquiétant de sa nocivité : risque pour la peau, pour les yeux, les cheveux et le système immunitaire, etc.

Il n'y a pas que le laurylsulfate de sodium pour avoir une bonne hygiène buccale. Le problème est que les consommateurs croient souvent que plus ils produisent de mousse – que ce soit avec leur dentifrice, leur savon ou leur shampooing –, plus ils ressortent propres de leurs ablutions. Mais si c'était vrai, nous prendrions tous les jours un bain moussant !

Pourquoi de la fumée s'échappe-t-elle des bouteilles de boissons gazeuses que l'on vient d'ouvrir ?

Nous avons interrogé le responsable des relations clients d'un géant des boissons gazeuses :

Cette « fumée » est en fait de la vapeur d'eau condensée. En effet, dans la partie supérieure de la bouteille, entre le liquide et le bouchon ou la capsule, se trouve un mélange de vapeur d'eau et de dioxyde de carbone. Lorsque l'on ouvre la bouteille, la pression qui y était contenue est rapidement expulsée, et ces gaz s'échappent. Ce relâchement soudain de la pression cause une

Pourquoi les homards deviennent-ils rouge vif lorsqu'on les met dans l'eau bouillante ?

Vous croyez que vous ne rougiriez pas, vous, si on vous plongeait dans un bac d'eau bouillante ?

Mais, sérieusement, avant d'être cuit, le homard a une carapace bleu violacé. Cette carapace contient un pigment nommé astaxanthine, qui fait partie de la famille des caroténoïdes (c'est également vrai pour les crevettes). Nous avons contacté un chercheur en biologie aquatique qui nous a expliqué que l'astaxanthine était reliée à une protéine. Lorsque vous plongez un homard (ou une crevette) dans l'eau bouillante, le pigment se détache de la protéine et reprend sa couleur véritable, un rouge vif orangé.

baisse rapide de la température autour de la bouteille. Et en retour, cette baisse de température fait condenser la vapeur d'eau qui s'était échappée, lui donnant un aspect rappelant la fumée.

Nous connaissons le même phénomène lorsque nous sommes dehors par un jour d'hiver et que notre haleine forme une légère brume.

Pourquoi, contrairement aux autres volailles, les poulets ont-ils de la viande blanche et de la viande rouge ?

Alors que les autres oiseaux comestibles, comme la caille ou le canard, ont une viande rouge, le poulet et la dinde font partie d'un petit groupe de volatiles dotés de chair blanche sur la poitrine et les ailes. En fait, les oiseaux ont deux types de fibres musculaires : des rouges et des blanches. Les fibres rouges contiennent davantage de myoglobine, une protéine contenant un pigment rouge. Les muscles possédant une grande quantité de myoglobine sont capables de travailler plus longtemps que les fibres blanches. On peut donc deviner quels sont les oiseaux qui ont des fibres claires en étudiant leurs habitudes alimentaires et migratoires.

La plupart des oiseaux ont de longues distances à parcourir pour migrer ou trouver de la nourriture, et ils ont donc besoin de l'endurance que procure la myoglobine.

Tous les volatiles semblant ne posséder que de la chair blanche présentent, en réalité, des fibres rouges, et vice versa — à l'exception du colibri, qui, s'arrêtant rarement de voler, possède des muscles pectoraux intégralement en fibres rouges grâce auxquels ses ailes se meuvent infatigablement.

En revanche, le poulet ou la dinde domestiques vivent, si j'ose dire, comme des coqs en pâte. Même à l'état sauvage, ils se nourrissent au sol, et ils ne volent qu'à l'époque de la nidification. Normalement, les poulets se contentent de marcher ou de courir, ce qui explique que seules leurs cuisses soient foncées.

Ils volent si peu que les muscles de leurs ailes et de leur poitrine n'ont pas besoin de myoglobine. En fait, l'absence de cette substance dans leurs muscles présente un avantage anatomique. Une ornithologue nous a expliqué en quoi le poulet comme la dinde possédaient une musculature parfaitement appropriée :

> Ils passent le plus clair de leur temps à marcher. Quand un danger se présente, ils décollent très rapidement, volent sur une courte distance et atterrissent aussitôt. Il leur faut donc des muscles leur fournissant beaucoup d'énergie, mais seulement pour un court laps de temps.

Est-ce que la couleur rouge de la viande de bœuf provient du sang ? Et, si c'est le cas, pourquoi ne se décolore-t-elle pas lorsqu'elle est exposée à l'air ?

Les gens qui n'aiment pas manger de la viande à moitié crue donnent souvent pour raison qu'« ils ne supportent pas la vue du sang ». En réalité, ce qu'ils ne supportent pas de voir, c'est la myoglobine. En effet, c'est surtout cette protéine soluble dans l'eau qui est responsable de la couleur rouge de la viande.

Ceux qui considèrent que manger un bifteck saignant est l'équivalent gastronomique du vampirisme seront surpris d'apprendre que moins de 20 % du sang que contient un tissu vivant est encore présent dans la viande que nous achetons. Le fonctionnement de la myoglobine est assez proche de celui de l'hémoglobine. L'hémoglobine transporte l'oxygène de nos poumons dans tout notre corps, et la myoglobine stocke l'oxygène apporté par l'hémoglobine.

Mais la myoglobine est aussi ce que l'on appelle un pigment protéique : elle contribue à colorer la viande. Lorsque celle-ci vient d'être tranchée, elle présente une couleur violacée ; mais, une fois exposé à l'air, le muscle soumis à l'oxygénation devient rapidement rouge.

C'est cette couleur rouge que nous associons avec la viande de l'étal du boucher. Le film transparent utilisé dans les supermarchés pour envelopper la viande a beau sembler la protéger de l'oxygène, il n'en est rien. Ce film est, au contraire, conçu pour permettre à l'oxygène de le traverser, afin de conserver à la viande cette couleur rouge appréciée des consommateurs. C'est également ce phénomène d'oxygénation qui explique pourquoi, à l'intérieur, la viande hachée présente une autre couleur qu'en surface : c'est qu'en son cœur elle a été privée d'oxygène, et a donc gardé sa couleur d'origine.

La préférence fort répandue pour la viande rouge accélère sa détérioration. Si la viande fraîche était emballée sous vide et ne traversait pas ce processus d'oxygénation, nous serions peut-être privés du plaisir d'acheter une viande aussi rouge qu'un camion de pompiers, mais cela allongerait sa durée de vie des 2 à 4 jours actuels à... 10 à 14 jours !

Et pourquoi la viande cuite ne change-t-elle pas de couleur lorsqu'elle est confrontée à l'air ambiant ? Une experte ès viandes nous a expliqué que le changement de couleur causé au muscle par son oxygénation était réversible...

... aussi longtemps qu'il reste assez d'énergie résiduelle dans le muscle pour effectuer la conversion des pigments. Mais une fois que cette énergie est épuisée, et/ou quand la protéine du pigment est chauffée (c'est-à-dire quand on fait cuire la viande), la couleur est définitivement fixée. Selon la façon dont est chauffé le tissu, c'est-à-dire selon le degré de cuisson de la viande, la protéine est alors dénaturée, et sa couleur originelle est détruite. C'est pourquoi une viande cuite exposée à l'air ne change plus de couleur.

Quelle est la différence entre l'huile d'olive vierge et l'huile d'olive vierge extra ?

Nous nous sommes promis de ne pas faire de plaisanteries de potaches sur les vierges difficiles à trouver et les extravierges carrément introuvables — et nous allons nous y tenir. Nous allons garder un sérieux papal pour répondre à cette importante question culinaire.

Si les nations du monde ont quelques difficultés à réduire les quantités d'armes répandues de par la planète, il est un point où elles s'entendent sans problème : l'Accord international de 1986 sur l'huile d'olive et les olives de table. Ce texte définit notamment les termes « huile d'olive vierge » et « huile d'olive vierge extra » : les huiles d'olive vierges sont « obtenues à partir du fruit de l'olivier uniquement par des procédés mécaniques ou d'autres procédés physiques dans des conditions (thermiques) qui n'entraînent pas d'altérations de l'huile, et sans aucun traitement autre que le lavage, la décantation, la centrifugation ou la filtration, à l'exclusion des huiles obtenues par solvant ou par des mélanges avec des huiles d'autre nature ».

En bas de l'échelle de cette catégorie se trouve l'huile d'olive vierge tout court. Elle doit avoir une bonne qualité gustative, et son taux d'acide oléique maximum ne doit pas dépasser 3 g pour 100 g d'huile. Le degré suivant est l'huile d'olive vierge fine, qui ne doit pas dépasser 1,5 g d'acide oléique pour 100 g d'huile, et doit avoir d'excellentes qualités gustatives. Enfin, l'huile d'olive vierge extra doit présenter une qualité gustative absolument parfaite et une acidité oléique maximum de 1 g pour 100 g.

Comme pour de nombreux autres produits gastronomiques, la denrée de qualité supérieure (en l'occurrence l'huile d'olive vierge extra) est celle qui est excellente pour ainsi dire « par omission ». Autrement dit, en étant exempte à la fois d'arômes rapportés et d'une acidité élevée, la meilleure huile d'olive est celle qui remplit une exigence que l'on pourrait considérer comme allant de soi : avoir tout simplement un goût d'olive !

Que fait-on des olives après en avoir extrait l'huile ?

Extraire l'huile des olives est un peu plus compliqué que faire du jus de raisin ou d'orange. En effet, le taux d'humidité des olives est nettement inférieur, et elles possèdent de plus un noyau dur.

La première étape de l'élaboration de l'huile, une fois les olives débarrassées de la terre, des feuilles et d'autres éléments indésirables, est de les faire passer dans un moulin qui les transforme en une pâte fine. Généralement, les noyaux ne sont pas enlevés avant cette étape, car, s'ils n'influent pas beaucoup sur le goût ni sur le volume de l'huile, le dénoyautage constituerait une étape, et donc un coût, supplémentaire.

La pâte obtenue est malaxée durant environ une demi-heure, ce qui permet la formation de grosses gouttes d'huile. L'étape suivante est cruciale : il s'agit de la séparation de l'huile et de l'eau contenues dans la pâte, réalisée par une presse ou une centrifugeuse.

Après l'extraction de la précieuse huile, les olives ont perdu leur texture initiale, mais les producteurs d'huile d'olive ne jettent pas le marc, aussi appelé grignon. Un spécialiste nous a expliqué ce qu'il advenait de ce marc :

> Le grignon peut être utilisé comme compost ou, débarrassé des petits morceaux de noyau, partiellement séché pour servir d'alimentation animale. En Europe, en Afrique du Nord et au Moyen-Orient, il est placé dans des cuves de solvant, et on en extrait ainsi l'huile résiduelle, qui est raffinée puis vendue sous le nom d'huile de marc. Les tourteaux restants sont généralement brûlés pour générer de la chaleur et faire sécher les marcs frais avant l'extraction du solvant.

Sur le marché, l'huile de marc est assez controversée. Comme nous l'avons expliqué plus haut, les huiles d'olive vierge et vierge extra sont appréciées non seulement pour leur faible taux d'acidité et leurs qualités gustatives, mais aussi en raison de la méthode très respectueuse utilisée pour les extraire. Aussi les producteurs de ces huiles supérieures ont-ils peu de considération pour l'huile obtenue à l'aide de solvants, notamment parce que cette huile extraite du marc peut légalement s'intituler « huile d'olive ». Pour une des spécialistes avec qui nous en avons parlé, cette huile est considérée comme industrielle, car elle est utilisée pour...

> ... être mélangée avec de l'huile de bonne qualité afin d'être vendue comme telle aux consommateurs ou, ce qui arrive plus fréquemment, être employée dans l'industrie agroalimentaire. L'huile de marc est un lubrifiant mais non un condiment, bien qu'elle possède la plupart des avantages nutritionnels des huiles extraites par des procédés physiques et soit acceptée comme support d'une huile plus qualitative, à condition que cela soit clairement indiqué.

qui ? pourquoi ? comment ? quand ? où ? qui ? pourquoi ? commen

Pourquoi les pâtes produisent-elles de l'écume lorsqu'elles cuisent ?

Les pâtes sont fabriquées à base de blé dur. Pour être plus précis, elles sont fabriquées avec de la semoule de blé dur. Un expert ès pâtes nous a expliqué que l'écume provenait en grande partie de l'extraction de la semoule :

> La semoule de blé dur se compose de glucides (l'amidon) et de protéines. Lorsque l'on moud le blé pour fabriquer la semoule, certaines liaisons d'amidon sont dégradées. Quand les pâtes cuisent, ces liaisons gonflent, emprisonnant de l'eau ainsi que de petites bulles d'air.
>
> Ces bulles remontent à la surface de l'eau, où elles forment une écume. Cette écume consiste donc en une combinaison de molécules d'amidon, d'eau et d'air.

Pourquoi l'huile blanchit-elle lorsqu'elle refroidit ?

Pourquoi, quand elle est liquide, l'huile est-elle plus transparente que lorsqu'elle est figée ?

Lorsque l'huile refroidit, elle change d'état physique, de même que l'eau, qui s'opacifie en gelant. Un professeur de physique nous l'a expliqué ainsi :

> Quand l'huile refroidit, elle passe d'un état liquide à un état solide. En raison de sa structure moléculaire, elle ne peut pas cristalliser réellement, mais forme ce que l'on appelle des régions amorphes et des cristaux partiels. Ces zones irrégulières diffusent de la lumière blanche, ce qui rend la graisse translucide.
>
> Si l'huile se solidifiait sous forme de cristaux purs, elle serait beaucoup plus transparente, peut-être même aussi claire que le verre. La paraffine présente le même comportement que l'huile : elle est transparente lorsqu'elle est liquide, et translucide en phase solide.

Pourquoi le poivre fait-il éternuer ?

Normalement, les aliments épicés nous font faire la grimace, nous coupent le souffle et nous font avaler des quantités astronomiques de liquide froid. Mais pourquoi seul le poivre fait-il éternuer ?

Ce sont les huiles essentielles qu'il contient qui sont responsables de ce phénomène. Ces huiles peuvent d'ailleurs être extraites des baies du poivrier et utilisées par les fabricants de produits agroalimentaires pour assaisonner saucisses, sauces, sauces de salade, viandes préparées, etc.

Mais le fait de manger de la viande poivrée ne nous fait pas éternuer. La principale responsabilité dans ce phénomène d'éternuement est imputable à la pipérine, une molécule présente dans les poivres blanc et noir. Voilà ce qu'un spécialiste des épices nous a écrit à ce sujet :

La pipérine nous donne cette agréable sensation de piquant qui accompagne les arômes du poivre lorsqu'on le goûte. De même qu'elle pique la langue, il est logique que la pipérine agresse les délicates muqueuses du nez.

Les piments contiennent des substances qui piquent encore plus que la pipérine. En revanche, le poivre de table est généralement finement moulu. Lorsque des particules — disons de poivre noir — pénètrent dans notre nez, notre corps a l'intelligence d'essayer de les expulser, comme s'il s'agissait de grains de poussière.

Notre interlocuteur nous a suggéré que, dans une logique james-bondienne recommandant de boire le Martini « agité mais pas secoué », il convenait de consommer le poivre « humé mais pas sniffé », car son arôme délicat, qui est l'une de ses principales caractéristiques, ne peut être apprécié que s'il est dégusté lentement et avec gourmandise.

Pourquoi le safran est-il si scandaleusement cher ?

Les filaments de safran que l'on utilise pour parfumer et colorer certains plats, généralement exotiques, sont les stigmates orange d'un crocus fleurissant en automne, *Crocus sativus* (famille des iridacées). Les crocus d'automne sont tout sauf rares. Alors pourquoi le safran est-il si cher ?

Pour deux raisons : afin de récolter les filaments, chaque fleur de crocus doit être cueillie à la main. Et pour obtenir 500 g de safran, il ne faut pas moins de 500 000 fleurs — soit un million et demi de stigmates !

De plus, les fleurs sont cueillies juste après leur éclosion, et leurs stigmates sont coupés avec l'ongle, avant d'être séchés au soleil ou au feu. Durant cette étape de séchage, le safran perd environ 80 % de son poids.

Le safran pourrait théoriquement être cultivé dans les pays occidentaux comme il l'est encore dans certaines régions méditerranéennes, mais où les pays nantis trouveraient-ils une main-d'œuvre assez bon marché pour produire un safran au prix où nous le payons aujourd'hui ?

Pourquoi les pâtisseries sortant du four ont-elles une saveur beaucoup plus intense (parfois jusqu'à être écœurante) qu'après avoir refroidi ?

Si vous réfléchissez quelques instants à cette question, vous remarquerez qu'il n'y a que deux façons d'aborder la réponse : soit ces aliments sont véritablement différents entre la sortie du four et 20 minutes plus tard, soit, pour une raison ou pour une autre, nous percevons le même aliment différemment selon le moment où il est consommé. Il s'est avéré qu'il y a des experts pour soutenir chacune des deux hypothèses.

Un ingénieur en boulangerie nous a assuré que la structure des aliments était bel et bien modifiée après leur refroidissement, en raison d'un phénomène appelé rétrogradation de l'amidon. Dans la farine, l'amidon est présent sous forme de structure enroulée et fermée. Lorsque l'on fait cuire la farine pour fabriquer du pain ou un gâteau, l'amidon se déroule et s'ouvre lorsqu'il est exposé à l'eau de la pâte et à la haute température du four.

Lorsque l'on sort le plat du four, il commence à refroidir, et son amidon « rétrograde » vers une structure à nouveau partiellement enroulée. Mais ce qui est plus intéressant, c'est que, lorsque l'amidon rétrograde, il absorbe une partie des arômes et les enferme dans sa structure réenroulée, empêchant les papilles de les percevoir. En d'autres termes, nous sentons moins d'arômes lorsque l'aliment refroidit. L'ingénieur que nous avons consulté nous a indiqué que la rétrogradation se poursuivait jusqu'à ce que l'aliment soit rassis.

Mais deux autres experts en boulangerie ont, quant à eux, mis en cause notre sens de l'odorat. Selon l'un deux...

> ... une grande part de la perception du « goût » passe en fait par notre odorat, et non par nos papilles. Lorsqu'un aliment est très chaud, il exhale de nombreux composés volatils que le nez perçoit comme sucrés. Ainsi, un gâteau peut sembler plus sucré quand il est encore chaud qu'une fois qu'il a refroidi. Les composés volatils sont perçus par le nez, soit parce que nous respirons par les narines, soit parce qu'ils passent de la bouche aux capteurs olfactifs par le nasopharynx, selon un phénomène dit de rétro-olfaction. On parle de « goûter », mais en réalité, nous « sentons » les arômes.

Selon ce spécialiste, l'écœurement ressenti par notre correspondant provient sans doute de l'impression de sucrosité des mets incriminés.

Un autre expert a également souligné l'importance des composés volatils dans la perception du goût. De nombreux aromates, dont les épices, sont tout simplement trop puissants lorsqu'ils sont chauds. Selon ce professionnel, la responsabilité du mauvais goût des pâtisseries chaudes incombe notamment aux blancs d'œufs. Le gâteau de Savoie, par exemple, qui en contient beaucoup, est particulièrement infect lorsqu'il est chaud, et ce parce qu'à la chaleur les blancs d'œufs diffusent des composés volatils qui doivent refroidir totalement pour ne plus produire d'odeur désagréable.

Bien sûr, les théories — rétrogradation d'une part et composés volatils de l'autre — ne s'excluent pas nécessairement. Elles peuvent, au contraire, tout à fait coexister pacifiquement et dans le plus grand respect. Après tout, les pâtissiers sont engagés dans une importante démarche d'élévation de l'âme : il est bien difficile d'être grognon et amer lorsque votre vie consiste en la noble tâche de chercher à créer le macaron parfait...

qui ? pourquoi ? comment ? quand ? où ? qui ? pourquoi ? commer

Pourquoi un bruit fort, ou le fait d'ouvrir la porte du four, fait-il retomber gâteaux et soufflés ?

Notre expert en pâtisserie nous a expliqué que, lorsque l'on fait cuire un gâteau, la pâte gonfle beaucoup, atteignant une hauteur supérieure à sa hauteur définitive. La levure contenue dans la pâte produit des gaz qui ont un effet levant. Lorsque la pâte a atteint sa hauteur maximale mais n'a pas encore sa forme définitive due à la gélatinisation de l'amidon et à la coagulation des protéines, elle est très instable. C'est le moment où le gâteau est le plus fragile et délicat, car les cellules qui renferment les gaz sont très fines et peu solides.

Tous les gâteaux ne s'effondrent pas si un bruit fort retentit, mais la plupart retombent lors de cette phase délicate de leur cuisson, et les soufflés sont, eux, toujours en danger :

> La structure de base d'un soufflé est constituée par des protéines d'œuf battu en neige, dont la forme est fixée durant la cuisson. Lorsque l'on bat les blancs d'œufs, l'albumen emprisonne de grandes poches d'air, et la protéine est partiellement dénaturée. Cette dénaturation, qui se traduit dans la « prise » du mets, continue – parallèlement à l'expansion des bulles d'air – lorsque les protéines sont chauffées dans le four. Si on ouvre ce dernier au moment où cette expansion a lieu, le changement de la pression de l'air et de la température peut faire s'effondrer la structure tout entière.

Pourquoi les bouteilles de ketchup ont-elles un goulot si étroit qu'on ne peut y faire entrer une cuillère ?

Dans le monde occidental, cela fait plus d'un siècle que Heinz exerce une importante mainmise sur le marché du ketchup, aussi l'histoire du goulot de la bouteille de ketchup est-elle en grande partie l'histoire du goulot de la bouteille de ketchup Heinz.

Lorsque ce dernier fut lancé, en 1876, il était beaucoup plus liquide qu'aujourd'hui. Il se présentait dans une bouteille octogonale dont le goulot resserré était destiné à ralentir son flux. Avant cela, la plupart des condiments étaient vendus dans des pots de terre ou des bouteilles aux arêtes coupantes, qui n'étaient pas faciles à utiliser.

Au cours des 130 dernières années, le design de la bouteille de ketchup Heinz a peu évolué. Celle de 1914 est notamment très semblable à celle d'aujourd'hui. Lorsque le ketchup devint plus épais, on réalisa chez Heinz qu'il ne serait pas facile de le verser à travers le goulot étroit de la bouteille. Mais on savait aussi que les consommateurs préféraient une consistance moins liquide, tout en rejetant une modification significative de l'aspect d'un flacon qui, désormais, faisait partie de leur quotidien.

On inventa alors une bouteille de 350 ml dotée d'un goulot assez large, mise sur le marché dans les années 1960. Un des cadres de Heinz nous a appris que, bien qu'étant largement en mesure d'accueillir une cuillère, ce modèle était la moins populaire de toutes les bouteilles de la gamme de ketchup Heinz. Il ajouta néanmoins que cette modification avait soulevé l'enthousiasme d'un petit groupe de consommateurs loyaux, ravis de pouvoir enfin se servir à la cuillère.

En 1983, la marque présenta une bouteille en plastique souple, pratique non seulement pour verser le ketchup, mais également parce qu'elle était moins fragile. La gigantesque bouteille plastique de 1,9 litre a, elle, un col relativement étroit.

Jusqu'en 1888, les bouteilles Heinz étaient fermées par un bouchon de liège. La collerette placée autour du goulot avait été conçue pour constituer une bande de sûreté. Bien qu'ayant été rendue obsolète par l'introduction de capsules à vis, elle a été conservée pour sa valeur symbolique.

Pourquoi, contrairement aux autres fruits, les bananes poussent-elles vers le haut ?

Si vous saviez combien la naissance d'une banane est mouvementée, vous seriez peut-être plus indulgent la prochaine fois que vous glisseriez sur un spécimen abîmé en faisant vos courses.

Le bananier n'est pas un arbre mais une plante herbacée de la même famille que les lis, les orchidées et les palmiers. C'est la plus grande plante connue sur terre qui soit dépourvue d'un tronc ligneux — une tige de bananier est constituée à 93 % d'eau –, ce qui la rend particulièrement fragile. Si elle est capable d'atteindre une hauteur de 5 à 10 m en une année, elle peut aussi être couchée à terre par un coup de vent, même modérément violent.

Le régime démarre sa croissance à hauteur du sol. À ce stade, il est formé de tous les fruits, qui sont enveloppés dans une bractée, sorte de feuille-étui. Chaque fruit pointe vers le haut. Pendant que le régime croît progressivement à travers cette gaine, les fruits continuent à pousser vers le haut, exerçant une pression considérable sur l'« emballage » lâche constitué par les bractées. Avant que les fruits ne sortent, celles-ci s'enroulent sur elles-mêmes. Une fois qu'ils ont émergé des bractées, les fruits pointent vers le bas, mais cela est uniquement dû au fait que le bourgeon qui les entoure a lui-même changé de direction.

Lorsque le régime est entièrement mûr, a émergé de sa gaine et pointe vers le bas, chaque bractée entourant individuellement une fleur femelle se détache, exposant le fruit. À ce stade, chaque fleur se développe rapidement et se remplit. Son poids augmentant, le régime courbe progressivement la tige principale du bananier, de telle sorte qu'au bout d'environ 10 jours les fruits sont à nouveau orientés vers le haut.

Autrefois, selon un spécialiste de la question, « les bananes primitives poussaient vers le haut comme les graines de la plupart des herbacées formant une pointe ». Mais y a-t-il une explication logique au parcours tortueux, fait de hauts et de bas, des bananes d'aujourd'hui ? Un autre expert fruitier la voit dans le comportement de la banane traditionnelle, sauvage et non commercialisée :

> On trouve une inflorescence à la pointe de chacun des fruits. Cette fleur est présente durant la croissance du fruit, mais on l'enlève au cours du processus de conditionnement. Lorsque les régimes se retournent, cette fleur se trouve mieux exposée aux insectes, oiseaux et chauves-souris se nourrissant de nectar. Normalement, le fait qu'ils viennent puiser à la fleur contribue à la fertiliser. Mais aujourd'hui, les bananes cultivées sont stériles et ne produisent que très rarement une graine viable.

Selon lui, le fait qu'elles poussent vers le haut est la survivance d'un comportement ancestral indispensable à leur survie.

On peut supposer qu'au cours des centaines de milliers d'années qui viennent la sélection naturelle simplifiera le processus de croissance de la banane !

Pourquoi les pommes et les poires brunissent-elles si vite une fois pelées ?

Notre théorie est simple : depuis toujours, parents, professeurs et nutritionnistes nous ont répété à satiété que, gorgée de vitamines et de fibres, la peau était la partie la plus saine des fruits. Le brunissement est donc la façon qu'a trouvée la nature d'insister sur ce point — qui aurait envie de peler une pomme pour se retrouver avec un fruit abîmé ?

Mais les pomologues (spécialistes des fruits comestibles) assurent, eux, que la raison est plus technique. Le brunissement des fruits, qu'il s'agisse de pêches, d'abricots, de bananes, de pommes ou de poires, est causé par leur oxydation, elle-même déclenchée par une enzyme nommée polyphénoloxydase.

Un des pomologues contactés nous a déclaré que celle-ci était naturellement présente dans tous les fruits sucrés, mais à dès degrés variables :

La quantité de cette enzyme détermine à quelle vitesse le fruit brunit. La peau de la plupart des fruits empêche l'oxygène d'y pénétrer en quantités suffisantes pour agir comme un catalyseur sur l'enzyme. La banane a, elle, une peau qui laisse pénétrer une certaine dose d'oxygène, mais la peau de la pomme, plus robuste, en protège la chair, qui ne commence à brunir que si elle est pelée ou coupée en morceaux.

Pourquoi les noix de cajou ne sont-elles jamais vendues dans leur coque ?

C'est simple : les noix de cajou n'ont pas de coque. Mais toutes les noix n'en possèdent-elles pas une ? Si. Alors ? Eh bien, sans vouloir être pédants, nous tenons à souligner le fait que la « noix » de cajou n'en est pas une, mais que c'est une graine, la graine d'un fruit — lui-même comestible — en forme de poire appelé pomme de cajou. La pomme de cajou est le fruit d'un petit arbre, l'anacardier. La graine pend à l'extrémité inférieure du fruit, vulnérable et exposée. À la différence d'une noix, une graine n'est protégée que par une cosse plus ou moins rigide.

Pourquoi les noix de macadamia ne sont-elles pas vendues dans leurs coques ?

Si les noix de macadamia possèdent bien une coque, les vendre non décortiquées poserait un sérieux problème de marketing : seul Superman pourrait les manger. En effet, il faut exercer une pression d'environ 2 000 kilopascals pour briser cette coque très dure.

Après la récolte des noix, on les débarrasse de leur bogue avant de les laisser sécher. Ce processus de séchage contribue à séparer la noix proprement dite de sa coque, sans quoi il serait impossible de soumettre cette dernière à la pression nécessaire pour la briser sans en pulvériser le contenu. Cela se fait ensuite à l'aide de machines dotées de rouleaux d'acier tournant dans des sens opposés.

Bien sûr, une question reste ouverte : pourquoi Mère Nature a-t-elle créé la noix de macadamia si ni l'être humain ni un animal (pas même un rhinocéros furieux) ne sont en mesure de l'extraire de sa coque pour la manger, à moins d'avoir des machines performantes à disposition ?

Pourquoi les cacahuètes sont-elles deux dans leur coque ?

Petit cours de botanique pour débutants : la cacahuète (ou arachide) n'est pas une noix, mais une légumineuse, donc biologiquement plus proche d'un petit pois ou d'un haricot que d'une noisette. Chaque ovaire de la plante produit une graine par gousse, et, normalement, toutes les coques contiennent plus d'un ovaire. Mais toutes les coques de cacahuète ne contiennent pas deux graines : les variétés Spanish et Valencia s'enorgueillissent d'en avoir entre trois et cinq.

Traditionnellement, les cultivateurs ont choisi de développer les gousses à deux graines pour une raison pratique : ce sont les plus simples à écosser. Selon un expert, il n'y a que peu de différences gustatives entre les diverses variétés d'arachides, mais les cosses à trois graines nécessitent une pression considérable pour les ouvrir, ce qui accroît le risque d'endommager le contenu.

Pourquoi le beurre de cacahuète est-il collant ?

La vie n'est pas toujours simple. Les cacahuètes ne sont pas des noix, mais des légumineuses, le beurre de cacahuète (ou beurre d'arachide) n'est pas du beurre (car il ne contient aucun laitage), et, si les cacahuètes ne collent pas, le beurre de cacahuète, lui, si.

Non que nous voulions utiliser du beurre de cacahuète en guise de colle, mais nous nous demandons comment les 850 cacahuètes écossées qui entrent dans la composition de 500 g de beurre de cacahuète font pour augmenter ainsi leur capacité d'adhérence. Vous avez peut-être vu en magasin bio du beurre de cacahuète produit avec des cacahuètes fraîches simplement salées. Il ne contient aucun autre ingrédient, mais le résultat n'en est pas moins aussi collant que ceux des marques commerciales, qui peuvent contenir de petites quantités de sucre ou de stabilisateurs (généralement à base d'huile végétale, destinée à éviter la séparation de l'huile naturellement contenue dans les graines). Nous pensions que ces huiles ajoutées étaient à l'origine du côté collant, mais tous nos interlocuteurs nous ont assuré qu'il fallait chercher l'explication autre part.

Qu'est-ce exactement que l'adhérence ? En premier lieu, cela évoque pour nous une colle, ou une autre substance capable d'adhérer à un support. Mais en réalité, il suffit que les molécules d'une substance adhèrent les unes aux autres pour que nous la considérions comme collante. Plus les liens intermoléculaires sont forts, plus la substance sera collante. Bien que le beurre de cacahuète ait incontestablement des qualités adhésives, celles-ci ne sont pas assez développées pour nous inciter à fermer un carton de livres avec.

Mais il existe une autre forme d'adhésivité, appelée la viscosité. Un fluide visqueux ne coule que lentement. Généralement, nous assimilons les fluides et les liquides, mais les substances épaisses non liquides telles que le beurre de cacahuète peuvent également être considérées comme des fluides, et possèdent une certaine viscosité. L'eau, au contraire, est un fluide doté d'une viscosité très faible : elle s'écoule rapidement et facilement, et on peut la remuer avec une cuillère sans pratiquement rencontrer de résistance.

Au contraire, des fluides très visqueux, comme le goudron ou l'huile de moteur, ne se meuvent pas aussi facilement — il en va de même du beurre de cacahuète. Essayez d'en remuer à la cuillère (comme le font les adeptes du beurre de cacahuète naturel pour émulsionner l'huile remontée en surface et le reste du « beurre »), vous allez voir que cela va vous muscler les poignets.

Sur une assiette, ou en bouche, nous avons tendance à percevoir les aliments visqueux comme collants, mais pas de la même manière que les nounours gélifiés. Lorsque vous étalez du beurre de cacahuète avec un couteau, il en reste toujours collé à la lame, ce qui est surtout dû à sa grande viscosité — et le beurre de cacahuète ne coule pas.

Les deux principales raisons pour lesquelles le beurre de cacahuète est plus collant que les cacahuètes qui le composent sont liées à sa viscosité plus élevée. Tout d'abord, la taille des particules d'arachides a sa part de responsabilité. Un technicien spécialisé dans l'analyse des textures et des goûts des aliments nous a écrit ce qui suit :

> Quand vous mangez des cacahuètes, au début les morceaux sont assez gros et faciles à mâcher. Mais, quand vous les avez mastiqués un certain temps et transformés en une pâte fine, celle-ci devient collante.
>
> Les machines avec lesquelles on fabrique le beurre de cacahuète transforment les arachides en particules de taille variable, ce qui explique que, selon les marques, le produit est plus ou moins collant, et plus ou moins facile à étaler.

Cela peut paraître illogique, mais, plus les particules sont de petite taille, plus la pâte sera visqueuse. C'est pourquoi les cacahuètes deviennent de plus en plus difficiles à mâcher au fur et à mesure de votre mastication : vous fabriquez du beurre de cacahuète dans votre bouche.

La seconde raison pour laquelle le beurre de cacahuète colle plus que les arachides elles-mêmes réside dans le fait que broyer ces dernières modifie leur structure moléculaire, libérant plus de composants visqueux. Une ingénieure alimentaire nous a expliqué ceci :

> Dans les cacahuètes entières, les composants comme les protéines et les glucides sont enfermés dans des cellules. Lorsque les cacahuètes sont broyées, les cellules sont brisées et libèrent ces composants. Cela produit une substance très visqueuse, et donc collante au toucher. Une partie de la viscosité du produit final peut également provenir des protéines et des glucides, et non de l'huile.

Elle souligne que la viscosité n'est pas la même chose que l'adhérence, et que...

... la perception sensorielle de l'adhérence peut dépendre de différents critères selon l'aliment. Les raisons que je vous ai fournies sont valables pour le beurre de cacahuète, et uniquement pour lui, même si la définition de l'adhérence reste, elle, invariable.

Bien que quelques autres facteurs, comme le type de stabilisateurs ou l'utilisation de cacahuètes à taux d'humidité élevé, puissent augmenter le degré de viscosité du beurre de cacahuète, le seul processus de broyage suffit à expliquer la perception de viscosité.

D'où vient que les chips ont parfois un bord vert ?

Les pommes de terre sont censées pousser sous la terre, mais il arrive que l'une d'elles devienne ambitieuse et sorte la tête du sol. La nature la punit alors en lui infligeant un méchant coup de soleil.

Mais pourquoi la pomme de terre verdit-elle et ne rougit-elle pas ? Ce n'est pas par jalousie. La teinte verte vient de la chlorophylle, qui se forme naturellement lorsqu'une plante est exposée au soleil. Selon le représentant d'un fabricant de chips :

nous stockons nos pommes de terre dans des lieux sombres, et nous employons des trieurs dont le travail consiste à éliminer les chips vertes sur la courroie transporteuse, en raison de leur aspect peu appétissant. Mais quelques-unes arrivent toujours à passer au travers de nos contrôles.

Y a-t-il un danger à manger des chips dont le bord est vert ? Absolument pas. La chlorophylle est entièrement naturelle, et une tache de chlorophylle n'a rien de nocif.

Pourquoi les chips sont-elles incurvées ?

Les chips, indépendamment de leur forme, sont nées par accident. L'invention en 1853 de cette friandise salée est attribuée à l'Américain George Crum, cuisinier au Moon Lake Lodge, luxueux complexe hôtelier situé à Saratoga Springs, dans l'État de New York. On dit qu'un client (vraisemblablement le magnat des chemins de fer Cornelius Vanderbilt) s'était plaint que les frites de Crum étaient trop épaisses et que, en représailles de ce manque de respect, le chef aurait coupé des tranches de pomme de terre aussi fines que du papier à cigarettes et les aurait fait frire.

Une histoire d'arroseur arrosé. Vanderbilt, ou en tout cas la personne « victime » de l'idée de Crum, aima ce qui devint bientôt des *Saratoga chips*, et ce nouveau mets devint un des classiques du restaurant. D'autres restaurants de la côte Est copièrent l'idée, mais les chips ne furent fabriquées pour une consommation domestique que lorsque William Tappenden, de Cleveland, dans l'Ohio, ouvrit la première usine de chips dans une grange reconvertie.

La forme des chips de ces deux pionniers résultait du souci d'émincer les pommes de terre de la façon la plus efficace possible. La directrice technique d'un groupe agroalimentaire nous a expliqué que, dès le début, toutes les techniques utilisées pour laver, peler, trancher, frire et emballer les chips visaient principalement à éviter les pertes, en faisant tout pour exploiter au mieux la forme ovoïde des pommes de terre :

> Plus celles-ci ont une taille et une forme régulières, moins la fabrication des chips – elles-mêmes de forme et de taille régulières – génère de chutes, ce qui permet une productivité accrue. Ce sont les pommes de terre rondes ou oblongues, d'environ 6 cm de diamètre, qui sont les plus adaptées à la production des chips.

Si la forme des chips est dictée par la nature, leur courbure l'est également. Les pommes de terre se composent d'environ 25 % de matières solides (surtout des amidons et des sucres) et de 75 % d'eau, mais cette proportion n'est pas uniforme dans tout le tubercule. Toujours selon la même spécialiste :

> ... généralement, la majeure partie des solides est concentrée dans les couches superficielles de la pomme de terre. La friture étant un processus de séchage des aliments, les pommes de terre

ayant un fort taux d'humidité demandent plus de temps et d'énergie que celles possédant une matière plus solide. Une fois prêtes, les chips ne contiennent plus que 1,5 % d'humidité. Les zones de la chips contenant plus d'humidité cuisent moins vite que les zones plus sèches. C'est pourquoi les bords sont plus vite frits que le centre de la chips.

Comment la guimauve a-t-elle été inventée ?

Nous supposons que vous ne serez pas choqué d'apprendre que la guimauve commerciale n'est pas une substance naturelle. Non, la guimauve ne pousse pas sur les arbres, ni dans les potagers.

Mais elle n'a pas non plus été inventée de toutes pièces. Car il existe une plante du nom de mauve, ou guimauve officinale, qui n'est pas étrangère à la friandise qui nous intéresse ici. Les premiers consommateurs avérés de mauves étaient des Égyptiens vivant bien avant le règne de Cléopâtre. Ils faisaient sécher la plante, la pulvérisaient et considéraient le résultat comme une gourmandise.

Mais la guimauve telle que nous la connaissons n'a pu apparaître avant que quelqu'un n'ait l'idée de mélanger de la mauve avec du sucre, et ce fut sans doute un accident. À l'origine, l'utilisation de sucre était destinée à rendre le goût des remèdes médicaux plus supportable, mais il se posait le problème récurrent de la tendance du sucre à cristalliser. En Inde, on résolut le problème en utilisant de la gomme arabique, mais tous les pays n'avaient pas accès à cette substance. Une fois cuites dans de l'eau, les racines broyées de la mauve se révélèrent être elles-mêmes une véritable gomme. Mélangées à du sucre, elles donnèrent naissance à la guimauve.

Ce sont les Français qui, les premiers, commencèrent à produire de la guimauve en masse :

La guimauve, sous sa forme moelleuse actuelle, est originaire de France, où elle s'est d'abord appelée pâte de guimauve. La recette des débuts du XIXe siècle contenait de l'extrait de racine de guimauve séché et pulvérisé. De couleur crème, la guimauve originale contenait de l'amidon, du sucre, de la pectine, de l'asparagine, et une substance proche de la lécithine. Mais, en raison de sa réputation de plante médicinale, la mauve fut vite abandonnée par les fabricants de guimauve commerciale.

La mauve fut implantée dans les marais salants des États-Unis peu après son arrivée d'Europe. Utilisée au début dans la fabrication des marshmallows (littéralement « mauves des marais »), la racine de mauve fut rapidement abandonnée pour des raisons de coût, et remplacée par un mélange de gomme arabique et de blanc d'œuf.

De nos jours, on trouve de la guimauve de plusieurs tailles, de la guimauve au chocolat, à la noix de coco, etc. Mais on ne trouve plus de guimauve à la mauve. Quelle étrange situation : nous mangeons un produit qui porte le nom d'un ingrédient qu'il ne contient plus !

Comment le lapin de Pâques en chocolat a-t-il été inventé ?

Il ne fait aucun doute que le lapin en chocolat a été inventé pour rapporter de l'argent à l'industrie de la confiserie. Les fournisseurs de cadeaux « inutiles » (comme les fleurs coupées, les cartes de vœux, les bonbons au chocolat, etc.) sont toujours à la recherche de nouvelles idées pour contraindre les clients à acheter leurs produits. Si l'on était tant soit peu enclin à croire aux théories du complot, on pourrait considérer que, de la fête des Mères à la Saint-Valentin, toutes ces célébrations sont des tentatives éhontées pour alléger les malheureux citoyens de leurs liquidités.

Les lapins en chocolat datent des années 1850 et sont originaires d'Allemagne. Outre des lapins, les chocolatiers vendaient des œufs et des poules en chocolat. La Suisse, la France puis le reste de l'Occident suivirent bientôt le mouvement.

La plupart des chocolatiers que nous avons interrogés supposent que les lapins symbolisent le renouveau et le rajeunissement, et sont sans doute plus liés aux rites païens de célébration du printemps qu'à Pâques proprement dit.

De nos jours, les œufs et les lapins en chocolat permettent à l'industrie de la confiserie de rendre lucrative la période qui s'étend de la Saint-Valentin à la fête des Mères.

Pourquoi le sucre ne s'abîme-t-il ni ne moisit-il pas ?

Pratiquement tout organisme vivant peut facilement digérer le sucre. Alors comment se fait-il que celui-ci ne soit pas sujet aux mêmes attaques que la farine et d'autres aliments de base ?

Le sucre ayant un taux d'humidité très bas (d'environ 0,02 % généralement), il déshydrate les micro-organismes qui seraient susceptibles de l'attaquer. Un professionnel de l'industrie du sucre nous l'a très bien expliqué : les molécules migrent hors des micro-organismes plus vite qu'elles n'y entrent. Et ceux-ci finissent par mourir, en raison de la baisse de leur taux d'humidité. Le taux très bas d'humidité du sucre entrave les modifications chimiques qui pourraient conduire à le gâter.

En revanche, rien ne va plus si le sucre est dissous dans de l'eau. Plus la solution est diluée, plus il est probable que des levures ou des moisissures y prospèrent. Il suffit de quelques jours d'exposition à l'humidité pour que le sucre en absorbe suffisamment pour s'abîmer.

Si vous conservez votre sucre dans des récipients hermétiques, vous pourrez retarder l'absorption d'humidité, quel que soit l'environnement. Stocké à l'abri des variations de température et d'humidité, le sucre conserve 0,02 % d'humidité naturelle et peut se garder éternellement.

Pourquoi le sucre en poudre a-t-il tendance à faire des grumeaux ?

La responsable n'est pas la chaleur, mais l'humidité. Le sucre est une substance hygroscopique, c'est-à-dire qu'il a tendance à absorber l'humidité de l'air, ce qui le conduit à modifier sa morphologie. Lorsque des cristaux de sucre sont soumis à une humidité de 30 % ou plus, celle-ci les dissout en surface sur une fine épaisseur. Chacun des cristaux se transforme ainsi partiellement en solution de sucre et est relié aux autres par ce que l'on appelle un pont liquide.

Lorsque le taux d'humidité baisse,

la solution perd de son humidité, permettant au sucre de reprendre sa structure cristalline. Les cristaux reliés par le pont liquide forment alors un seul et unique cristal. Ainsi, des centaines de milliers de cristaux sont rattachés les uns aux autres et forment un seul morceau solide.

On ne peut pas voir le film liquide à la surface des cristaux de sucre exposés à une humidité élevée, mais chacun a expérimenté qu'ils étaient plus difficiles à verser que du sucre qui serait toujours resté bien sec. Et lorsqu'ils sèchent à nouveau, ils se solidifient. D'ailleurs, un spécialiste nous a indiqué que la technique utilisée pour la fabrication du sucre en morceaux faisait appel à ce phénomène naturel : « Dans un moule cubique, on verse du sucre et de l'eau. On fait ensuite sécher les cubes ainsi formés, et hop ! Voilà une méthode pour faire adhérer le sucre en poudre sans produits chimiques ! »

Qu'est-ce qui fait que les bulles de bubble-gum sont plus réussies que les bulles de chewing-gum standard ?

Tous les chewing-gums sont fabriqués à partir d'une formule contenant de la gomme de base, du sucre (ou du sorbitol pour les chewing-gums sans sucre), des substances adoucissantes et rendant le produit élastique, et des arômes. Le secret de la production des bulles réside dans la gomme de base. C'est elle qui permet de mâcher le chewing-gum comme de faire des bulles avec le bubble-gum. Jusqu'à une période récente, la gomme de base consistait essentiellement en trois résines, mais aujourd'hui la plupart des fabricants utilisent une résine synthétique : l'acétate de polyvinyle.

Pour permettre la fabrication d'une bulle réussie, la gomme doit être suffisamment solide pour résister à la pression de la langue et à la formation d'une poche d'air, mais en même temps suffisamment souple pour s'étirer de façon régulière. La botte secrète du bubble-gum, c'est une classe d'ingrédients nommés plastifiants : ces gommes de base synthétiques ont une meilleure faculté d'étirement que la résine pure. C'est grâce à ces plastifiants que les enfants peuvent fabriquer des bulles si grandes qu'en crevant elles arrivent à recouvrir de pâte rose leur visage tout entier, du menton jusqu'aux sourcils !

Pourquoi dit-on des vins non sucrés qu'ils sont secs ?

Doux, d'accord : c'est plutôt logique. Les vins doux contiennent plus de sucre que les autres, ce sont donc des « douceurs ». Le sucre peut équilibrer l'acidité de certains vins. On peut ne pas être d'accord sur le degré de sucrosité que l'on apprécie dans un vin, mais je suppose qu'on est tous d'accord sur le fait qu'un vin sec est tout aussi liquide qu'un vin sucré, non ?

Nous avons été surpris que les œnologues et les amateurs interrogés ne sachent pas nous donner de réponse définitive. Néanmoins, on peut distinguer deux théories. L'une part du principe que le terme vient de l'expérience de la dégustation, et d'un peu de marketing intelligent.

Le sucre stimule les glandes salivaires, tandis que les acides ont une action astringente responsable d'une sensation de sécheresse en bouche. Et les vignerons savent que les consommateurs préfèrent qu'on leur parle d'un vin doux plutôt que d'un vin mouillé, et d'un vin sec plutôt que d'un vin acide.

Mais on nous a aussi rapporté une intéressante théorie linguistique :

Sec signifie aussi peu charnu, c'est-à-dire pourvu de peu de douceur et de moelleux, ainsi que pur dans le sens de non dilué, de brut, de non sucré.

La question de la dichotomie sec/doux différencie les vins effervescents des vins tranquilles. À l'origine, les vins effervescents sucrés étaient, eux aussi, simplement qualifiés de doux. Mais, vers le milieu du XIXᵉ siècle, une vigneronne champenoise du nom de Louise Pommery a décidé de créer une cuvée moins sucrée, qu'elle appela demi-sec. Depuis lors, les champagnes et les autres vins effervescents ont été élaborés pour être de plus en plus secs. Aujourd'hui, les degrés de sucrosité des effervescents suivent la hiérarchie suivante : doux, demi-sec, sec, extra-dry, brut, extra-brut et brut nature (ou brut zéro).

Comment fait-on du vin blanc avec du raisin noir ?

Beaucoup de gens ignorent que l'on peut faire du vin blanc avec du raisin noir. Comment fait-on ?

C'est très simple, et vous pouvez en faire vous-même l'expérience. Prenez le raisin le plus foncé que vous puissiez trouver. Saisissez une baie de raisin entre le pouce et l'index. Écrasez-la. Regardez la couleur du jus qui en sort. Étonnant, non ?

Le jus de pratiquement n'importe quel raisin a une couleur allant du transparent au jaune clair. La raison pour laquelle le vin rouge est rouge, c'est que ses pigments sont extraits de la peau des baies au cours de la fermentation, et non de la pulpe. Si on ôte les peaux, on peut faire du vin blanc avec n'importe quel raisin noir.

Pourquoi le goulot des bouteilles de champagne est-il recouvert d'une feuille d'aluminium ?

Selon un professionnel du champagne, ce que l'on appelle dans le jargon la coiffe de surbouchage sert à masquer le muselet de métal qui maintient le bouchon en place.

Avant l'ère de l'aluminium, cette coiffe était fabriquée avec de la feuille de plomb, dans laquelle étaient pratiquées des ouvertures triangulaires destinées à laisser s'échapper l'eau condensée. Aujourd'hui encore, on peut trouver des coiffes de surbouchage présentant des ornements en forme de triangle ou de losange.

Le muselet est une invention qui date de la fin du XIXe siècle. Jusqu'à cette époque, les bouchons étaient introduits dans le goulot à coups de maillet et maintenus par une ficelle nouée à la main.

Nous avions entendu une rumeur selon laquelle la coiffe était là pour masquer le fait que certaines bouteilles ne soient pas remplies entièrement. Mais on nous a assuré qu'à notre époque dominée par la technique ce genre de chose était improbable. La liqueur d'expédition (recette jalousement gardée par chaque maison, composée de vin, de sucre, et éventuellement de cognac ou d'armagnac) étant ajoutée au champagne juste avant que la bouteille ne soit bouchée, le vin n'a pas le temps de s'échapper.

Pourquoi y a-t-il tant de verres à vin différents ? Un champagne serait-il moins bon si on le buvait dans un verre à bourgogne ?

Nous avons toujours été quelque peu soupçonneux à l'égard des amateurs de vin, et nous nous sommes également souvent demandé si une flûte mettait vraiment en valeur les arômes du champagne. Nous avons reçu un choc quand nous nous sommes aperçus qu'un spécialiste autrichien en cristallerie proposait 23 types de verres différents, chacun étant conçu spécialement pour un cépage et/ou un vin.

Pour répondre à cette question, nous avons contacté une œnologue distinguée, qui nous a expliqué que le verre idéal devait répondre à trois critères.

1 Être transparent et avoir des parois fines, afin de présenter au mieux la robe du vin.

2 Avoir une forme qui mette en valeur le bouquet du vin.

3 Enfin, et c'est sans doute le point le plus important, avoir un bord qui dirige le vin sur la bonne zone de la langue.

La langue est couverte de papilles de quatre types. Son extrémité perçoit le sucré et le salé, ses côtés l'acidité et sa partie la plus antérieure l'amertume. Jusqu'à une période récente, les fabricants de cristallerie s'étaient principalement intéressés à la conception de la forme et de la taille du calice des verres. La flûte, étroite et profonde, était conçue pour garder et accentuer les bulles ; le verre à bourgogne, au ventre large et au bord resserré, emprisonnait et rediffusait les arômes fruités du vin qu'il contenait, tout en ne laissant pénétrer que peu d'air pour les protéger.

Mais si le bouquet était mis en valeur par la forme du verre, à quoi cela servait-il si le vin n'avait pas meilleur goût pour autant ? Pour pallier cette situation, c'est sur le bord des verres qu'on concentre aujourd'hui les recherches. Dans un bourgogne jeune, par exemple, le taux élevé d'acidité peut masquer les arômes de fruits. On évase donc le bord du verre pour que le vin se répande en premier lieu sur le bout de la langue, responsable de la perception de la sucrosité.

Certains vins manquent d'équilibre entre le fruit et l'acidité, l'un ou l'autre étant trop marqué. C'est pourquoi les amateurs font tourner leur vin dans le verre. Les verres à cabernet-sauvignon sont de forme ample pour mélanger les arômes plus facilement, mais leur bord est relativement étroit afin que le vin atteigne le milieu de la langue directement. En fait, un verre à cabernet-sauvignon est conçu de telle façon que le vin entre à chaque gorgée en contact avec les quatre types de papilles.

Le fabricant susmentionné a notamment modifié la forme classique des verres allemands à riesling. En effet, par le passé, les rieslings étaient plus sucrés qu'aujourd'hui, et les verres dirigeaient le vin vers les côtés de la bouche, où se trouvent les récepteurs de l'acidité. Mais maintenant que les vignerons élaborent des rieslings plus secs, le verre à riesling arbore une forme de tulipe avec un bord retourné vers l'extérieur, guidant le vin directement vers l'extrémité de la langue.

Ce fabricant organise des dégustations à l'aveugle au cours desquelles un seul et même vin est versé dans différents modèles de verres. Si le « bon » verre ne ressort pas vainqueur de ces dégustations, on sait qu'il est temps de ressortir les planches à dessin !

Pourquoi trouve-t-on un ver au fond de certaines bouteilles de tequila ?

Peut-être parce que les vers ne savent pas nager ? Blague à part, ces vers sont une idée marketing destinée à vous prouver que vous avez acheté un produit authentique.

Afin de traiter cette question avec tout le sérieux requis, nous avons récemment entrepris une petite visite chez notre caviste, mais nous n'avons pas trouvé trace de bouteilles de tequila agrémentées d'un ver. Or cela fait des années que nous entendons parler de la tequila et de son ver, sans jamais en avoir trouvé.

Nous avons donc fait appel à l'une de nos autorités préférées en matière de spiritueux et, comme toujours, elle savait déjà la réponse. Elle nous a expliqué que nous ne risquions pas de trouver de vers dans des bouteilles de tequila, pour la bonne raison qu'ils sont réservés au mezcal :

> La tequila et le mezcal sont des alcools assez semblables. Tous deux sont typiquement mexicains. Mais, alors que le mezcal peut être distillé à partir de la sève fermentée de n'importe quelle variété d'agave, la tequila est distillée à partir de la sève fermentée d'une unique variété, l'agave bleu (*Tequilana weber*). Autrement dit, toute tequila est un mezcal, mais tout mezcal n'est pas une tequila.

On place un ver dans les bouteilles de mezcal comme « garantie » qu'il s'agit là d'une boisson authentique, car ce ver parasite la plante à partir de laquelle on produit cet alcool.

On ne trouve ce ver que dans les agaves poussant dans la province d'Oaxaca. Les indigènes de cette région le considèrent comme une friandise et croient que l'agave possède des vertus aphrodisiaques.

Mais, hélas, si autrefois on trouvait de véritables vers dans les bouteilles de mezcal, ceux-ci sont aujourd'hui souvent en matière synthétique.

Comment la toque est-elle devenue le chapeau traditionnel des chefs cuisiniers ? Sert-elle à quelque chose en particulier ?

Généralement, les hommes ne s'intéressent pas tellement aux vêtements dans leur vie de tous les jours. Ils portent un pantalon et une chemise, et éventuellement une veste ou un complet et une cravate si la situation l'exige. Mais, en cuisine, le sujet du couvre-chef a toujours été schizophrénique. Les cuisiniers portent soit l'affreuse mais pratique résille qui couvre leurs cheveux, soit la fameuse toque blanche. N'y a-t-il pas de juste milieu ? Pourquoi un cuisinier ne peut-il pas porter tout simplement une casquette ou un béret ? La forme de la toque aurait-elle une fonction particulière ?

Dès les civilisations grecque et romaine, les chefs cuisiniers ont été récompensés pour leurs réalisations par des couvre-chefs particuliers. Dans l'Antiquité, la distinction était une couronne de laurier. En France, jusqu'au XVIIe siècle, les chefs récompensés se voyaient remettre des casquettes de différentes couleurs selon leur rang, tandis que les apprentis portaient généralement une calotte. C'est au XVIIIe siècle que le cuisinier de Talleyrand exigea de tous les membres de son équipe qu'ils portent la toque blanche, et ce pour des raisons sanitaires. En effet, non seulement cette coiffure empêchait les cheveux du personnel de cuisine de tomber dans la nourriture en préparation, mais sa couleur blanche permettait également de repérer d'éventuelles taches.

À l'époque, la toque était plate. La haute coiffure que nous connaissons a gagné progressivement en popularité, non pour des raisons de mode ni pour cacher des crêtes façon Iroquois, mais pour offrir une certaine « ventilation crânienne » aux cuisiniers, qui travaillent souvent à une température extrêmement élevée.

Le fameux cuisinier parisien Antonin Carême, décidant de donner plus d'allure à la colonne qui couvrait son crâne, la doubla de carton pour la rendre plus raide et lui conférer un aspect plus noble. De nos jours, le carton a été remplacé par de l'amidon.

La toque n'est pas plus fonctionnelle que le filet, et a un aspect à peu près aussi décalé. Mais tout couvre-chef décerné comme une marque honorifique se doit d'être porté fièrement par l'heureux lauréat, si comique puisse-t-il être !

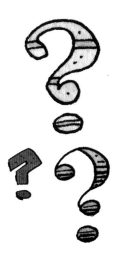

Pourquoi les commissaires-priseurs ont-ils un débit si particulier ? Pourquoi les personnes superstitieuses croient-elles que le vendredi 13 porte malheur ? Pourquoi les pirates de jadis aimaient-ils les perroquets ? Derrière les rituels du quotidien peuvent se cacher de belles histoires, mais aussi parfois des coutumes qui n'ont aucune véritable raison d'être !

us
et coutumes

Comment l'ordre de notre alphabet a-t-il été déterminé ? Y a-t-il une raison particulière à ce que le B vienne après le A, et à ce que la dernière lettre soit le Z ?

Cette question étant assez complexe, nous allons faire quelques détours par diverses disciplines, dont l'histoire ancienne. Il faut que vous sachiez que notre réponse ne peut être qu'une version condensée de cette histoire, et que nous ne pourrons pas en examiner tous les aspects. Néanmoins, pour expliquer l'ordre actuel de notre alphabet, nous allons explorer cinq cultures différentes.

Les Égyptiens

Plusieurs millénaires avant la naissance de Jésus-Christ, les Égyptiens possédaient déjà une écriture. Ce sont eux qui ont compris les premiers qu'il était plus facile d'écrire sur du papyrus avec une fine tige de roseau taillée en pointe, le calame, que de graver la pierre. Bien que les Égyptiens n'aient pas inventé d'alphabet à proprement parler, leurs hiéroglyphes évoluèrent considérablement pendant l'âge d'or de leur civilisation. À une époque, ils utilisaient plus de 400 signes — avant que leur écriture ne se réduise de plus en plus.

1 Les hiéroglyphes figuratifs ou pictogrammes. On représentait un cheval par un hiéroglyphe en forme de cheval, par exemple. Ce système, dans lequel l'écriture était basée sur les choses concrètes plus que sur des concepts abstraits, nécessitait un hiéroglyphe par mot.

2 Les représentations d'idées ou idéogrammes. Une jambe représentait, outre la jambe elle-même, des idées associées, comme courir ou rapide.

3 Les représentations de sons ou phonogrammes. Les signes étaient utilisés pour décrire un son appartenant à la langue parlée, et non comme symboles de ce à quoi se référait le mot.

4 Les représentations de syllabes. Un signe représentait une syllabe. À cette époque, un hiéroglyphe pouvait apparaître dans différents mots dont le seul lien était d'avoir en commun la syllabe qu'il signifiait.

5 Les signes-consonnes ou signes alphabétiques. Un signe représentait une lettre. Avec l'apparition des signes-consonnes, l'écriture syllabaire et les phonogrammes devinrent obsolètes. En effet, les lettres étaient beaucoup plus flexibles, même s'il était désormais nécessaire de créer des hiéroglyphes supplémentaires pour former les mots. Tout d'abord, il y eut des centaines de lettres, mais leur nombre diminua au fur et à mesure qu'elles étaient combinées entre elles, pour se fixer à 24.

Un alphabet est un système fixe de signes écrits, dont chacun représente théoriquement un son de la langue orale. Un alphabet efficace permet d'écrire la totalité des mots de la langue par le truchement de l'association des lettres. Lorsque les Égyptiens développèrent leurs signes-consonnes, ils étaient à deux doigts d'inventer un alphabet comme le nôtre. Mais, bien qu'étant alors en mesure d'écrire en transcrivant les sons des mots plutôt qu'en illustrant leur signification, ils ne comprirent pas l'intérêt de la représentation alphabétique et continuèrent à utiliser pictogrammes et idéogrammes.

Les Ougarites

Bien que l'on considère généralement les Phéniciens comme les inventeurs de l'alphabet, on sait aujourd'hui que les premiers alphabets étaient en réalité originaires d'Ougarite (cité au nord-ouest de la Syrie). On a découvert des tablettes mettant deux colonnes en regard, l'une remplie de signes syllabaires babyloniens déjà connus, l'autre de lettres ougaritiques, prouvant que les Ougarites avaient consciemment créé un ordre alphabétique. On ignore cependant si ces tablettes servaient d'outil à l'apprentissage de la lecture.

Les Phéniciens

L'alphabet phénicien s'est sans doute développé vers la même époque que celui des Ougarites, mais les Phéniciens ont joué un rôle beaucoup plus important dans l'histoire des langues, car ils ont contribué à répandre l'alphabet dans le monde entier. Les Phéniciens n'étaient pas des esthètes mais des marchands. Ils avaient besoin d'un alphabet pour standardiser les processus de comptabilité et autres raisons inhérentes au commerce – et non pour des ouvrages littéraires ou historiques (ils n'ont laissé aucun livre à la postérité). C'est vers l'an 1000 av. J.-C. qu'ils diffusèrent leur alphabet dans la plupart des grands ports de la Méditerranée.

Ils avaient totalement abandonné les hiéroglyphes figuratifs pour ne garder que les symboles représentant des sons. En phénicien, le mot *aleph* signifiait bœuf, et la lettre *a* fut tracée de telle sorte qu'elle ressemble à une tête de bœuf. Le bœuf, à l'époque l'animal le plus important dans l'économie rurale, est ainsi à l'origine de la première lettre de la plupart des alphabets européens et sémitiques et, par conséquence, de l'actuel alphabet de la langue française.

Plus tard, les Grecs adaptèrent la langue phénicienne à leurs besoins et en adoptèrent 16 consonnes. C'était au lecteur de savoir où placer les voyelles dans les mots qu'il lisait. Le titre d'une critique phénicienne du présent ouvrage aurait pu ressembler à ceci :

NMGNBL, N TRS BN LVR

Si toutes les langues comportent à l'oral des voyelles et des consonnes, un grand nombre de langues anciennes ne comportaient pas de voyelles écrites. Techniquement parlant, une consonne est un son produit soit en obstruant puis en libérant à nouveau le passage de l'air (*b*, *c* dur, *d*, *g* dur, *k*, *p*, *q*, *t*), soit en le stoppant à un endroit tandis qu'il passe par un autre (*m*, *n*, *l*, *r*), soit enfin en le faisant passer par un passage quasi fermé (*f*, *v*, *s*, *z*, *j*). On forme les consonnes avec la langue, les lèvres et les dents, en utilisant ou non les cordes vocales. Au contraire, on forme les voyelles uniquement avec les cordes vocales, en laissant l'air s'échapper librement, sans aucune obstruction des organes de la parole. L'absence de voyelles de l'alphabet phénicien est le seul élément qui distingue cette langue des langues modernes.

Les Grecs

Les Grecs étaient des récupérateurs : ils prirent dans les langues sémitiques et phénicienne ce qui leur convenait, et créèrent leur propre langue sur ces bases. À ce qui était essentiellement le système consonantique phénicien, les Grecs ajoutèrent, vers le IXe siècle av. J.-C., 5 voyelles : *alpha*, *epsilon*, *iota*, *omicron* et *upsilon*, qui correspondent aux 5 voyelles de notre langue. L'*alpha* devint la première lettre de l'alphabet grec.

Les lecteurs attentifs se demandent peut-être si, les Phéniciens n'ayant pas de voyelles, leur *aleph* ne se serait pas métamorphosé en *alpha* grec. En réalité, c'est à l'hébreu que l'*alpha* a été emprunté. La similitude est due au fait qu'en hébreu aussi *aleph* signifie bœuf. Les premières lettres de l'alphabet hébreu sont *aleph*, *beth*, *gemel* et *dalth*, qui signifient respectivement bœuf, maison, chameau et porte. Les équivalents grecs sont *alpha*, *beta*, *gamma* et *delta*.

L'élément moteur de l'adaptation d'un système d'écriture est sa capacité à exprimer les sons de la langue orale de la culture qui l'a adopté. Il fallait aux Grecs des lettres capables d'exprimer les voyelles de leur langue parlée, et l'alphabet phénicien n'en avait pas. Quant à l'hébreu, il en avait, certes, mais elles n'étaient utilisées que d'une façon erratique et sporadique. En revanche, l'hébreu possédait des consonnes ne correspondant à aucun son de la langue grecque. C'était notamment le cas de la première lettre de leur alphabet, le fameux *aleph*, qui servait à transcrire un son doux et voilé sans équivalent en grec. Les Grecs empruntèrent aux Hébreux ces consonnes qui leur étaient inutiles, et les convertirent en voyelles. Ainsi, les voyelles grecques sont d'origine hébraïque, et les consonnes d'origine phénicienne.

Après avoir ajouté aux autres lettres quelques consonnes de leur cru, les Grecs obtinrent un alphabet de 24 lettres. Ils ne possédaient pas d'équivalent à notre *c* ni à notre *v*, et certaines de leurs lettres se prononçaient différemment de leurs pendants modernes. Néanmoins, leur ordre alphabétique était en gros le même que le nôtre aujourd'hui – à quelques notables exceptions près, comme le *z*, qui était la sixième et non la dernière lettre.

Les Romains

L'Empire romain fut, un temps, dirigé par les Étrusques, un peuple qui utilisait l'alphabet grec. Avant le déclin des Étrusques, le système d'écriture de l'Empire adopta cet alphabet et le modifia en partie. L'alphabet fut alors conçu dans l'ordre que nous connaissons aujourd'hui en français, mais il n'avait que 23 lettres. *J*, *u*, et *w* n'apparurent que bien après la naissance de Jésus-Christ.

À l'origine, le *j* était une variante du *i*. Jusqu'au XVIIe siècle, le prénom de César s'écrivait Iulius. Chez les Anglo-Saxons, le *w* s'écrivit *uu* ou *u* jusqu'en 900 de notre ère. Le *u* était, quant à lui, une variante du *v*, et ce n'est qu'à partir du XVIIIe siècle qu'il fut utilisé exclusivement comme voyelle.

Pourquoi les Romains modifièrent-ils l'ordre de l'alphabet grec ? Les raisons sont nombreuses. Le cas le plus intéressant est celui du *z*. Tout d'abord, les Romains abandonnèrent la sixième lettre grecque, qu'ils jugeaient inutile. Puis, lorsqu'ils conquirent la Grèce, au Ier siècle av. J.-C., ils estimèrent nécessaire de la réintroduire – au premier chef pour translittérer les mots grecs en caractères latins. Cependant, à cette époque, l'alphabet romain était déjà formalisé ; c'est pourquoi le *z*, qui avait perdu sa place d'origine, fut ajouté à la fin.

Il est certain que l'ordre alphabétique est de nature essentiellement arbitraire. Et il n'influe sans doute aucunement sur notre apprentissage des langues. Néanmoins, les tablettes ougaritiques indiquent que les lettres étaient enseignées dans l'ordre alphabétique, et des linguistes ont découvert que, dans toutes les cultures, l'alphabet était toujours écrit dans le même ordre, bien que cet ordre ne possède pas de signification intrinsèque, contrairement à celui des nombres.

Le fait que l'ordre alphabétique soit dû à un hasard total ne rend la réponse à notre question que plus désarmante. En effet, comment deviner que si *a* précède *b*, c'est parce que, dans une ancienne culture sémitique, bœuf venait avant maison ?

Pourquoi de nombreux noms de famille irlandais commencent-ils par « O' » ?

O' signifie « petit-fils de » en Irlande. La plupart des noms irlandais sont des noms gaéliques anglicisés. À l'origine, le O gaélique n'était pas suivi d'une apostrophe, mais avait un accent (Ó). Par exemple, O'Hara s'écrivait en gaélique « Ó Leadhra » (petit-fils d'un homme nommé Eadhra).

Quant aux pères, on les retrouvait dans les noms en Mac (ou Mc, qui en est l'abréviation), qui signifie « fils de ».

Sans doute vous demandez-vous comment s'appelaient les femmes, puisqu'en toute logique, elles ne pouvaient pas s'appeler fils ou petit-fils de X... À cela, nous ne pouvons que répondre que ce n'est évidemment pas par accident qu'est apparu le féminin. Il existe bien en gaélique des préfixes réservés aux femmes : Ne devant un nom signifie « fille de » (comme pour Mary Ne Flannery), et Béan, « femme de » (Béan Ó Reilly signifie donc madame O'Reilly). Mais comme dans la plupart des cultures, les femmes étaient surtout considérées par rapport à un homme. Aussi, ces préfixes féminins n'eurent pas de succès dans les pays anglophones, ce qui explique que les femmes puissent s'appeler O'Neill ou MacCartney.

À quoi correspond le « J » de « jour J » ?

Le 6 juin 1944, 156 000 soldats alliés débarquèrent sur les plages normandes. Ce débarquement devait être le point de départ d'une invasion alliée du nord-ouest de l'Europe, dont le nom de code était « opération Overlord ». Tous les soldats n'atterrirent pas sur les plages normandes le 6 juin, mais cette date, début de la bataille de Normandie (cette bataille décisive allait durer jusqu'au 29 août suivant), est connue sous le nom de jour J (*D-Day* en anglais). Nous avons effectué des recherches peu sérieuses auprès de nos amis et connaissances, et avons reçu toutes sortes de réponses, selon lesquelles le « J » pouvait signifier : Joie, Jubilation, Jamais plus, Jonction, Jetons les nazis dehors et, à plusieurs reprises, Je ne sais pas. Un spécialiste du débarquement en Normandie nous a donné une réponse moins imaginative peut-être, mais plus plausible :

Lorsque l'on prépare une opération militaire, sa date exacte n'est pas toujours connue d'avance. Dans l'armée, on utilise donc le terme de jour J (*D-Day* en anglais) pour désigner le jour du départ des opérations, quelle qu'en soit la date. La veille est le jour J – 1, le lendemain le jour J + 1, etc. De la sorte, si la date initialement prévue doit être modifiée, il n'est pas nécessaire de changer l'ensemble du programme. Et c'est effectivement ce qui s'est passé en juin 1944. Le jour J devait être le 5 juin mais, en raison de très mauvaises conditions météorologiques, il fut au dernier moment repoussé au lendemain. Les forces armées utilisent également le terme heure H (*H-Hour*) pour désigner le moment précis du départ des opérations.

Pourquoi, en algèbre, appelle-t-on l'inconnue x ?

C'est au philosophe, mathématicien et physicien de la Renaissance René Descartes (« Je pense donc je suis ») que l'on peut attribuer le crédit de l'utilisation du x pour désigner une inconnue.

Jusqu'au XVIe siècle, on n'utilisait pas de symboles pour les équations algébriques. Cela signifie qu'au XVIe siècle Cardan et Tartaglia résolvaient les équations cubiques sans symboles, uniquement avec des mots.

Un professeur de mathématiques nous a appris ceci :

> C'est au XVIe siècle qu'apparurent les symboles représentant les concepts « plus » et « moins ». En Italie, on utilisait les lettres p et m, et en Allemagne les symboles $+$ et $-$. Ce sont finalement les symboles allemands qui furent adoptés. Parallèlement, on commença à utiliser des lettres pour représenter des nombres, connus ou inconnus.
>
> Le mathématicien français François Viète, qui naquit environ un demi-siècle avant Descartes, joua un rôle capital dans la popularisation de l'usage des lettres pour exprimer des nombres.

La principale contribution de Descartes aux mathématiques fut le développement de la géométrie analytique, grâce à laquelle on put exprimer des formes et des concepts géométriques par des équations. Descartes inventa également l'usage des axes *x* (horizontal) et *y* (vertical) pour les représentations graphiques.

Mais pour les équations algébriques, il utilisa le *x* différemment :

> Au XVIIᵉ siècle, Descartes utilisa deux règles différentes pour permettre la distinction entre les nombres connus et les inconnus : il attribua aux premiers les premières lettres de l'alphabet, et aux seconds les dernières lettres. Si cette règle fut largement reprise, son usage n'est cependant pas universel.

Mais, tant qu'à prendre les lettres de la fin de l'alphabet, pourquoi Descartes n'a-t-il pas choisi le *z* ? Personne ne le sait exactement. Peut-être parce que Descartes était habitué à travailler avec le *x* pour les axes des graphiques, ou que le *z* pouvait être confondu avec le chiffre 2. Une mathématicienne consultée à ce propos nous a livré l'intéressante théorie suivante : Descartes choisit le *x* parce que cette lettre est facile à écrire sur un tableau comme dans le sable. C'est d'ailleurs pour cette raison que les illettrés signent d'une croix.

Cette théorie nous semble très pertinente.

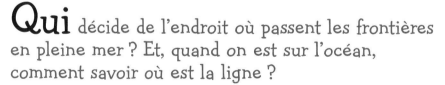

Qui décide de l'endroit où passent les frontières en pleine mer ? Et, quand on est sur l'océan, comment savoir où est la ligne ?

Aussi étrange que cela paraisse, il existe vraiment des personnes à l'origine de ces décisions. L'Organisation hydrographique internationale (OHI) est composée d'environ 70 pays membres, disposant tous de côtes. L'OHI a notamment pour but d'assurer la plus grande uniformité possible pour les cartes et les documents nautiques, et de déterminer les frontières océaniques officielles et normalisées.

Toutes les mers du monde sont reliées entre elles (d'ailleurs, théoriquement, on pourrait aller à la rame de l'océan Indien à l'océan Arctique – mais ce serait assez fatigant...). Nul n'aurait l'idée de contester les frontières océaniques correspondant à une bordure côtière, mais qu'en est-il des 71 % de la planète recouverts uniquement d'eau ?

Dans une publication à l'intention des chercheurs plutôt que des marins, intitulée *Limites des océans et des mers*, l'OHI indique le lieu exact de ces frontières. L'un des membres du Bureau hydrographique international – le comité central de l'OHI – nous a écrit en citant *Limites des océans et des mers* :

> Les limites proposées [...] ont été tracées uniquement à l'usage des bureaux hydrographiques nationaux, en compilant leurs propres données afin que tous les documents désignant mers et océans concernent les mêmes régions ; elles ne doivent pas être considérées comme représentant le résultat d'études géographiques complètes. Ces limites n'ont aucune signification politique. Donc, les frontières sont établies par l'usage, ainsi que par des considérations techniques agréées par les États membres de l'OHI.

Pour l'essentiel, c'est un comité formé de nations maritimes qui détermine les frontières et les appartenances des zones océaniques à tel ou tel pays.

Comment l'OHI a-t-elle déterminé la limite entre l'Atlantique et le Pacifique ? Un accord arbitraire a été conclu, entérinant une ligne qui va du cap Horn à l'extrémité sud de l'Amérique latine, jusqu'en Antarctique, par le passage de Drake, et formant une ligne strictement nord-sud.

Bien sûr, il n'existe pas de panneau « VOUS VOUS APPRÊTEZ À QUITTER L'OCÉAN PACIFIQUE, BIENVENUE DANS L'ATLANTIQUE » sur cette ligne. Néanmoins, un marin équipé correctement est à même de déterminer l'océan sur lequel il se trouve, ainsi que les limites séparant les mers entre elles.

Contrairement aux Nations unies, l'OHI ne se trouve généralement pas entraînée dans des querelles politiques, sans doute parce que l'endroit précis des frontières océaniques n'a aucune implication commerciale ni militaire. Cela dit, certains compromis doivent être parfois trouvés. Par exemple, la Corée du Sud et le Japon n'étaient pas d'accord sur la désignation de la mer qui sépare leurs pays respectifs : traditionnellement, celle-ci était nommée mer du Japon, mais la Corée du Sud voulait qu'elle soit rebaptisée mer de l'Est.

En 1999, à notre grande surprise – peut-être étions-nous accaparés par la frénésie du nouveau millénaire –, l'OHI a été impliquée dans un événement déterminant : l'avènement d'un nouvel océan. La zone située à l'extrême sud du Pacifique, de l'Atlantique et de l'océan Indien (y compris les eaux entourant l'Antarctique) jusqu'à 60° sud, était surnommée l'océan du Sud. Approuvé à la majorité de l'OHI, ce nom devint effectif en 1999 – malgré quelques oppositions, dont celle de l'Australie.

Il nous est difficile de comprendre comment cet évènement n'a pas éclipsé le bogue de l'an 2000 !

Comment indique-t-on les directions lorsqu'on se trouve au pôle Nord ou au pôle Sud ?

Par définition, au pôle Sud, on ne peut indiquer comme direction que « plein nord », non ?

En fait, ce n'est pas le cas, comme nous l'a expliqué un météorologue ayant travaillé à la station d'Amundsen-Scott :

> Au pôle Sud, lorsqu'on parle de quelque chose se situant au nord ou au sud, on se réfère généralement au « nord du quadrillage » ou au « sud du quadrillage ». Dans le système de canevas (ou quadrillage), le nord se trouve le long du premier méridien, à 0° de longitude, indiquant Greenwich (en Angleterre), tandis que le sud se trouve à 180° de longitude, l'est à 90 et l'ouest à 270. En fait, c'est assez simple. Les météorologues décrivent toujours la direction du vent en utilisant ce canevas. Cela ne voudrait pas dire grand-chose si on affirmait qu'au pôle Sud le vent vient toujours du nord !

Comment indique-t-on l'heure aux pôles Nord et Sud, puisque tous les fuseaux horaires s'y rejoignent ?

Imaginez un instant que vous soyez un zoologue stationné au pôle Sud. Vous étudiez les schémas de migration nocturne des manchots empereurs, ce qui implique d'y passer de longues périodes d'observation. Mais soudain, alors que vous les regardez se dandiner, vous vous rendez compte que vous risquez de rater un épisode culte de votre série préférée ! À moins de programmer le magnétoscope... Mais quelle est la bonne heure ?

Tous les fuseaux horaires se rejoignant aux deux pôles, amis d'*Inimaginable*, vous allez vous demander comment les autochtones du pôle Sud (ainsi que les très rares, et généralement très éphémères, résidents du pôle Nord) résolvent ce problème.

Nous supposions que les scientifiques étaient arbitrairement à l'heure GMT (correspondant au fuseau horaire de Greenwich, c'est-à-dire de Londres), puisque c'est elle qui sert de standard international pour déterminer l'heure. Mais nous avons découvert que l'heure GMT n'existait plus ! Elle s'appelle désormais heure

UTC ou « temps universel coordonné » (non non, nous n'avons pas fait d'erreur dans le sigle, il est formé sur le terme anglais). L'heure UTC est fréquemment utilisée comme temps standard au pôle Nord, et parfois également au pôle Sud.

Si, à l'école, nous éditeurs, nous sommes tournés vers les matières littéraires, c'est en partie parce que les sciences sont enseignées comme quelque chose de prédéterminé : il n'existe qu'une seule bonne réponse, et les professeurs sont toujours en mesure de vérifier si on en a donné une mauvaise. Pendant les études, les scientifiques étaient soumis à une rigueur que l'on nous épargnait.

Mais quand il s'agit de fuseaux horaires, les scientifiques résidents des pôles ne font nullement preuve de rigueur : ils choisissent tout bonnement celui qui leur va le mieux ! Un spécialiste en ingénierie de l'information nous a confié que la plupart des scientifiques choisissaient le fuseau horaire le plus pratique pour leurs collaborateurs.

Concrètement, étant donné que la majorité des vols pour l'Antarctique partent de Nouvelle-Zélande, l'heure la plus répandue au pôle Sud est l'heure néo-zélandaise. Par contre, la station scientifique américaine Palmer, installée sur la péninsule Antarctique, règle son heure sur son principal site de débarquement, Punta Arenas, au Chili, qui se trouve dans le fuseau horaire dit HNE (heure normale de l'est). La station russe Vostok suit, elle, l'heure de Moscou, sans doute pour éviter à ses résidents les désagréments du changement horaire lorsqu'ils rentrent en Russie.

Pourquoi certains endroits du globe, comme Terre-Neuve, l'Australie, l'Inde et certaines parties du monde arabe, ont-ils un demi-fuseau horaire ? Et pourquoi certains grands pays n'ont-ils qu'un seul fuseau horaire ?

Il est 11 h 40 à Montpellier à l'heure où nous écrivons ces lignes, et 12 h 40 à Sofia, en Bulgarie. Tandis que nous travaillons dur, les habitants de Cayenne, en Guyane, commencent juste à se réveiller. Il est 6 h 40 chez eux, sur la côte nord-est de l'Amérique latine, mais il est également 6 h 40 sur la côte ouest du Groenland, situé pourtant à la même longitude que l'Islande, où il est... 10 h 40, comme à Londres ! Dans l'ouest de l'Australie, où il est 18 h 40, la soirée commence, tandis que dans l'Est il est déjà 20 h 40. Quant au centre de l'Australie, les horloges y affichent... 21 h 10 !

Si vous avez bien suivi notre petite digression, vous aurez compris que les fuseaux horaires ne s'appliquent pas de façon normalisée dans le monde entier. Étant donné que de grands pays comme la Chine n'ont qu'un seul fuseau horaire et que d'autres pays comme l'Australie, l'Inde ou l'Iran connaissent un décalage d'une demi-heure seulement, donc d'un demi-fuseau horaire, il semble que des considérations autres que scientifiques aient présidé à la détermination du découpage horaire du monde.

L'idée d'uniformiser le temps est étonnamment récente : jusqu'au XIXᵉ siècle, chaque ville avait son heure propre. Il y avait une horloge au centre-ville, et un fonctionnaire était chargé de régler ses aiguilles sur midi à l'instant où le soleil était directement à son zénith. Ce système hasardeux semble n'avoir dérangé personne jusqu'à l'avènement des chemins de fer, qui exigeaient une planification précise des trajets, notamment aux États-Unis et au Canada. En effet, il aurait été un peu gênant pour les passagers d'arriver à destination plus tôt qu'ils n'étaient partis... Une géographe nous a expliqué ce qui suit :

> Avant que les trains ne requièrent la normalisation des fuseaux horaires, les populations du monde entier s'orientaient sur l'heure solaire locale. C'est d'ailleurs encore le cas aujourd'hui dans de nombreux endroits.

L'inventeur du système des fuseaux horaires était un ingénieur canadien des chemins de fer, Sandford Fleming. La simplicité de son idée était d'une élégance rare : si la Terre met 24 heures pour effectuer une révolution, et qu'il y a en tout 360° de longitude, pourquoi ne pas créer 24 fuseaux horaires de 15° chacun ?

En 1884, le président nord-américain Chester Arthur organisa à Washington la Conférence internationale du méridien, afin de normaliser le concept que Fleming avait développé 6 ans auparavant. Malgré une voix contre (Saint-Domingue) et deux abstentions (le Brésil et la France), Greenwich fut alors adopté par 22 nations comme lieu du premier méridien, ou méridien origine.

Cependant, il n'y a jamais eu de totale conformité avec le concept de Fleming. Par exemple, la Chine, qui devrait avoir cinq fuseaux horaires, n'en a qu'un (avec pour conséquence que, dans l'ouest du pays, le soleil est souvent à son zénith à 3 heures de l'après-midi). Quant à l'Inde, elle n'a également qu'un fuseau horaire au lieu de deux, et il s'agit de surcroît d'un demi-fuseau.

Selon la géographe que nous avons consultée, la principale raison d'opter pour des demi-fuseaux est de rapprocher certaines villes importantes de leur heure solaire. Par exemple, Terre-Neuve a une 1/2 heure d'avance sur l'heure normale de l'Atlantique, qui est celle des autres provinces atlantiques du Canada. L'île de Terre-Neuve se trouvant à la lisière de son fuseau horaire géographique, elle a choisi un fuseau horaire décentré, qui reflète mieux son heure solaire.

En Australie, le décalage horaire a une autre histoire. L'un des conservateurs du Museum of Victoria de Melbourne, s'intéressant à la question, a déniché les actes de 1898 du parlement de l'Australie-Méridionale, dans lesquels sont consignés les débats tenus à Adélaïde concernant le rejet du concept de Fleming, qu'il avait adopté en 1894. La raison de cette opposition était moins liée au soleil qu'à des considérations économiques :

> Les câblogrammes commerciaux étaient généralement transmis le matin. Or, Adélaïde ayant 1 heure de retard sur Melbourne et Sydney, les hommes d'affaires qui recevaient des ordres câblés de Grande-Bretagne y étaient fort désavantagés vis-à-vis de ceux d'autres colonies, qui avaient 1 heure de plus qu'eux pour agir.

Si les raisons du décalage de fuseaux horaires sont anciennes, il est rare que l'on revienne aujourd'hui en arrière car, selon la formule du célèbre sénateur démocrate américain Tip O'Neill (1912-1994), « toute politique est locale ». Cependant, il existe des anomalies dans le monde entier. Le Népal a, par exemple, une avance de 15 minutes sur son fuseau horaire. Mais nous nous sommes particulièrement amusés avec la controverse sur l'heure d'été aux États-Unis. Jusqu'en 2005, l'Indiana possédait une structure compliquée : la majorité des comtés situés dans le fuseau horaire UTC-5 (*Eastern time zone*) refusaient le passage à l'heure d'été, de même qu'une poignée de « traîtres » du fuseau UTC 6 (*Central time zone*). L'Indiana était un cauchemar pour quiconque devait établir un planning.

Depuis avril 2006, la totalité de l'Indiana située dans le fuseau horaire UTC-5 observe l'heure d'été. Résidant dans cet État, la nation navajo suit le passage à l'heure d'été, mais pas la nation hopi – qui vit pourtant à l'intérieur de la réserve navajo !

Pour conclure, on peut dire que, si le système des fuseaux horaires est fondé, à l'origine, sur des considérations astronomiques, ce sont la politique, les affaires et la psychologie humaine qui en déterminent les applications concrètes.

Comment désignait-on les années avant la naissance de Jésus-Christ ? Et comment le fait-on dans les civilisations non chrétiennes ?

Nous vivons en 2009, soit supposément 2 009 ans après la naissance de Jésus de Nazareth. Pour se référer aux périodes antérieures, on utilise « av. J.-C. », d'où la question : comment les personnes vivant il y a 2 500 ans désignaient-elles les années ? Nous comptons à rebours par rapport à l'année « 0 » : an 2 av. J.-C., 150 av. J.-C., etc. Mais il paraît peu probable qu'à cette époque les gens aient fait de même, puisqu'ils n'avaient pas le point de départ que nous utilisons aujourd'hui. Que faisaient-ils ? Par exemple, comment Aristote établissait-il le suivi des années écoulées ?

On peut résumer la réponse ainsi : toutes les sociétés anciennes avaient leur propre système de calcul des années. Et ça devait être un sacré chaos !

Comme nous n'avons pas pu contacter d'anciens concepteurs de calendriers (nous ne sommes pas très bons en spiritisme...), nous avons dû chercher la réponse dans des livres. Présenter tous les systèmes prendrait trop de place. Nous avons donc fait un choix.

Notre calendrier nous vient des anciens Romains, mais, comme leurs calculs se fondaient sur des estimations erronées des cycles lunaires, ce système a été modifié plusieurs fois au cours des millénaires. Vous vous en doutez, l'idée de baser un calendrier sur la naissance de Jésus n'est pas apparue tout de suite. Les érudits ecclésiastiques se sont demandé pendant des siècles comment concevoir un calendrier.

Au début du IIIe siècle, l'historien palestinien Jules l'Africain tenta de déterminer la date de la Création et la fixa en ce que nous pourrions appeler 4499 av. J.-C. Mais, bien que chrétien, il n'avait pas pensé au système avant/après J.-C. Au VIe siècle, le pape Jean Ier pria un moine russe, Denys le Petit, de fixer la date de Pâques qui, jusqu'alors, avait été célébrée à différents moments. Le moine partait de suppositions erronées, et se trompa de plus dans divers calculs ; néanmoins, non seulement il mit en place le système de datation « avant/après J.-C. », mais il contribua aussi à établir Noël au 25 décembre. Deux siècles plus tard, Bède, un moine anglais connu a posteriori sous le nom de saint Bède le Vénérable, popularisa les idées de Denys le Petit. Les chrétiens tentaient de codifier leurs principales fêtes religieuses, en partie pour faire pièce aux dieux romains et grecs ainsi qu'aux fêtes juives, mais aussi pour défendre l'existence de la personne historique de Jésus.

Bien qu'il y ait des systèmes de datation de tout type, la plupart répondent à l'une des trois stratégies ci-dessous.

1   Datation historique. Les calendriers chrétiens furent établis sur le modèle de ceux de l'Empire romain. Dans l'Antiquité, les anciens Romains comptaient les années en partant de ce qu'ils croyaient être la fondation de Rome *(ab urbe condita)*, correspondant à 753 av. J.-C. Les Grecs, eux, essayèrent au IIIᵉ siècle av. J.-C. de fonder un système de datation sur la succession des olympiades (que certains historiens faisaient remonter à l'an 776 avant notre ère).

2   Datation fondée sur le début des règnes. Dans plusieurs parties du monde, les monarques servaient de repères pour établir les calendriers. Dans les Empires babyloniens, romain et égyptien, par exemple, on appelait la première année du règne d'un roi « an 1 ». Lorsqu'un nouvel empereur montait sur le trône, hop ! on passait à un nouvel an 1. Les historiens chinois ont consigné avec minutie les règnes de leurs différents empereurs jusqu'à ce qui, pour nous, serait le VIIIᵉ siècle av. J.-C. Néanmoins, chaque nouveau règne s'accompagnait d'un nouvel an 1. Les Japonais, quant à eux, pouvaient soit utiliser le même système, soit faire remonter leur système de datation au règne de leur premier empereur, Jimmu, en 660 av. notre ère.

3   Datation religieuse. Vous ne serez pas surpris d'apprendre que les chrétiens ne sont pas les seuls à avoir fondé leur calendrier sur un événement charnière de leur histoire religieuse. Chez les musulmans, le calendrier part de l'hégire, en 622, moment où Mahomet fuit de La Mecque à Médine pour échapper à la persécution. Au Cambodge ou en Thaïlande, les calendriers bouddhistes commencent à la date de la mort de Bouddha, et ceux des hindous débutent à la naissance de Brahma.

Au vu des différents systèmes, on ne peut s'empêcher de remarquer combien les considérations sur lesquelles on a fondé les calendriers sont peu universelles. Même les érudits qui essayaient de déterminer les dates en fonction d'événements astronomiques étaient souvent contraints de se plier à la pression politique ou religieuse.

Et les sociétés modernes ne sont pas libérées de ces schémas. Le calendrier japonais est aujourd'hui encore basé sur les règnes des anciens empereurs : l'ère actuelle, Heisei, correspond au règne de l'empereur Akihito. Quant à nous, en Occident, nous utilisons un calendrier chrétien, donc religieux.

D'une année sur l'autre, pourquoi les journaux indiquent-ils des dates différentes pour les signes du zodiaque ?

Même si, parmi les astrologues pur sucre, rares sont ceux qui prétendent savoir pourquoi leur discipline « fonctionne », cela ne les empêche pas d'être rigoureux dans leur travail. Ils doivent faire face au même dilemme que les fabricants de calendriers, qui ont affaire à des mois de longueur irrégulière. L'année et le zodiaque sont respectivement divisés en 12 mois ou 12 signes – et 365 divisé par 12 ne donne pas un compte rond.

Mais les signes du zodiaque sont basés sur le mouvement du Soleil, qui est beaucoup plus logique que les calendriers humains. Un astrologue nous a indiqué que, le moment de l'équinoxe de printemps variant d'une année sur l'autre, deux bébés nés exactement au même moment, mais pas la même année, pouvaient être soit Verseau, soit Poisson.

Voici un exemple de fluctuation (l'heure indiquée est l'heure de Paris) :

1989: le Soleil est entré dans le signe des Poissons le 18 février à 22 h 21.
1990: le Soleil est entré dans le signe des Poissons le 19 février à 4 h 15.
1991: le Soleil est entré dans le signe des Poissons le 19 février à 9 h 59.

Pourquoi les personnes superstitieuses croient-elles que le nombre 13 et le vendredi 13 portent malheur ?

Bien qu'elle nous soit fréquemment posée, nous avons longtemps hésité à répondre à cette question, et ce pour différentes raisons. Entre autres, nous essayons de ne pas traiter les questions dont la réponse n'est que dans les livres.

Mais étant donné que nous ne pouvons ni voyager dans le passé, ni contacter les esprits des morts pour répondre à la présente interrogation, nous avons décidé de faire une exception et de consulter les sources écrites.

La plupart nous ont laissés sur notre faim. Il existe littéralement des montagnes de livres traitant des superstitions, et ils abordent plus ou moins tous le nombre 13. La plupart soutiennent que la peur du 13 remonte à la Cène, où le traître Judas était le treizième convive à table.

Une autre théorie assez répandue explique cette superstition par une légende nordique préchrétienne, dans laquelle Baldur, le dieu de la lumière, est tué lors d'un repas de fête au Walhalla auquel 12 dieux étaient invités, victime d'un complot ourdi par le malfaisant Loki.

Quant au vendredi, la plupart des ouvrages traitant de superstition conjecturent qu'il est mal vu car c'est le jour de la crucifixion de Jésus. Selon d'autres versions, c'est un vendredi qu'Adam croqua le fruit de la connaissance.

Nous trouvions toutes ces théories trop peu solides pour les faire figurer dans *Inimaginable*. Et puis un beau jour, alors que nous flânions dans notre librairie préférée, notre attention fut attirée par un livre intitulé *13*. Cet ouvrage de Nathaniel Lachenmeyer est une fascinante présentation historico-culturelle de « la superstition la plus répandue au monde » (le titre de l'ouvrage, non traduit en français, est *13 : The Story of the World's Most Popular Superstition (Le chiffre 13 ou l'histoire de la supersition la plus répandue au monde)* – NDT). L'auteur y aborde les doutes que nous avions à l'égard des explications évoquées ci-dessus, et y livre le fruit de recherches méticuleuses sur les origines de la triskaidékaphobie, ou phobie du nombre 13.

Lachenmeyer rejette les explications habituelles. Il explique qu'il existe bien une légende nordique autour de Baldur, mais que les dieux n'étaient pas 12 mais 13 à l'entrée en scène de Loki, et que c'est donc le 14 qui devrait poser problème. De plus, s'il y avait bien 12 sièges « ordinaires » pour les dieux du Walhalla, il en existait un treizième réservé à leur roi Odin, et la légende ne mentionne aucunement le nombre 13 (ni d'ailleurs le 14). Il n'y a pas non plus de preuve de l'existence préchrétienne de cette superstition.

Quant à la théorie de la Cène, d'après Lachenmeyer, elle ne tient pas non plus. En effet, les récits de la trahison de Jésus ne mentionnent nullement le nombre 13. Lachenmeyer évoque le fait que les 12 apôtres et Jésus avaient fréquemment pris leur repas ensemble avant la Cène (pourquoi les autres réunions n'auraient-elles pas porté malheur ?), et qu'il est inconcevable que les évangélistes aient émis l'idée blasphématoire qu'un groupe dont Jésus-Christ faisait partie pouvait porter malheur.

Pourquoi le **pouce levé** est-il un **signe** d'affirmation ou d'approbation ?

Tout péplum digne de ce nom inclut une scène de combat de gladiateurs, dans laquelle un souverain repu et ventripotent scelle le destin du vaincu en pointant son pouce vers le bas, ou le gracie d'un pouce levé vers le ciel.

Les spectateurs de ce genre de combats tentaient d'influencer le verdict en faisant aussi des signes avec leur pouce.

L'opinion que le geste moderne de pointer son pouce vers le haut prend ses racines dans cette coutume est fort répandue – et néanmoins fausse. Selon un historien, les Romains indiquaient leur soutien pour un combattant vaincu, non en levant, mais en couvrant leur pouce. Lorsque les spectateurs voulaient que le gladiateur victorieux achève son adversaire, ils tendaient au contraire leur pouce vers le haut, peut-être pour imiter le geste de le poignarder.

D'autre part, si Rome était le berceau de ce geste, on pourrait s'attendre à ce qu'il soit répandu dans l'Italie d'aujourd'hui ; or ce pays, suivi par la Grèce, est celui où il signifie le moins une approbation : il y a généralement acquis une signification d'insulte à caractère sexuel. Il est donc vraisemblable que le symbole qui nous intéresse ici vienne d'autre part.

La question reste entière : pourquoi un pouce levé est-il un signe affirmatif ? Comme pour beaucoup de gestes, les traces historiques sont obscures et contradictoires. Il semblerait qu'une des explications soit que, dans la culture occidentale, l'élévation est connotée positivement et l'abaissement négativement. Ainsi, on peut interpréter un doigt levé comme étant en relation avec le paradis. Aux États-Unis dans les années 1970, l'index tendu vers le haut devint un signe de ralliement pour certains fondamentalistes chrétiens.

Le pouce a peut-être été choisi parce que, étant le doigt le plus isolé, c'est aussi le plus facile à lever. Essayez de lever chacun de vos doigts en maintenant les autres pliés, et vous vous rendrez compte à quel point le pouce est le choix le plus naturel.

Au contraire, Lachenmeyer soutient que le nombre 13 avait des connotations positives pour les chrétiens, précisément parce qu'ils l'associaient aux réunions du Christ et de ses disciples. Lachenmeyer dresse une liste d'éminents théologiens chrétiens, dont saint Augustin, ayant mentionné le nombre 13 de façon positive (il existe d'ailleurs des personnes pour qui le 13 est un porte-bonheur).

On rencontre une autre difficulté lorsque l'on recherche les racines de la triskaidékaphobie : les premières traces écrites mentionnant ce phénomène ne datent que de la deuxième moitié du XVIIᵉ siècle en Angleterre. C'est à cette époque qu'apparut l'idée qu'il était dangereux d'être 13 autour d'une table, l'un des convives risquant de mourir dans l'année. Lachenmeyer attribue cette peur à la grande peste qui ravagea Londres en 1665, faisant périr presque 15 % de la population de la ville.

En Europe, la crainte d'être 13 à table connut son apogée au XIXᵉ siècle, où la triskaidékaphobie s'étendit au nombre 13 en général. Si l'on considère les superstitions concernant le vendredi et le 13, il est étonnant que les premières traces d'une peur du vendredi 13 n'apparaissent pas avant le XXᵉ siècle. Pour les États-Unis, Lachenmeyer fait remonter la peur du vendredi au Nouveau Testament et à la Crucifixion, mais il précise que ce jour y était aussi traditionnellement celui des exécutions capitales.

Mais comment expliquer la montée en puissance de cette nouvelle superstition ? Nous n'avons pas trouvé de réponse totalement fiable. C'est au début du XXᵉ siècle que la presse commença à mentionner si le vendredi saint tombait le 13 du mois, c'est donc également à cette époque que la superstition commença à se répandre.

En 1980, le premier d'une série de films d'horreur sur le sujet sortit dans les salles sous le titre de *Vendredi 13*.

Il est important d'ajouter un point souligné par Lachenmeyer dans son ouvrage, et qui est la principale raison pour laquelle nous étions réticents à nous attaquer à la question avant de l'avoir lu. La plupart des livres se contentaient d'attribuer la superstition concernant le nombre 13 à une seule cause et ne prenaient pas en compte les transformations temporelles ou culturelles du phénomène.

> Néanmoins, il ne suffit pas d'affirmer la continuité de cette croyance, il faut pouvoir la prouver. En ce qui concerne les superstitions portant sur des nombres, c'est d'autant plus difficile que, la numérologie ayant été largement pratiquée dans de nombreuses cultures au fil de l'Histoire, il est difficile d'en trouver un entre 1 et 24 qui n'ait jamais été considéré comme porte-malheur dans l'une ou l'autre culture.

Exactement. Rien n'est plus nécessaire que de procéder de façon méthodique et analytique, quand il s'agit de démêler les méandres de la pensée irrationnelle...

Pourquoi les policiers portent-ils parfois leur torche électrique à hauteur d'épaule ?

Dans la réalité comme au cinéma, les policiers portent souvent leur torche électrique comme on tiendrait un couteau si on voulait le planter dans la poitrine de quelqu'un. Les civils tiennent plutôt leur torche comme une bougie ou une canne à pêche. Les deux méthodes permettent d'éclairer du sol au plafond, mais la manière « policière » ne semble pas être particulièrement commode. On peut supposer qu'ils ont leurs raisons et passer à autre chose ! Mais les petits curieux que nous sommes ont eu envie de les connaître.

Dans la police, il n'existe pas de manière réglementaire de tenir sa torche. Celle qui nous intéresse ici présente deux intérêts principaux. Le premier est celui auquel nous faisions allusion plus haut : tenir sa torche avec la main levée permet de s'en servir comme d'une arme. Un policier nous a répondu ce qui suit :

> Dans les cas où il est nécessaire de faire usage de la force, cette façon de tenir votre torche peut vous donner un avantage tactique vis-à-vis de la personne que vous avez en face de vous. En effet, votre bras est déjà levé, donc presque en position de défense, et vous avez en main un ustensile pouvant servir à frapper s'il le faut.

D'un simple mouvement du poignet, un policier est ainsi en mesure d'immobiliser un criminel rétif, tandis que, s'il portait sa lampe droit devant lui, il lui faudrait commencer par faire entièrement pivoter sa main.

Nous avons voulu savoir comment un policier tient sa lampe lorsqu'il inspecte un bâtiment plongé dans l'obscurité. Le passage suivant résume la majorité des réponses qu'on nous a fournies à cette question :

> Je ne tends jamais mon bras, sauf si j'ai l'intention de tirer sur quelqu'un. En effet, si je me déplace dans un bâtiment avec les bras allongés devant moi et qu'un cambrioleur qui arrive par un côté voit mes mains ou ma lampe, je risque fort de me faire

attraper. Et puis, quand vous étendez les bras, ils fatiguent vite... plus on les garde près du corps, plus ils restent fermes.

Et si le policier doit se servir d'une arme à feu, la manière dont il tient sa torche peut devenir une question de vie ou de mort :

> Nous avons appris à tenir notre lampe d'une manière bien spécifique lorsque nous utilisons nos armes. On la porte de sa main « faible », afin de pouvoir tirer son arme aussi vite que possible si ça devient nécessaire. La raison pour laquelle nous tenons souvent notre lampe comme un poignard, c'est qu'il est alors facile de passer en position de tir, où le dos de la main « faible » sert de point d'appui à la main qui tient l'arme.

Pourquoi les militaires se saluent-ils mutuellement ?

Dans toutes les armées occidentales que nous connaissons, on se salue de la main. Apparemment, c'est toujours la personne de rang inférieur qui est tenue de saluer en premier, et elle doit regarder son supérieur dans les yeux.

Les origines de cette coutume se perdent dans la nuit des temps. Dans l'Antiquité, outre les militaires, les hommes libres avaient le droit de porter des armes, et c'est pourquoi lorsque deux hommes se rencontraient, ils levaient la main droite afin de montrer qu'ils n'avaient pas l'intention de faire usage de leur épée. Parmi les gestes de courtoisie du monde moderne, il en est de nombreux – toucher le bord de son chapeau, se serrer la main, etc. – qui remontent vraisemblablement à cette volonté de montrer qu'on ne va pas tirer l'épée ou se saisir d'un caillou.

Du temps de l'Empire romain, les saluts faisaient déjà partie des coutumes militaires. Les soldats saluaient alors en tendant le bras à hauteur d'épaule, paume vers le bas. Leur main ne devait toucher ni leur tête, ni leur casque.

Au Moyen Âge, alors que les chevaliers portaient des armures d'acier qui recouvraient leur corps de la tête aux pieds, les rencontres entre hommes se faisaient fréquemment à cheval.

Pour prouver leur humeur pacifique, les chevaliers soulevaient la visière de leur heaume et se montraient mutuellement leur visage, dévoilant du même coup leur identité. Comme ils tenaient les rênes de la main gauche, ils saluaient de la droite (qui était celle de l'épée). Ce mouvement ascendant n'était pas très éloigné du salut militaire qui a cours aujourd'hui.

En 1796, l'amiral britannique Earl of St Vincent décida que, dorénavant, tous les officiers britanniques devraient lever leur couvre-chef lorsqu'ils recevraient un ordre d'un supérieur, et non plus se contenter de le frôler négligemment. Le salut mutuel qui, autrefois, témoignait d'intentions pacifiques est devenu au cours des siècles un rituel exprimant le respect, tout en servant à renforcer la discipline militaire.

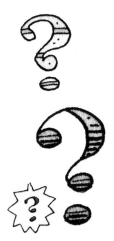

Pourquoi les médailles militaires sont-elles épinglées du côté gauche de la poitrine ?

Les historiens militaires font généralement remonter cette coutume à l'époque des croisés, qui portaient leurs distinctions sur leur cœur. Ce que l'on ignore, c'est si cet endroit avait été choisi pour des raisons symboliques ou parce que l'insigne protégeait ainsi le précieux organe.

Les décorations militaires sont un phénomène relativement récent et, à l'origine, elles étaient portées autour du cou ou accrochées à une écharpe. Selon un spécialiste du sujet, c'est au cours des premières décennies du XIXe siècle que cette pratique évolua. Durant les campagnes napoléoniennes, de nombreuses distinctions furent décernées par les différents gouvernements des pays belligérants. De plus en plus d'ordres furent créés à l'intention des classes inférieures ainsi que de l'ensemble des militaires et civils impliqués dans la guerre, et on se devait alors de les porter à la boutonnière.

À cette époque, les alliances entre pays se multiplièrent, et les décorations connurent une inflation galopante. Un bon soldat pouvait s'attendre à être décoré non seulement par son propre pays, mais également par un ou deux pays alliés. Les boutonnières explosaient. Seuls les tailleurs se frottaient les mains. Que faire pour mettre fin à une telle crise ? Un expert nous a répondu en ces termes :

> Le bon sens prit le dessus. Comme nul ne voulait garder secrètes les superbes distinctions d'or et d'émail qu'il avait accumulées, on essaya diverses méthodes. Certains demandèrent à des

orfèvres de fabriquer de petites répliques des originaux, qui pouvaient toutes prendre place dans le succinct espace de l'uniforme réservé à cet effet. D'autres continuèrent à porter les médailles de leur propre pays à leur boutonnière, et accrochèrent les ordres étrangers sur une ligne partant de celle-ci vers la droite. C'est cette dernière méthode qui fut le plus généralement adoptée.

Pourquoi les armées commencent-elles à marcher du pied gauche ? Cette coutume a-t-elle une raison pratique ? Est-elle répandue dans le monde entier ?

Il n'y a que la troisième question à laquelle nous pouvons répondre avec une certaine confiance. D'après ce que nous avons pu trouver, les soldats du monde entier partent du pied gauche.

Nous avons contacté nos fidèles sources d'information pour leur demander le pourquoi de cette pratique. La réponse a été un haussement d'épaules collectif.

L'équipe d'*Inimaginable* est assiégée de questions sur les origines de coutumes comportant une notion de latéralité (« Pourquoi, dans de nombreux pays, conduit-on à droite ? Pourquoi le robinet d'eau chaude est-il à gauche ? Pourquoi les médailles militaires sont-elles épinglées du côté gauche de la poitrine ? », etc.). La réponse réside généralement dans une raison pratique.

Mais quel peut être l'avantage de commencer à marcher du pied gauche ? Nous avons reçu de la part d'un homme versé dans l'histoire navale et militaire une réponse qui, sans être totalement fiable, n'en est pas moins plus sensée et plus intéressante que beaucoup d'autres pistes. Jugez vous-même :

> Lorsque, en des temps prébibliques, l'on institutionnalisa la guerre et que des armées entraînées s'affrontèrent sur les champs de bataille, l'évolution des tactiques d'infanterie exigea des troupes lourdes et légères, se déplaçant en formation resserrée, qu'elles marchent en bon ordre afin d'aller au contact de l'ennemi de façon efficace.
>
> Je suppose qu'un commandant dont le nom est tombé dans l'oubli découvrit un jour qu'un soldat allant au contact d'une

ligne ennemie hérissée d'épées ou de lances pouvait, s'il marchait au même pas que ses camarades, maintenir un meilleur équilibre et une meilleure cohésion avec sa formation, à condition que tous tiennent leur arme de la main droite et leur bouclier de la main gauche.

Cette explication fait écho à la question « Pourquoi monte-t-on sur un cheval par le côté gauche ? » Le cheval, lui, n'a pas la moindre préférence en la matière. Mais au temps jadis, lorsque les cavaliers portaient une épée accrochée à leur flanc gauche afin de pouvoir la tirer de la main droite, il leur était plus facile de monter sur leur cheval par la gauche.

Pourquoi les duels avaient-ils lieu à l'aube ? Ou est-ce une représentation erronée qui a cours dans les romans et les films ?

Désolés : c'est une idée reçue ! Des historiens nous ont assuré que les duels pouvaient avoir lieu à n'importe quelle heure. Mais il est néanmoins vrai que l'aube était le moment de prédilection des combattants.

Franchement, on se demande bien pourquoi. On peut à la limite admettre qu'il faille se lever tôt pour aller à la pêche. Mais si nous savions qu'un jour donné nous avions une chance sur deux de trouver la mort, nous voudrions au moins avoir eu une bonne nuit de sommeil, et un croissant ou deux pour le petit déjeuner.

Un historien nous a livré l'explication suivante :

Au lever du soleil, si le lieu choisi était orienté nord-sud, aucun des deux duellistes n'avait l'avantage d'avoir le soleil dans le dos. D'autre part, à cette heure, soit la police locale n'était pas encore levée, soit c'était le moment de la relève entre la garde de nuit et celle de jour. Ainsi, le fait de se battre au point du jour minimisait le risque de se faire prendre par les autorités.

Pourquoi les pirates faisaient-ils subir à leurs prisonniers ou à leurs ennemis le « supplice de la planche », au lieu de se contenter de les jeter par-dessus bord ?

De tout temps, les pirates ont enflammé l'imagination des écrivains, romanciers ou non, et il est parfois difficile de distinguer les mythes des récits collant à la réalité.

Alors on peut en effet se demander à juste titre pourquoi les pirates s'embêtaient à forcer leurs victimes à marcher sur une planche de bois posée sur un des bords du navire, les yeux bandés et les mains liées dans le dos, quand il aurait été si simple de jeter les pauvres hères par-dessus bord. De toute façon, il finissaient dans l'estomac d'un requin.

Les histoires qui mentionnent le supplice de la planche se réfèrent généralement à l'âge d'or de la piraterie, une période allant à peu près de 1690 à 1720, lors de laquelle des pirates légendaires comme Barbe-Noire, William Kidd et Stede Bonnet terrorisaient les océans. Mais les histoires de pirates existent depuis qu'il y a des bateaux. Certaines remontent même à l'Antiquité grecque et romaine.

Nous sommes heureux qu'il existe de nombreux récits de piraterie écrits aux XVIIᵉ et XVIIIᵉ siècles. Ils prétendent généralement être tirés d'expériences vécues, mais, à l'époque, il s'agissait pour beaucoup de textes de fiction – aussi faut-il les prendre avec quelques précautions. Cependant, comme certains flibustiers furent jugés et exécutés pour leurs crimes, on a conservé des minutes de procès qu'il est possible de consulter.

À dire vrai, on a peu de preuves de l'existence du supplice de la planche. On trouve des traces certaines de trois autres formes de sévices punitifs :

1. Le supplice du fouet. On battait les victimes avec le redoutable chat à neuf queues.

2. L'abandon. Les personnes coupables de graves délits (meurtre, viol, etc.) se voyaient remettre une bouteille d'eau, un pistolet et quelques munitions, et étaient abandonnées sur une île inhospitalière, parfois vêtues de leurs hardes, mais aussi parfois sans. Il ne faut pas croire qu'on les laissait sur une île romantique à la végétation luxuriante, comme celle que dépeint Robert Louis Stevenson dans *l'Île au trésor*. Apparemment non violent, l'abandon était une sentence de mort extrêmement cruelle.

3. Le plongeon. Bien que peu répandue, cette forme de punition est abondamment citée.

Certains historiens soutiennent que le supplice de la planche a existé, mais la plupart des sources affirment le contraire. Selon George Woodbury, qui écrivit en 1951 *The Great Days of Piracy in the West Indies* (« La grande époque de la piraterie aux Antilles », non traduit en français — NDT), on a largement exagéré la férocité des pirates. En effet, ils tiraient la majeure partie de leurs revenus de la prise en otage de riches armateurs. Ils avaient donc intérêt à laisser la vie à ce précieux butin. En revanche, les prisonniers pauvres étaient souvent contraints à sauter par-dessus bord.

Mais, en général, les flibustiers ne blessaient pas leurs prisonniers, et a fortiori ils ne les tuaient pas non plus, sauf si ceux-ci leur opposaient une résistance physique. Il arrivait même assez fréquemment qu'ils les recrutent et leur offrent des droits égaux aux leurs. Mais il arrivait aussi qu'ils en fassent des esclaves. Bien que la violence ait été un phénomène inhérent à leurs activités, Woodbury décrit les flibustiers comme peu sanguinaires :

> Normalement, les pirates ne sabordaient ni n'incendiaient les bateaux pour le plaisir. S'ils voulaient s'approprier un navire, ils s'en emparaient ; sinon, ils le laissaient repartir. D'ailleurs, le simple fait qu'il existe tant d'histoires de pirates prouve assez que ces derniers ne pratiquaient pas la politique qui veut que « les morts ne parlent pas », comme on le pense généralement.
>
> Seule l'atroce pratique de l'abandon semble avoir été vraiment caractéristique de la piraterie. Elle était infligée aux coupables récidivistes issus de leurs propres rangs.

Je me demande ce qu'il y a à manger ce soir...

Patrick Pringle, illustre historien ayant beaucoup écrit sur les pirates, va encore plus loin dans sa défense. Dans son livre *Jolly Roger. The Story of the Great Age of Piracy* (« Jolly Roger. L'histoire de la grande époque de la piraterie », non traduit en français — NDT), il écrit :

> Bien qu'ayant consulté des rapports officiels, des comptes rendus de jugements et de

qui ? pourquoi ? comment ? quand ? où ? qui ? pourquoi ? comme nombreux autres documents d'époque, je n'ai pas trouvé une seule mention du supplice de la planche. Je ne veux pas seulement dire que je n'ai pas trouvé de cas authentifié. Je n'ai même pas trouvé d'allusion à cette pratique. Il semble que l'expression elle-même ait été inventée bien après l'époque de la piraterie.

Pringle explique que les pirates avaient intérêt à être craints de leurs victimes potentielles. Et les équipages de marine marchande avaient peu de raisons de résister aux flibustiers : pourquoi auraient-ils risqué leur vie pour protéger les biens d'un armateur ?

Et, bien que Bonnet soit l'un des pirates célèbres à qui l'on attribua le supplice de la planche, Pringle écarte cette opinion :

> La trajectoire de Bonnet est encore mieux documentée que celle de Barbe-Noire, car on a le compte rendu intégral de son procès. Le volume des preuves à charge était considérable. Mais aucun des témoins ne l'accusa d'avoir maltraité des prisonniers. Il s'agit apparemment d'un mythe de plus.

Mais alors, d'où vient ce mythe ? D'une part, sans doute, des récits écrits aux XVIIIe et XIXe siècles.

Mais un autre expert ès pirates nous a dit à ce sujet que s'il n'y avait aucun doute sur le fait qu'ils jetaient parfois les gens – surtout leurs ennemis – par-dessus bord. Il n'en est pas moins sûr qu'Hollywood a beaucoup fait pour répandre l'idée que le supplice de la planche était une tradition dans la flibuste.

Sans doute la version la plus célèbre de ce mythe est-elle la scène de *Peter Pan* dans laquelle l'affreux capitaine Crochet force Wendy à marcher sur la planche. Heureusement pour elle, Peter Pan est justement caché dessous, heureux de pouvoir l'arracher à son sort et de s'envoler avec elle, tandis que Crochet en reste les bras ballants.

Les pirates n'étaient sans doute pas les brutes que l'on en a fait couramment, mais il leur manque indéniablement un lobby pour améliorer leur image de marque...

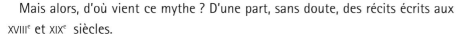

Pourquoi les pirates aimaient-ils les perroquets ?

L'image que nous avons du perroquet perché sur l'épaule d'un pirate qui arbore bandeau sur l'œil et jambe de bois vient sans doute des dessins animés, mais l'inspiration d'origine remonte vraisemblablement à *l'Île au trésor,* de Robert Louis Stevenson, où le volatile adoré du cuisinier Long John Silver répète sans cesse « Pièces de huit ! » et devient l'oiseau de garde des pirates après la prise du fort des chasseurs de trésor.

Stevenson reconnaissait qu'il avait emprunté l'idée du perroquet au *Robinson Crusoé* de Daniel Defoe.

Mais les flibustiers en chair et en os emmenaient-ils vraiment des perroquets sur leurs navires ? Apparemment, oui. Comme de nombreux marins, ils avaient des perroquets et d'autres animaux à bord.

Un spécialiste de la piraterie nous a écrit ceci :

> Il était fréquent que les marins qui avaient navigué sous les tropiques ramènent des oiseaux et d'autres animaux comme souvenirs de leur périple. Les perroquets étaient particulièrement appréciés pour leur plumage coloré et leur faculté à apprendre à parler ; de surcroît, à bord, ils étaient plus faciles à surveiller que des singes ou d'autres bêtes sauvages.

Vous allez peut-être nous trouver cyniques, mais il nous semble que les pirates n'étaient pas les êtres les plus sentimentaux qui soient. Il est possible que des perroquets aient été emmenés à bord comme animaux de compagnie ou comme mascottes, mais n'y aurait-il pas derrière cela d'autres raisons un peu moins émouvantes ? L'écrivain et corsaire William Dampier (les corsaires étaient des pirates appointés par un pays pour réquisitionner les bateaux naviguant sous drapeau étranger) écrit, par exemple, dans son *Voyage autour du monde*, que son équipage mangeait de la viande de perroquet et d'autres volatiles lorsqu'ils croisaient au large du Venezuela.

Nous pensons que l'intérêt pour ces oiseaux était plutôt d'ordre financier. Et, en effet, certains documents indiquent que des pirates faisaient don de perroquets à des fonctionnaires haut placés (visiblement une forme originale du pot-de-vin).

Mais il existait également des personnes prêtes à payer cher pour un perroquet ou un cacatoès. De plus, les pirates disposaient d'un lieu tout indiqué pour vendre leur butin. En effet, au XVIIIe siècle, les oiseaux exotiques du Nouveau Monde attiraient les gens riches et ceux qui souhaitaient afficher leur statut social dans des marchés aux oiseaux de Londres et de Paris. D'ailleurs, le marché aux oiseaux qui se tient le dimanche sur l'île de la Cité, à Paris, descend en droite ligne de celui qui se fournissait auprès des flibustiers.

Les pirates ont sans doute admiré le plumage des perroquets, ri de leurs talents d'imitateurs et apprécié la saveur de leur chair, mais les ont-ils aimés ? Selon nous, seul l'or pouvait acheter l'amour d'un pirate...

Pourquoi les pirates portaient-ils des boucles d'oreilles ?

Un tableau de Howard Pyle représente le fameux capitaine Kidd arborant un anneau à l'oreille. Dans les films, les pirates portent également des boucles d'oreilles. Mais les vrais pirates en portaient-ils aussi ? Manifestement, oui. Un de nos spécialistes de la piraterie nous écrit :

> Tandis qu'avec des anneaux Hollywood essayait de donner aux premiers rôles masculins un air suave et exotique, les vrais pirates se perçaient les oreilles pour des raisons plus terre à terre. En effet, on croyait que porter dans les oreilles du métal précieux, or ou argent, améliorait la vue. Il est d'ailleurs à noter que la plupart des marins se livraient à cette pratique.
>
> Alors qu'il y a encore quelques décennies cette histoire de meilleure vue passait pour une croyance de grand-mère, la pratique de l'acupuncture en Occident la rend plus plausible, car il y a sur le lobe de l'oreille des points d'acupuncture utilisés contre différentes maladies oculaires. Il est tout à fait possible que l'idée de se percer les oreilles soit parvenue en Occident par le biais des routes de commerce avec l'Orient.

Nous avons sollicité différents acupuncteurs afin de leur demander s'ils voient un lien entre les oreilles percées et une bonne vue, et si leurs confrères des temps passés pouvaient y avoir cru. L'un des praticiens nous a fortement surpris. Nous lui avons posé la question sur la relation œil-oreille, et avant même que nous n'ayons pu aborder le sujet, il parla lui-même des pirates : « On dit que certaines personnes ont acquis une meilleure vision avec les oreilles percées. D'ailleurs, lorsque j'étudiais l'acupuncture, c'est la raison pour laquelle nous avons évoqué les pirates. »

Notre interlocuteur nous a expliqué qu'en acupuncture l'oreille est considérée comme étant reliée aux problèmes oculaires en général, et aux problèmes de vision en particulier. Or, il existe un point d'acupuncture lié à la vision situé au sein de la zone dans laquelle on pratique le trou pour les boucles d'oreilles. Cependant, notre acupuncteur doute qu'il soit possible d'obtenir une amélioration durable de la vision en se perçant les oreilles :

> Même si l'oreille avait été percée par hasard au bon endroit, le bénéfice ne pouvait durer longtemps, car une fois l'oreille percée, il se forme autour de l'orifice un tissu cicatriciel qui empêche tout effet durable.

D'autres acupuncteurs ont corroboré cet avis. L'un d'eux nous a expliqué que l'acupuncture de l'oreille pouvait être efficace contre la myopie et la conjonctivite, mais qu'il doutait qu'une oreille percée puisse être utile à long terme. Une autre acupunctrice a même entendu dire que cela pouvait nuire :

> Il semblerait que cela puisse agir en bien comme en mal. En perçant une oreille, on peut endommager la zone, et par conséquent nuire à la bonne vision de la personne. Mais il me semble que les textes anciens, notamment les chinois, parlent plutôt d'une stimulation de l'acuité visuelle.

Nous lui avons demandé si elle utilisait les points situés sur les oreilles de ses patients pour traiter d'éventuels problèmes de vue. « Bien sûr, nous a-t-elle répondu, mais, à mon sens, il existe des points plus efficaces, situés notamment sur le visage et le pied. »

Peut-être les pirates se faisaient-ils aussi des trous dans le visage et les pieds ?

qui ? pourquoi ? comment ? quand ? où ? qui ? pourquoi ? commer

Pourquoi, dans les films, fait-on bouillir de l'eau lors d'un accouchement à la maison ?

Étant donné l'énergie avec laquelle les personnages donnent l'ordre de faire bouillir de l'eau dès qu'il apparaît évident que la femme va accoucher chez elle, nous avons finement supposé qu'il ne s'agissait pas de faire du thé. Mais les films ne montrent jamais l'usage qui en est fait.

La plupart des médecins que nous avons consultés sont d'accord avec l'avis ci-dessous :

> L'eau bouillie est censée servir à entourer la parturiente d'un environnement aussi stérile que possible, même si à la maison la stérilité est un vœu pieux. En outre, il est bon d'avoir de l'eau chaude pour laver le nouveau-né et la mère après la naissance.

Certes, il ne nuit pas de stériliser les ustensiles en contact avec la femme et l'enfant : ciseaux, ficelle (pour pincer le cordon ombilical), seringues, pinces utilisées pour saisir les autres instruments, et tous les objets quotidiens réquisitionnés pour servir à des fins médicales. D'ailleurs, cette pratique n'est pas réservée aux accouchements surprises. Depuis toujours, les sages-femmes font bouillir de l'eau pour les accouchements prévus à la maison. En général, elles font bouillir leurs instruments pendant une demi-heure avant de les disposer sur un plateau et de les recouvrir.

Mais il ne nuit pas non plus de faire bouillir les linges qui seront utilisés pour la toilette des deux héros du jour – qu'il s'agisse de gants de toilette préparés à cet effet ou de draps déchirés à la va-vite. Enfin... cela ne nuit pas à condition qu'on attende qu'ils aient suffisamment refroidi pour les utiliser !

Pourquoi associe-t-on la couleur bleue aux petits garçons et le rose aux petites filles ?

L'utilisation de couleurs a sans doute servi à l'identification du sexe de ces petits êtres qui ont une fâcheuse tendance à avoir tous, plus ou moins, la même tête.

Mais pourquoi avoir choisi le bleu pour les garçons ? Autrefois, on croyait dur comme fer que de mauvais esprits traînaient autour des pouponnières, et que certaines couleurs avaient le pouvoir de combattre le mal. Le bleu était considéré comme la couleur la plus protectrice, peut-être en raison de sa ressemblance avec le ciel et, partant, avec les esprits célestes. Or, à l'époque, les garçons étaient considérés comme la meilleure ressource naturelle pour les parents, aussi le fait de les vêtir de bleu était-il une sorte d'assurance bon marché.

Apparemment, les mauvais esprits ne risquaient pas de harceler les petites filles. Pendant des siècles, non seulement celles-ci n'ont pas porté de vêtements bleus, mais aucune couleur particulière ne leur a été attribuée. Ce n'est qu'assez récemment que le rose est devenu leur marque de fabrique, en raison de la légende selon laquelle elles naissaient dans des roses.

Pourquoi le marié porte-t-il son épouse pour lui faire franchir le seuil de leur habitation ?

En fait, cette coutume superstitieuse remonte aux Romains, qui croyaient que des esprits logeaient au seuil des maisons. Ils croyaient également que les bons et les mauvais esprits s'y combattaient et qu'entrer dans une maison du pied gauche portait malheur, tandis que, si l'on y entrait du pied droit, les bons esprits auraient le dessus.

Mais dans ce cas, pourquoi les jeunes mariés ne se contentent-ils pas de faire attention à poser le pied droit en premier en arrivant chez eux ?

Eh bien, c'est que les Romains étaient quelque peu sexistes : ils pensaient que les femmes, ces êtres si émotifs, n'est-ce pas, risquaient de ne pas faire assez attention. En portant son épouse pour lui faire franchir le seuil, le marié s'assurait la protection des bons esprits.

Pourquoi les commissaires-priseurs ont-ils un débit si particulier ?

Les ventes aux enchères remontent à l'Antiquité. On y vend toutes sortes de marchandises – et on y a même parfois vendu des êtres humains ! Selon un spécialiste du sujet :

... la manière dont les commissaires-priseurs parlent répond à la nécessité d'intéresser le public, sans le lasser par un débit ennuyeux.

La technique des commissaires-priseurs n'a pas beaucoup changé depuis les origines :

Typiquement, un commissaire-priseur décrit les objets proposés à la vente, annonce leur prix de départ, accuse réception de chaque enchère et tente de faire monter les offres le plus haut possible. De la voix, il encourage la compétition entre les acheteurs afin d'assurer au vendeur un prix aussi élevé que possible.

Si la façon de parler du commissaire-priseur semble parfois étrange aux non-initiés, elle est en fait un des éléments essentiels de sa stratégie. Il doit tenter de vendre le maximum d'objets en un minimum de temps, non seulement pour obtenir le plus grand nombre de ventes, mais aussi pour éviter que les personnes qui ne s'intéressent pas à la vente en cours ne quittent la salle avant d'avoir assisté à celle pour laquelle ils sont venus.

Pour être efficace, le rythme est aussi important que la vitesse du débit. Un commissaire-priseur adapte la vitesse de son discours au public selon que celui-ci est plus ou moins coutumier des enchères, et il énonce les prix de telle sorte qu'ils soient faciles à comprendre.

Selon leur habitude, les commissaires-priseurs choisissent un rythme plus ou moins rapide, mais ce sont souvent les circonstances qui dictent le style de leur débit. Si une personne mettant en vente chez Christie's un Monet de plusieurs millions d'euros n'a pas intérêt à ce que l'affaire soit menée tambour battant, les marchands de tabac en gros, par exemple, privilégient un rythme assez soutenu.

L'objectif d'une vente aux enchères est de vendre des objets à un rythme à la fois rapide et régulier. Contrairement à d'autres types de ventes, les enchères sont un événement unique qui réunit au même moment tous les acheteurs potentiels. Ainsi, le commissaire-priseur doit vendre l'ensemble des objets en quelques heures, et sa maîtrise de la technique de la criée influe sur la vente. Le temps leur étant compté, les commissaires-priseurs adoptent souvent un rythme rapide.

Au cours d'une vente ordinaire d'objets ménagers, il peut se vendre 60 objets par heure. Certaines ventes sont même encore plus rapides : lors de ventes en gros, un commissaire-priseur peut adjuger entre 125 et 175 voitures, ou des centaines de lots de tabac par heure.

Naturellement, il est assez difficile pour un non-initié de comprendre ce qui se passe lors d'une vente de tabac. Il arrive que les commissaires-priseurs pimentent leur discours en les émaillant d'expressions ou de termes que seuls les spécialistes peuvent comprendre.

Ce que dit un commissaire-priseur lors d'une vente aux enchères correspond au schéma suivant : *100 pour monsieur, 200 à madame, 200... Est-ce que quelqu'un surenchérit ? 300 à monsieur, 300 une fois, 300 deux fois, trois fois, adjugé ! Vendu à monsieur.* « Est-ce que quelqu'un surenchérit ? » n'est pas nécessaire, mais sert à « chauffer la salle », comme on dit dans le jargon. Si le public réagit très rapidement, les phrases laissent la place aux seuls chiffres : « 100, 200, 300, 400... ».

Seule la formule « une fois, deux fois, trois fois, adjugé. Vendu à... » est obligatoire et clôt toutes les ventes.

Pourquoi les assiettes sont-elles rondes ?

Une spécialiste de la question nous a envoyé une lettre passionnante dans laquelle elle retraçait l'histoire de l'assiette. Voici quelques-uns des meilleurs passages :

On suppose en général qu'avant l'avènement de la poterie on utilisait des objets de vannerie. La plupart des paniers étaient ronds, pour des raisons de facilité de fabrication. Les hommes — ou plutôt les femmes — préhistoriques renforçaient leurs récipients de vannerie en enduisant d'argile leur face externe. Il se peut que la poterie soit née un jour où un tel objet a pris feu.

On a en effet trouvé des poteries cuites datant de 15000 à 10000 av. J.-C. dans la grotte de Gamble's Cave, au Kenya, et elles présentaient des empreintes de vannerie.

L'autre façon de fabriquer des poteries à la main était la technique dite du colombin : on roule des cylindres de terre avant de les superposer pour élaborer la pièce voulue. Avec cette méthode, il est également assez naturel d'élaborer des formes circulaires.

L'invention du tour de potier, sans doute la toute première machine de l'humanité, marqua le début de la mécanisation de la poterie. La plus ancienne trace d'un tour remonte à 5000 av. J.-C., et a été trouvée dans la cité mésopotamienne de Worka. On a trouvé des restes de tour datant d'environ 3000 av. J.-C. en Inde, ainsi que dans des vestiges de la civilisation maya.

Depuis environ 5000 av. J.-C., les assiettes étaient donc généralement de forme ronde car elles étaient fabriquées sur un tour.

Si l'on veut façonner d'autres formes, il est nécessaire d'utiliser un moule, ce qui revient plus cher. Le moulage à l'argile liquide, utilisé en Palestine dès l'Antiquité, ne l'a été en Europe qu'à partir de 1730.

Il existait également des cultures dans lesquelles on fabriquait des assiettes en bois. Si les arbres étaient de section carrée, sans doute aurait-on fait des assiettes avec des angles...

Aujourd'hui encore, la fabrication d'assiettes rondes présente des avantages puisque les pièces carrées ou ovales doivent être moulées. Ce procédé est non seulement plus cher, mais également plus long, et demande davantage de main-d'œuvre.

Et puis les assiettes rondes sont plus solides que les autres. Les coins des plats rectangulaires sont particulièrement sujets aux chocs et sont vite ébréchés.

Dans les années 1930 et 1940, les assiettes rectangulaires furent un temps à la mode, mais cela passa rapidement. Depuis, les formes autres que rondes sont plus populaires en Europe qu'en Amérique du Nord, mais les fabricants de porcelaine essaient sans relâche de proposer aux clients (pourtant tout à fait satisfaits des assiettes rondes) de la vaisselle en forme de poisson pour le poisson, ovale pour les steaks, octogonale pour les esthètes, etc. Néanmoins, l'assiette ronde a encore de beaux jours devant elle !

pourquoi ? comment ? quand ? où ? qui ? pourquoi ? comment ?

Pourquoi les Chinois mangent-ils avec des baguettes ?

De l'avis général, comme les Chinois considèrent qu'un bon cuisinier se doit de découper la viande et les légumes en morceaux de la taille d'une bouchée, les baguettes auraient été inventées pour se saisir de ces petits morceaux ainsi que du riz. De plus, d'autres éléments laissent supposer que ce ne sont pas des raisons esthétiques, mais bien pratiques, qui ont amené l'usage des baguettes.

Ces couverts particuliers sont apparus durant la dynastie Chou, probablement un siècle environ avant la naissance de Jésus-Christ. Jusqu'alors, on ne faisait pas sauter les aliments. À cette époque, la Chine connut une importante pénurie de bois, car on déforestait beaucoup pour rendre les terres arables afin de nourrir une population en plein essor.

Faire sauter les aliments était la méthode la plus économe en combustible. Comme ils étaient prédécoupés, la viande et les légumes cuisaient beaucoup plus rapidement.

À l'époque, posséder une table était un luxe, notamment en raison du manque de bois. Il fallut donc trouver un ustensile permettant de manger d'une seule main, puisque l'autre était occupée à tenir le bol. De plus, la plupart des plats chinois contenant de la sauce, les baguettes permettaient de saisir les aliments sans s'en mettre plein les doigts.

D'accord, mais alors comment expliquer que c'est au moment d'une pénurie de bois que les Chinois commencèrent à utiliser les baguettes ? Tout simplement parce qu'elles n'étaient généralement pas en bois, mais en os ou en ivoire.

Pourquoi l'expression « par avion » est-elle utilisée dans des pays non francophones ? Le français est-il la langue internationale du courrier ?

Nous savions que le français était la langue de l'amour, mais nous ignorions que c'était aussi celle de la poste. En voici la raison :

Pratiquement tous les pays du monde sont membres de l'Union postale universelle (ou UPU), qui est basée à Berne, en Suisse, et a pour mission d'organiser les services postaux internationaux. La langue officielle de l'UPU est le français, et c'est pourquoi « par avion », qui date d'avant la Seconde Guerre mondiale, est l'expression consacrée dans de nombreux pays.

Que signifient les signaux sonores que l'on entend dans les avions en vol ? Sont-ils identiques pour toutes les compagnies aériennes ?

Nous avons beau ne pas être des amateurs de sensations fortes en avion, nous n'apprécions pas outre mesure d'être assis à côté de personnes terrorisées.

Qu'avons-nous fait pour mériter d'avoir toujours pour voisin quelqu'un qui vole pour la première fois de sa vie ? Qui se met à trembler dès qu'on entend le train d'atterrissage sortir ? Et réagit aux signaux sonores comme s'ils sonnaient le glas ? Un jour, alors que retentissait un signal sur trois notes, une voisine particulièrement nerveuse a renversé son café sur mon pantalon. Elle croyait que cela signifiait que nous allions nous écraser…

Mais trêve d'anecdotes. Nous nous sommes toujours demandé ce que signifiaient ces codes sonores et avons donc contacté différentes compagnies aériennes. Nous avons été surpris de les voir répondre volontiers à nos questions. Néanmoins, nous allons faire de la rétention d'informations, et ce pour deux raisons.

La première est que les signaux sonores diffèrent d'une compagnie aérienne à l'autre, et même d'un avion à l'autre, et que ceux du futur ne seront pas les mêmes qu'aujourd'hui. La seconde est que toutes les compagnies possèdent un code d'urgence, et qu'elles ne souhaitent pas particulièrement qu'en cas d'utilisation celui-ci soit compris par les passagers avant que les pilotes et le personnel d'accompagnement n'aient pu communiquer entre eux. De plus, les compagnies se sont inquiétées de la confusion des lecteurs entre signaux d'urgence et signaux de routine, ou entre les codes de différentes compagnies.

Un pilote expérimenté nous a dit qu'il n'avait encore jamais eu l'occasion d'utiliser le signal de détresse : il sonne juste pour appeler le personnel d'accompagnement dans le cockpit. Et, même lorsque les passagers subissent de désagréables turbulences, les signaux envoyés du cockpit à la cabine servent presque toujours à demander un café, et non à préparer des mesures de sécurité d'urgence.

Le nombre de notes des signaux n'est pas la seule façon de les différencier. Les sons peuvent aussi avoir différentes tonalités pour exprimer différents messages. Voilà. Au moins, nous avons répondu à la seconde question !

Pourquoi s'embrasse-t-on sous le gui ?

Plante médicinale mais toxique, le gui était autrefois considéré comme sacré par les druides. Outre des propriétés curatives, ils lui attribuaient la faculté de protéger des mauvais esprits et des envoûtements. Les druides récoltaient le gui au moment du solstice d'hiver, quelques jours avant nos fêtes de Noël. Lors de cérémonies solennelles, ils le coupaient à l'aide de faucilles d'or réservées à cet effet.

Dans la religion druidique, le gui était si sacré qu'il ne fallait pas qu'il touche le sol. C'est peut-être la raison pour laquelle, jusqu'à aujourd'hui, on en suspend les branches au-dessus des portes. Selon les druides, cette coutume servait non seulement à protéger la santé de tous ceux qui passaient sous la porte, mais aussi à favoriser l'amour et la fertilité. Quand un garçon embrassait une fille sous le gui et lui faisait présent d'un des fruits blancs de la plante, cela signifiait qu'ils se marieraient dans l'année.

Ironie du sort, le gui qui, aujourd'hui, est associé à Noël (et au nouvel an) a été menacé par les premiers Celtes chrétiens qui, honteux de leur passé païen, firent leur possible pour éradiquer les coutumes druidiques. Mais celle-ci a tenu bon. Et si, aujourd'hui, s'embrasser sous le gui ne veut plus dire qu'on se mariera dans l'année, nous pouvons en tout cas nous féliciter d'avoir gardé la partie la plus agréable du rituel !

Pourquoi la date de Pâques varie-t-elle d'année en année ?

Nous ne savons pas exactement quand est né Jésus mais, au moins, nous savons quand ont lieu les fêtes de Noël. La date de Pâques, elle, varie d'un an sur l'autre, car elle se fonde sur le calendrier lunaire.

Au début, les chrétiens célébraient cette fête le jour de la Pâque juive (Pessah), mais, désireux de se distinguer des juifs, le concile de Nicée mit fin à cette concordance en 325. Ce concile adopta des lois plutôt compliquées : la fête de Pâques serait désormais célébrée le premier dimanche qui suivrait soit la pleine lune de printemps, soit l'équinoxe de printemps (le 21 mars).

Il est intéressant de noter que, bien avant que l'on ne célèbre la résurrection de Jésus, pratiquement toutes les sociétés occidentales fêtaient la renaissance de la nature au début du printemps.

Pourquoi le vendredi saint est-il nommé ainsi alors qu'il s'agit du jour de la crucifixion de Jésus ?

La personne qui nous a soumis cette question se demande si l'épithète « saint » est utilisé ici de façon ironique.

L'un des spécialistes de la Bible que nous avons consultés à ce sujet nous a répondu que cela était en effet possible. Néanmoins, il penchait plutôt pour une autre explication, selon laquelle « saint » exprimerait la foi chrétienne :

> « Saint » peut venir de l'idée que, pour les chrétiens, ce suprême sacrifice qu'est la crucifixion du Christ a servi à racheter l'humanité. Cela peut sembler paradoxal. Mais traditionnellement, les théologiens considèrent ce concept comme un « mystère » : sans vendredi saint, pas de Pâques.

Pour les non-chrétiens, il est difficile de comprendre comment le jour anniversaire du martyre de Jésus peut être un jour de fête plutôt qu'un jour de deuil. Dans une perspective religieuse, il est fréquent que des tragédies soient appréhendées à travers le prisme de la rédemption qu'elles entraînent.

> Le vendredi saint est dit « saint » parce que c'est ce jour-là que les chrétiens célèbrent le rachat de leurs péchés par la mort du Christ. C'est certes un événement solennel mais, vu à travers la perspective de la résurrection, il n'est pas de nature triste. Pour les chrétiens, l'œuvre du Christ est d'avoir vaincu la mort et le péché.

Pourquoi les Écossais portent-ils des kilts ?
Et pourquoi les hommes des régions environnantes n'en font-ils pas autant ?

On a écrit des livres entiers sur l'histoire du kilt, ce qui fait que la première question n'est pas un sujet typique d'*Inimaginable*. Mais nous allons néanmoins vous en exposer un historique succinct.

Bien qu'aujourd'hui les Écossais ne portent généralement le kilt qu'à l'occasion de parades ou d'événements solennels, la popularité initiale de ce vêtement se fonde sur des raisons plus pratiques qu'esthétiques. Si les kilts d'aujourd'hui ressemblent à une jupe, ils couvraient autrefois les cuisses, les hanches mais également le torse. En fait, il s'agissait à l'origine d'une grande pièce d'étoffe que l'on s'enroulait plusieurs fois autour du corps, et dont on faisait passer une extrémité par-dessus l'épaule. Il pouvait servir de drap, de sac de couchage, de cape, etc.

La longévité du kilt est sans doute due à la géographie particulière des Highlands d'Écosse. Cette région montagneuse et humide est traversée d'innombrables cours d'eau. Quiconque la parcourt vêtu d'un pantalon et de chaussures se retrouve rapidement trempé. En revanche, un homme qui porte un kilt n'a pas besoin de retrousser sans cesse les jambes de son pantalon. En changeant l'ordonnancement de son vêtement, il peut de plus se protéger du froid et du vent. Le kilt permettait aux bergers de quitter leur domicile pour plusieurs mois sans avoir besoin d'emporter de vêtements de rechange.

Fabriqué avec des matières que l'on trouve facilement dans les Highlands (la laine provenait des moutons omniprésents, et les teintures étaient issues de plantes poussant sur place), le kilt était accessible à tous les habitants de la région, même aux plus pauvres. D'ailleurs, ces personnes démunies, qui passaient le plus clair de leur temps à l'extérieur, portaient en majorité ce vêtement. Les plus aisés pouvaient, eux, passer un pantalon une fois chez eux.

Nous avons longuement discuté avec un membre de la Scottish Tartan Society (Société écossaise du tartan) qui a écrit plusieurs ouvrages sur l'Écosse. Il nous a appris qu'autrefois on portait le kilt – ou un équivalent – en de nombreux endroits d'Europe. Le kilt écossais n'est d'ailleurs pas très éloigné de la toge, costume des Romains de l'Antiquité.

D'après notre interlocuteur, il est probable que, dans les autres pays, l'habitude de monter à cheval ait fait disparaître les « jupes pour hommes » des usages vestimentaires. Pour des raisons anatomiques qu'il n'est pas nécessaire de préciser ici, kilt et équitation font en effet assez mauvais ménage...

Au fil du temps, le kilt, de même que le tartan, est devenu un symbole de la fierté écossaise. Tandis qu'aux XIXe et XXe siècles, les Écossais avaient de moins en moins de raisons pratiques de le porter, sa signification devint de plus en plus importante pour démontrer l'indépendance identitaire de l'Écosse par rapport à l'Angleterre.

Nous en voulons pour preuve le fait qu'aujourd'hui les Écossais du Sud portent le kilt en certaines occasions, alors que jusqu'au XVIIIe siècle il ne faisait pas partie de leur costume traditionnel.

Pourquoi appelle-t-on aussi la Hollande les Pays-Bas ? Et pourquoi ses habitants sont-ils les Néerlandais ?

Nous pensions que le nom officiel du pays était Pays-Bas, et que l'on utilisait Hollande pour simplifier la tâche des cartographes qui devaient faire rentrer le nom dans un tout petit espace. En fait, le nom officiel du pays est royaume des Pays-Bas (Koninkrijk der Nederlanden), mais on dit plus souvent Pays-Bas (Nederland).

L'emploi du qualificatif « bas » vient de ce qu'un quart environ des terres de ce pays, situées autour de l'estuaire du Rhin, se trouvent en dessous du niveau de la mer.

Très bien, mais à quoi correspond le nom Hollande, nous direz-vous ? En fait, c'est le nom d'une province néerlandaise. Aux XVIe, XVIIe et XVIIIe siècles, c'était la province la plus importante du point de vue commercial, et les Hollandais étaient plus attachés à leur région qu'au pays tout entier. Cette province finit par devenir tellement dominante que, de même qu'on a pu appeler Russie l'Union soviétique, son nom fut utilisé pour représenter l'ensemble des Pays-Bas.

Quant au terme Néerlandais, il vient de Néerlande, qui est l'ancienne forme française de Nederland.

Non seulement la confusion règne autour du nom du pays des Néerlandais, mais également à propos de celui de leur capitale. En effet, si Amsterdam est la capitale officielle, c'est à La Haye que siège le gouvernement. Le nom officiel de La Haye est 's-Gravenhage, qui signifie « la haie du comte ». Mais personne n'utilise jamais ce nom, lui préférant la dénomination familière de Den Haag (« la haie » en français).

Notre avis : pour un pays aussi petit, les Pays-Bas ont un nombre impressionnant de problèmes identitaires !

Pourquoi les gondoles sont-elles noires ?

Dommage, nous avons manqué l'occasion de faire un voyage à Venise pour étudier la question sur place, car nous sommes tombés sur la réponse avant même d'avoir acheté nos billets.

L'origine de ces bateaux ainsi que de leur nom (*gondola* en italien) est obscure. On suppose que les gondoles existent depuis le XIe siècle. Autrefois, elles étaient peintes de différentes couleurs. Mais, en 1562, une loi fut votée pour imposer le noir à toutes les gondoles, afin de limiter la somptuosité des ornements dont usaient les riches Vénitiens pour décorer leurs embarcations. En effet, à cette époque, l'Église catholique pesait de tout son poids sur le pouvoir séculier afin de bannir le luxe ostentatoire des costumes et de la décoration.

Néanmoins, les gondoles ont conservé un certain éclat typiquement italien. En effet, elles arborent une figure de proue rutilante (appelée *fero da prova* en vénitien), qui contraste avec leur couleur sombre.

Pourquoi l'Oktoberfest, la fête de la bière, commence-t-elle toujours en septembre ?

Pour nous, la fête de la bière, ou Oktoberfest, n'est qu'un prétexte pour boire beaucoup trop. Mais, même si c'est un événement assez profane, au moins pourrait-il avoir le bon goût de se tenir pendant le mois qui lui donne son nom : en octobre (en allemand oktober).

La première Oktoberfest a eu lieu à Munich en 1810, un 17 octobre. Cet événement n'était pas organisé pour célébrer les divinités du houblon fermenté, mais le mariage du Kronprinz Louis de Bavière (le futur roi Louis Ier) avec la princesse Thérèse von Sachsen-Hildburghausen. Le prince invita les habitants de Munich à l'événement ; il y eut une grande fête dans les prés situés devant les portes de la ville ; cela dura toute la journée et culmina en une course de chevaux à laquelle assistèrent 40 000 spectateurs.

Les festivités connurent un tel succès que la course de chevaux fut reconduite l'année suivante, et c'est ainsi que débuta l'histoire de la fameuse kermesse. En 1811, une foire agricole s'y greffa, et on y ouvrit différents stands. Puis peu à peu apparurent toutes sortes de distractions : manèges, balançoires, etc. Mais ce sont les buvettes à bière qui connurent le plus grand succès.

Lors du 25e anniversaire du mariage de Louis de Bavière, en 1835, une grande et splendide fête de commémoration attira un public venu de loin. Mais sans doute l'événement qui assit définitivement le succès de la kermesse fut-il, en 1896, le remplacement des buvettes par les fameuses tentes à bière.

Aujourd'hui, l'Oktoberfest de Munich est la plus grande fête populaire du monde. Le nombre de visiteurs est estimé à 7 millions chaque année, et il s'y consomme 5 millions de litres de bière. De par le monde, plus de 3 000 Oktoberfest imitent l'originale, la principale étant celle de Cincinnati, dans l'Ohio.

Mais pourquoi une fête d'octobre commence-t-elle en septembre ? Nous pensons que cela vient des conditions météo bavaroises, qui en octobre sont moins agréables qu'en septembre. Étant donné que la fête de la bière a toujours lieu aux Theresienwiesen (les « prés de Thérèse », ainsi nommés en hommage à la princesse von Sachsen-Hildburghausen), les organisateurs ne veulent pas que le mauvais temps et l'humidité refroidissent l'enthousiasme des fêtards. C'est pourquoi, aujourd'hui, l'Oktoberfest a lieu à Munich entre fin septembre et début

Pourquoi les couteaux de table ont-ils une pointe arrondie ?

Étant donné qu'un couteau est fait pour couper, pourquoi certains ont-ils une pointe arrondie, rendant nécessaires les couteaux à viande lorsque les choses se corsent ?

En réalité, les couteaux ont été pointus jusqu'au XVIIIe siècle, moment où le cardinal de Richelieu modifia les habitudes. Ce mangeur raffiné protesta en effet un jour contre un convive qui se servait de la pointe de son couteau comme d'un cure-dent. Le lendemain, il demanda à son intendant d'arrondir les pointes de tous ses couteaux. La France entière, puis l'ensemble du monde occidental, copièrent cette nouvelle mode.

octobre. En revanche, les Oktoberfest du monde entier s'étalent, selon les latitudes, entre le mois d'août et la fin octobre.

Où est l'Ancienne-Zélande ?

À la lecture de cette question, nous avons été pris d'un véritable fou rire. Puis nous avons eu une idée brillante. Nous avons cherché Zélande dans le dictionnaire et avons trouvé ceci : « La plus grande île danoise, située entre le Jutland et la Suède. »

Le premier Européen à avoir débarqué en Nouvelle-Zélande était un Néerlandais nommé Abel Tasman. Mais nous avons beau savoir que tous les explorateurs ont fait de fameuses erreurs, là, c'était un peu beaucoup. Le Néerlandais Tasman pouvait-il vraiment avoir donné à son île un nom danois ? Était-ce un traître ?

Pas tout à fait. En réalité, Tasman travaillait pour la puissante Compagnie néerlandaise des Indes orientales, qui avait pour mission de trouver de nouveaux partenaires commerciaux pour échanger de l'or et de l'argent contre des étoffes et du fer néerlandais (on comprend aisément la raison de leur succès !).

Des explorateurs néerlandais avaient déjà mis un pied en Australie, qu'ils avaient appelée Nouvelle-Hollande. Mais ils ne s'étaient pas rendu compte que c'était une île, et croyaient que cette Nouvelle-Hollande descendait jusqu'en Antarctique. Abel Tasman ne trouva pas le continent escompté, mais lui et ses hommes furent les premiers Européens à découvrir plusieurs îles des environs. Tasman donna à la première le nom de son gouverneur général, Van Diemen ; plus tard, elle fut rebaptisée Tasmanie (pour des raisons évidentes).

Alors qu'il naviguait à l'est de cette île, Tasman tomba sur une immense terre qui, à sa grande consternation, était peuplée de tribus maories qui n'appréciaient pas particulièrement l'intrusion des Européens. Les Maoris s'approchèrent des navires dans leurs canoës, criant et soufflant dans leurs trompettes de guerre. Croyant qu'ils avaient affaire au comité d'accueil, les Néerlandais firent à leur tour sonner leurs trompettes ! Mais voyant que les indigènes commençaient à les tuer, les hommes de Tasman finirent par comprendre qu'ils ne pourraient pas explorer cette terre.

Dans son journal de bord, Tasman nota qu'il avait nommé sa découverte Staten Landt. Il pensait que cette région faisait partie d'un grand continent s'étendant du Pacifique Sud jusqu'en Amérique latine. C'est pour ça qu'il l'avait nommée d'après Stateneiland, une île située au large de la pointe sud de l'Argentine.

L'année qui suivit, un autre Néerlandais découvrit que Staten était en fait une île, et non une partie de l'Amérique latine, et qu'il convenait donc de la renommer. Il lui donna pour nom Zeeland (« pays de mer »), et ce, non d'après le nom de l'île danoise, mais de celui d'une province néerlandaise.

Pourquoi le drapeau japonais comporte-t-il parfois des rayons rouges émanant du disque central ?

Un drapeau est un symbole auquel sont rattachés de fortes émotions, des rêves et des craintes qui dépassent de beaucoup la signification d'un simple morceau de tissu coloré. On peut apprendre beaucoup sur un pays selon son attitude envers son drapeau. Prenons pour exemple le Japon.

Vous connaissez sans doute le drapeau japonais, l'*Hinomaru* (« disque solaire »), qui daterait de l'époque de l'empereur Monbu, au début du VIIIe siècle. Un bibliothécaire nous a raconté que, selon la légende, c'est un prêtre du nom de Nichiren qui présenta au shogun l'étendard au soleil levant, à l'époque des invasions mongoles (lancées par Kubilay Khan), à la fin du XIIIe siècle.

Au cours des XVe et XVIe siècles, où différents clans et dignitaires militaires rivalisaient pour contrôler le Japon, l'*Hinomaru* servit d'insigne militaire (avec différentes couleurs selon les factions, mais le soleil rouge sur fond blanc comme constante).

Il y a presque 300 ans, le Japon s'isola de l'Occident, mais, en 1853, les milices de deux seigneurs féodaux tuèrent des marins appartenant à la marine royale anglaise. Or l'un des clans se battait sous l'*Hinomaru*, et les Anglais crurent à tort que c'était là le drapeau national japonais. Afin de ne pas être pris par erreur pour un vaisseau étranger, le shogun donna son accord pour que tous les navires japonais arborent le même étendard.

L'actuel drapeau du Japon a été créé par Shimazu Nariakira, un noble qui régnait sur le puissant clan Satsuma, dans le Sud du Japon. Sa première utilisation officielle comme symbole de la nation eut lieu lors d'un voyage aux États-Unis en 1860, qui vit le tout premier envoi à l'étranger d'une délégation diplomatique japonaise. Le navire qui avait été mis à la disposition du shogun à cette occasion arborait le drapeau américain à sa poupe et le japonais à sa proue.

Rien de tout cela n'eut la moindre influence sur le Japonais moyen, mais les choses allaient bientôt changer. En 1868, le shogunat Tokugawa fut renversé par l'empereur Meiji, qui s'empara du pouvoir. En janvier 1870, le premier ministre déclara que tous les bateaux devaient arborer l'*Hinomaru* et définit les dimensions du drapeau, restées inchangées jusqu'à aujourd'hui.

C'est en 1872 que l'*Hinomaru* fut déployé pour la première fois lors d'une cérémonie nationale, à l'occasion de l'inauguration de la première voie ferrée japonaise par l'empereur Meiji. Durant le siècle qui suivit le début de l'ère Meiji, si les citoyens japonais hissaient l'*Hinomaru* à l'occasion des fêtes importantes, celui-ci ne possédait pas de véritable valeur symbolique – sans doute en raison du fait qu'il n'était pas officiellement reconnu comme drapeau national.

À partir de 1889, la marine impériale adopta un nouveau pavillon, orné d'un soleil à 16 rayons, qui fut utilisé par l'ensemble de l'armée japonaise jusqu'à la fin de la Seconde Guerre mondiale. Mais ce drapeau n'a plus été utilisé depuis 1945.

Le pavillon de la marine n'est donc pas une autre version du drapeau national. D'ailleurs, comme il n'existait pas de drapeau officiel, aucune « variation » n'était possible... Autrement dit, la question qui nous occupe ici se fonde sur un malentendu. En dépit des apparences, le drapeau aux 16 rayons et l'*Hinomaru* n'ont rien en commun.

Si le premier nous est si familier, c'est en raison des films de guerre, et notamment sur la Seconde Guerre mondiale, qui le montrent flottant sur les navires japonais comme emblème de l'armée nippone.

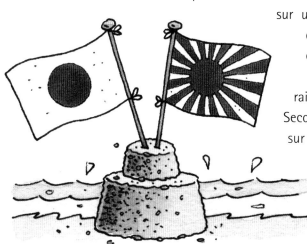

La confusion est entretenue par le fait que, malgré le traité de paix de San Francisco avec le Japon, qui interdisait à ce dernier d'entretenir des forces armées, des forces maritimes japonaises d'autodéfense furent créées en 1952 et adoptèrent l'ancien emblème rayonnant, conservé depuis.

Étrangement, alors que la réapparition du drapeau militaire a laissé l'Occident insensible, les Japonais ont témoigné d'une forte ambivalence à l'égard de l'*Hinomaru* lui-même. Pour les gens de gauche et les intellectuels notamment, il représentait une période de leur histoire (1931-1945) marquée par la xénophobie et des agressions militaires injustifiées. Pour les personnes peu engagées politiquement, le drapeau n'avait pas de réelle raison d'être – puisqu'il ne flottait pas même au-dessus des bâtiments occupés par le gouvernement.

Ce n'est qu'en 1999 que l'*Hinomaru* fut officiellement adopté comme drapeau national du Japon, et ce suite à un triste événement. Le directeur d'un lycée de Hiroshima souhaitait hisser le drapeau et faire chanter l'hymne national, le *Kimigayo*, lors de la remise des diplômes. Mais des enseignants s'opposèrent aux deux symboles qui, selon eux, glorifiaient le système impérial responsable, durant la guerre, de pratiques militaires infâmes. Il est vrai que les paroles de l'hymne vont clairement dans ce sens : « Que le règne de l'empereur dure encore mille – non, huit mille générations, qu'il dure l'éternité qu'il faut aux petits cailloux pour faire les grands rochers, et être recouverts de mousse. »

Le directeur, pris en étau entre l'administration de l'école, qui voulait que le drapeau soit déployé et l'hymne chanté lors de la remise des diplômes, et le corps enseignant, qui y rechignait, se suicida la veille de la cérémonie. Aussitôt, le gouvernement mit tout en œuvre pour officialiser l'*Hinomaru* et le *Kimigayo*, ce qui fut fait 6 mois plus tard.

La controverse qui touche la renaissance du drapeau au disque solaire montre combien celui-ci est important dans la culture japonaise.

Pourquoi met-on les drapeaux en berne en signe de deuil ?

Bien que nous mettions aujourd'hui les drapeaux en berne (on les descend à mi-hauteur du mât) sur la terre ferme comme en mer, toutes les sources indiquent que cette coutume vient de la marine anglaise. À l'origine, en signe de deuil, on surmontait le pavillon des bateaux d'un drapeau noir. Cette ancienne façon de faire avait deux inconvénients : d'une part, elle obligeait à emporter deux drapeaux, dont l'un n'était souvent pas utilisée et d'autre part, elle n'atteignait pas efficacement son but – signaler un deuil aux autres navigateurs – car, de loin, on reconnaît très mal les couleurs des pavillons, alors qu'on repère en revanche très bien la hauteur à laquelle ils flottent.

S'il semble que l'on ait commencé dès le XIV siècle à hisser les drapeaux à mi-mât, le premier cas avéré de cette pratique date de 1612. Cette année-là, un Inuit tua un Anglais nommé William Hall qui était à la recherche du passage du Nord-Ouest (dans l'actuel Canada) ; et la marine royale descendit ses pavillons à mi-mât pour lui rendre hommage.

Vers le milieu du XVII siècle, cette même marine royale avait officiellement adopté cette coutume et, chaque année, la flotte amenait les drapeaux à mi-mât pour commémorer la mort du roi Charles Ier. Peu à peu, ce symbole de deuil s'étendit aux officiers, puis à l'ensemble des membres de l'équipage d'un navire.

Mais pourquoi rendre hommage aux morts en mettant les drapeaux en berne ? Une théorie suppose que cette coutume a pour origine la volonté de faire apparaître les bateaux aussi peu entretenus que possible :

> Jadis en mer, l'aspect négligé d'un bateau symbolisait le chagrin. Cette association n'a aucune correspondance à terre, de nos jours en tout cas.

Selon une autre théorie, la coutume vient de ce qu'au XVII siècle les régiments abaissaient leurs étendards jusqu'au sol pour saluer un membre de la famille royale ou un dirigeant d'un pays étranger, et que les navires marchands faisaient de même devant les navires de guerre. Avec le temps, cette tradition fut étendue aux morts ; et, plus la personne décédée était importante, plus longtemps les couleurs étaient amenées.

Peu à peu, cette façon de faire s'étendit de la mer à la terre ferme, et de la Grande-Bretagne au monde entier. Au monde entier ? Pas tout à fait. Un pays résiste encore héroïquement à cette coutume :

> Les inscriptions ornant le drapeau de l'Arabie Saoudite étant considérées comme sacrées, l'étiquette de ce pays proscrit toute mise en berne.

Il existe d'ailleurs d'autres façons d'exprimer le deuil avec un drapeau : on peut ajouter une bande noire à son extrémité, ourler de noir les trois côtés flottants ou accrocher des rubans noirs au mât, au-dessous du drapeau proprement dit.

qui ? pourquoi ? comment ? quand ? où ? qui ? pourquoi ? commer

Pourquoi portons-nous, en majorité, notre montre-bracelet au poignet gauche ?

Tout d'abord, la réponse nous a paru évidente : la majorité des gens portent leur montre à gauche parce qu'ils sont droitiers. Ainsi, ils risquent moins de l'endommager. Nous avons interrogé différents spécialistes de l'horlogerie qui ont corroboré notre théorie, mais en y mettant leur grain de sel : « Avez-vous déjà vu un droitier boucler un bracelet autour de son poignet droit ? Ça n'est généralement pas très efficace... » Mais nos interlocuteurs nous ont également expliqué pourquoi beaucoup de gauchers portent, eux aussi, leur montre au poignet gauche. Après l'époque des montres de gousset, la molette de remontage a été placée à côté du 3, donc à droite de la montre. Cette position rend quasi impossible le réglage avec la main gauche, que l'on soit gaucher ou droitier.

Dernière chose : pourquoi une montre est-elle appelée montre justement ? Car à l'origine, les horloges n'avaient pas d'aiguilles, elles signalaient l'heure par une ou plusieurs sonneries. Puis vinrent les aiguilles des heures et celles des minutes qui montraient désormais littéralement l'heure. Non sans provoquer une certaine inquiétude : « Je ne voudrais pas avoir une montre dont l'aiguille indique les secondes ; elle vous hache la vie trop fin », écrivait Mme de Sévigné.

Pourquoi les prêtres sont-ils habillés en noir ?

Amis lecteurs, nous sommes sûrs que vous revendiquez le côté spirituel de votre personnalité. Enfin, spirituel... Disons que vous vous intéressez beaucoup aux phénomènes superficiels entourant les prêtres, notamment la question de leur costume. Ça nous convient parfaitement.

La plupart des gens supposent que ces vêtements ont été adoptés pour des raisons symboliques. En réalité, les habits des prêtres reproduisent principalement l'aspect des vêtements des laïcs d'il y a environ 2 000 ans.

Voici un extrait d'un ouvrage humoristique mais bien documenté, présentant diverses anecdotes autour de l'Église catholique (*Pope-Pourri : What You Don't Remember From Catholic School — Ce que vous avez oublié de l'école catholique*, de John Dollison) :

> Comme ils croyaient que le retour du Christ était imminent, les premiers chrétiens négligèrent de formaliser de nombreux aspects de leur religion. La tenue du clergé faisait partie de ces derniers : personne ne s'occupant de leurs habits de messe, ils portaient tout bonnement la même chose que tout le monde.
>
> Au fil des siècles, les modes évoluèrent, mais pas les robes des ecclésiastiques, qui finirent par trancher si nettement avec les costumes des laïcs qu'on se mit à les associer uniquement au sacerdoce.

Ce n'est qu'au VIe siècle que l'Église commença à codifier la tenue des prêtres, à l'intérieur comme à l'extérieur des églises. L'Église veut que les prêtres soient aisément reconnaissables. C'est dans l'intérêt de tous. Aussi est-il improbable que l'on voie, un de ces jours, les prêtres arborer des couleurs pastel. Un abbé nous a appris que certains ecclésiastiques avaient opté pour la couleur noire dès les débuts du christianisme :

> Les vêtements noirs des prêtres datent de la Rome antique. Le sacerdoce impliquant la renonciation aux plaisirs auxquels les laïcs peuvent s'adonner, la couleur noire signifiait la mort des désirs, la fin de l'attachement servile aux modes du monde séculier et la concentration sur le seul service de Dieu et du prochain.

Ce qui ne signifie pas que les prêtres aient bientôt fait preuve d'une uniformité de costume. Une professeure de théologie souligne que, jusqu'au concile de Trente (1545-1563), l'habit sacerdotal n'était pas lié à une couleur donnée et qu'il est probable que sa codification ait été entreprise en réaction à la Réforme : « Sans doute les clergés catholique et anglican ne voulaient-ils pas paraître moins sobres et honnêtes que leurs opposants puritains. »

Mais il existe des exceptions à la couleur noire des vêtements sacerdotaux. Les prêtres de rang plus élevé ont droit à un peu de fantaisie. La soutane des cardinaux est rouge (ou noire avec des boutons, des liserés et une ceinture rouges), celle des évêques, violette (ou noire avec des boutons, des liserés et une ceinture violets) et celle du pape, blanche. Le blanc peut aussi exceptionnellement être la couleur des soutanes de tous les hommes d'Église dans les pays chauds, mais on doit alors indiquer le rang de l'ecclésiastique par des liserés appropriés.

Puisque les prêtres portent du noir, pourquoi le pape est-il vêtu de blanc ?

L'explication remonte à Pie V, qui fut pape de 1566 à 1572. Avant lui, les papes étaient habillés en rouge. Alors pourquoi ce changement ? Un homme d'Église haut placé et bien informé nous l'a expliqué :

> Les religieux qui devenaient évêques portaient une soutane de la couleur de l'habit de leur communauté. Pie V, qui était dominicain, continua à porter du blanc une fois élu pape. Après lui, les autres papes firent de même. Il arrive cependant que le souverain pontife revête une courte pèlerine (ou mosette) de couleur rouge, en souvenir de l'ancienne couleur papale.

Comme dans d'autres religions, ce sont des préférences personnelles qui se sont transformées au fil du temps en codes établis.

Lorsque la reine d'Angleterre se rend au Vatican, elle porte du noir, car elle représente l'Église anglicane. Mais lorsque c'est le pape qui lui rend visite à Buckingham Palace, elle peut se vêtir d'arc-en-ciel – si tel est son bon plaisir.

Pourquoi le pape porte-t-il une calotte blanche ? Comment la fait-il tenir ? Pourquoi porte-t-il parfois une mitre ?

Cette fois-ci, ce n'est pas notre ami Pie V qui est à l'origine de la calotte. L'usage de ce couvre-chef remonte au moins au XIIIe siècle. La calotte du pape ressemble à la kippa des juifs, mais elle a une autre signification.

Au Moyen Âge, dès le moment où les prêtres embrassaient le célibat, ils arboraient la tonsure. Les églises et les monastères de cette époque ne péchaient pas par excès de confort, aussi la calotte était-elle utile pour protéger des courants d'air le haut du crâne de ces hommes, dont certains étaient fort âgés. À la même époque, les membres du clergé portaient parfois aussi un bonnet nommé camauro, qui leur couvrait la tête tout entière, la protégeant plus efficacement encore des températures rigoureuses. La tonsure a été abandonnée lors du concile Vatican II, mais le couvre-chef est resté.

La calotte n'a jamais été réservée au pape, mais, en 1968, le pape Paul VI décida qu'elle ne serait plus obligatoire que pour les membres de la hiérarchie catholique. Grâce à la calotte, il est facile de deviner le rang d'un ecclésiastique.

Celle du pape est blanche, ainsi que celles de certains moines comme les Dominicains et les Prémontrés, celle des cardinaux est rouge, celle des patriarches, évêques et archevêques est violette, tandis que celle des diacres de rang inférieur et des prêtres est noire ; cela dit, les prêtres qui portent la calotte sont plutôt rares aujourd'hui. Comment ces hommes font-ils tenir leur calotte sur la tête ? Ça n'a pas l'air si simple que ça. D'après notre source bien informée,

la calotte n'est pas fixée, mais juste posée à l'arrière de la tête...

Quant à la mitre, cette coiffure haute surmontée de deux pointes que le pape porte lors des cérémonies, elle est encore plus ancienne que la calotte : elle date du Xe siècle et peut également être portée par les évêques et les cardinaux. De nos jours, la mitre est formée de deux faces coniques reliées entre elles par une pièce de tissu que l'on peut plier.

Elle a subi tant de transformations au cours de l'Histoire qu'il est difficile d'y reconnaître l'original, un simple bonnet conique que portaient les laïcs romains. C'est au XIIe siècle que la mitre acquit ses deux pointes, ainsi que la « vallée » intermédiaire. Mais ce changement n'alla pas sans difficultés : les pointes faisaient trop penser aux cornes du diable, aussi les papes durent-ils faire pivoter leur coiffe de 90°. Depuis, la mitre est restée telle quelle.

Pourquoi le pape change-t-il de nom lorsqu'il accepte sa nouvelle charge ?

Le changement de nom des hiérarques de l'Église catholique est une tradition qui remonte aux débuts du christianisme. Dans l'Évangile selon saint Matthieu, Jésus fait de son disciple Simon le premier chef de son Église en le rebaptisant Pierre par la même occasion. Selon une spécialiste que nous avons approchée :

Le changement de nom signifiait un changement de rôle, d'attitude, de style de vie. Quand le pape accepte de prendre la tête de l'Église catholique romaine et de se dédier de tout son être à son service, on suppose que sa vie va changer, tout comme son nom. Il est d'ailleurs fréquent qu'une personne qui consacre sa vie à Dieu prenne un nouveau nom, représentatif du nouveau rôle et du nouvel engagement qu'il ou elle s'apprête à assumer.

Le premier pape dont nous savons qu'il changea de nom était Jean II, en 533. Sans doute son vrai prénom, Mercurio – une variation du nom du dieu romain Mercure – avait-il été trouvé peu adapté pour le chef de l'Église chrétienne. En tout cas, Mercurio rendit hommage à Jean Ier en adoptant son nom.

Après lui, aucun pape ne changea plus de nom jusqu'à ce qu'un certain Octavien ne prenne le nom de Jean XII en devenant pape en 955. Quelques décennies plus tard, c'était Pietro Canepanova qui devenait Jean XIV, instaurant ainsi une nouvelle tradition car, après lui, plus aucun Pierre devenu souverain pontife ne conserva son prénom, qui était celui du premier de tous les papes. Le dernier pape à garder son propre nom fut Marcel II, né Marcello Cervini, qui fut élu en 1555.

Pourquoi la couleur pourpre est-elle associée à la royauté ?

C'est aux Phéniciens que nous devons l'association de la couleur pourpre et de la royauté. On ne sait comment, un Phénicien anonyme a découvert un beau jour que l'on pouvait tirer une substance colorante pourpre de la coquille épineuse d'un gastéropode, le murex (franchement, nous nous demandons toujours comment les gens découvrent ce genre de choses). Les Phéniciens, qui étaient les plus grands commerçants de l'Antiquité, fabriquèrent bientôt des vêtements pourpres qui firent l'objet d'un négoce des plus lucratifs.

Les habits pourpres étant plus chers que ceux qui étaient teints avec d'autres substances, seuls les aristocrates pouvaient en porter. La pourpre de Tyr devint un produit de luxe. Mais les Romains codifièrent cette pratique, et la couleur des vêtements devint un signe extérieur de statut social. Seule la famille royale put alors porter de la pourpre de la tête aux pieds, tandis que les aristocrates de rang inférieur portaient, eux, des toges ornées de bandes ou de bordures pourpres : le statut se mesurait à la quantité de cette couleur présente dans la tenue.

La pourpre royale est un rouge violacé assez proche de la couleur du sang frais. D'ailleurs, si la teinture phénicienne était aussi prisée, c'est qu'elle symbolisait l'unité et la solidité des liens du sang, la continuité des familles royales se fondant sur des lignées d'un même sang.

À travers les siècles, l'association de la pourpre et de la royauté s'étendit à de nombreuses cultures. Les Grecs l'attribuaient à la déesse Athéna ; les rois babyloniens portaient une robe pourpre ; l'Évangile selon saint Marc raconte que Jésus portait une robe de cette couleur (mais Matthieu la décrit comme étant écarlate).

Pour de nombreuses Églises, enfin, le pourpre devint la couleur liturgique du Carême, à l'exception du vendredi saint.

Pourquoi les chemises d'hôpital se nouent-elles dans le dos ?

C'est déjà assez désagréable de se retrouver à l'hôpital. Pourquoi faut-il en plus porter ces vêtements indignes, qui laissent voir notre postérieur au reste du monde ? C'est un look que, bien portant ou malade, on n'a aucune envie d'adopter. Nous avons conscience que les chemises d'hôpital ne sont pas la priorité des administrations hospitalières, et que l'organisation des équipes soignantes, les budgets de recherche et autres tâches primordiales occupent une grande part de leur temps. Mais autant il n'y a aucun espoir de se voir servir quelque chose de comestible aux repas, autant l'éradication des chemises d'hôpital est possible dès à présent. La raison originelle pour laquelle elles se ferment et s'ouvrent par le dos est que cela permettait au personnel de les changer sans avoir à bouger les patients grabataires. En effet, avec des chemises fermées à l'avant, il faut soulever les patients pour les vêtir et les dévêtir.

Assiste-t-on à une prise en compte de la pudeur des patients ou à des manœuvres pour acquérir un avantage dans la compétition qui oppose les hôpitaux entre eux, notamment dans le secteur privé ? Toujours est-il que les directeurs d'hôpitaux commencent à prendre conscience de l'existence de solutions alternatives aux ignobles liquettes. Un fabriquant de vêtements d'hôpital nous a expliqué que les chemises nouées sur le côté protégeaient au mieux la nudité des patients, tout en étant aussi simples à enlever que les modèles traditionnels.

Aujourd'hui, on fabrique des chemises d'hôpital réduisant à la fois l'exposition du patient aux regards indiscrets et les difficultés lorsqu'on le change.

> Il existe des vêtements avec des manches spéciales pour les perfusions : on peut changer les patients sans défaire ces manches, de façon à ce que les tuyaux puissent rester en place. Depuis l'introduction des pacemakers et des moniteurs cardiaques, on fabrique aussi des chemises dotées de poches centrales qui s'ouvrent à l'arrière, permettant au dispositif de monitoring de traverser le vêtement, ce qui rend également inutile de les débrancher lorsque le patient se change.

Des infirmières nous ont dit que les chemises fermées à l'arrière étaient les plus pratiques pour faire des piqûres (dans les fesses, évidemment). Mais de toute façon, même si beaucoup de patients préfèrent porter leurs propres pyjamas, les infirmières arrivent toujours à se débrouiller pour leur faire les injections nécessaires.

Cela dit, il faut reconnaître que les chemises classiques ont été améliorées afin d'éviter aux patients d'être exposés à la vue de tout un chacun. Aussi le système de fermeture à l'arrière ne serait-il pas si problématique – s'il était fiable. Il en existe avec des fermetures de type Velcro, ainsi qu'avec une partie dorsale empiétant de chaque côté sur les parties latérales.

Bien sûr, les améliorations ont un coût, mais que sont quelques euros quand on peut respecter la pudeur des patients marchant dans les couloirs ?

Pourquoi la plupart des livres ont-ils deux pages de titre ?

Ouvrez n'importe quel livre, y compris celui-ci, et vous vous rendrez compte qu'une des premières inscriptions qui s'y trouve en est le titre, imprimé tout seul sur la page de droite. Tournez la page, et vous devriez trouver la page de titre « officielle », qui comprend le nom de l'auteur et, en bas, celui de la maison d'édition. À quoi sert cette première page de titre ? Pourquoi faire commencer un livre de façon aussi terne, alors que la « vraie » page de titre donne à nouveau le titre, et d'autres informations en prime, avec une police plus grande et plus esthétique ?

On appelle cette première page « page de faux titre ». La plupart du temps, elle ne sert à rien, mais il en fut jadis autrement.

Avant l'avènement de l'imprimerie, les livres étaient écrits à la main, et la page de titre n'existait pas. On produisait les livres sur commande ; aussi les clients, généralement des nobles, connaissaient-ils déjà le titre et le contenu du livre qu'ils achetaient. Les volumes étaient reliés dès qu'ils étaient terminés pour les protéger des traces de doigts et de la poussière.

Aux débuts de l'imprimerie, éditeur et libraire étaient fréquemment une seule et même personne. Les imprimeurs leur envoyaient des paquets de feuillets imprimés, cousus mais non reliés, et la première page était souvent souillée ou abîmée. Pour éviter ce problème, les imprimeurs prirent l'habitude de laisser vierge la première page de chaque manuscrit, que le relieur éliminait au moment de relier le volume.

Cette méthode présentait l'inconvénient de camoufler le titre des livres. Lorsqu'un client potentiel regardait un ouvrage (qui était généralement relié à façon suivant les exigences du revendeur), il tournait la page blanche pour voir le titre, exposant ainsi de nouveau le livre aux salissures.

Afin de résoudre ce problème ridicule, les imprimeurs eurent l'idée d'imprimer le titre de chaque volume sur sa première page, dans un style similaire aux faux titres d'aujourd'hui. Cette page était censée être coupée avant que le livre ne soit relié, mais le problème se posa à nouveau dans les mêmes termes : une fois que la page de titre devint populaire, les clients exigèrent qu'elle fût impeccable, et il devint nécessaire d'ajouter une page qui protégeait la page de titre tout en permettant d'identifier le contenu de l'ouvrage. Le faux titre était né. La raison pour laquelle celui-ci est si sobre en comparaison de la « vraie » page de titre est donc qu'à l'origine, il n'était pas censé rester dans le livre, une fois celui-ci terminé. Par ailleurs, l'extraction peu noble de cette page est mise en évidence dans son nom allemand, *Schmutztitel*, qui signifie quelque chose comme « titre sale ».

Lorsque les imprimeurs se mirent à relier les livres immédiatement après les avoir achevés, le faux titre perdit son utilité. C'était désormais la couverture qui protégeait la page de titre. Au XVIe siècle se répandit la page de titre telle que nous la connaissons aujourd'hui, avec le nom de l'auteur et la maison d'édition. On avait sans doute oublié l'origine de la page de faux titre, puisqu'elle resta partie intégrante de la plupart des livres.

Également gestionnaires, les éditeurs surveillent leurs coûts et, depuis peu, de plus en plus de volumes sont dénués de faux titre. Beaucoup d'éditeurs font relier tous leurs livres par cahiers de 8 ou de 16 pages. Par exemple, de nombreux romans à l'eau de rose réunis en séries présentent exactement le même nombre de pages. En effet, si un manuscrit dépasse de 250 mots la longueur voulue, ce n'est pas une, mais 8 ou 16 pages supplémentaires qu'il faut ajouter au volume, ce qui augmente de façon substantielle les coûts de l'éditeur. Certes, il est possible de réduire la taille

qui ? pourquoi ? comment ? quand ? où ? qui ? pourquoi ? comm des caractères mais, généralement, les mots « en trop » sont tout bonnement coupés. La seule façon de contourner cette coupe sauvage est d'éliminer les pages en surplus, dont une des plus inutiles est sans conteste la page de faux titre, rendue obsolète depuis longtemps par la première de couverture.

Quelle est la différence entre une introduction, un avant-propos et une préface ?

De nos jours, ces trois termes sont pratiquement interchangeables. Dans un livre, on peut tomber sur l'un ou l'autre, sur les trois ou sur aucun, et ils peuvent tous trois être écrits ou non par l'auteur du livre. Mais, traditionnellement, il existe une réelle différence entre l'introduction et les deux autres textes. Alors qu'une préface ou un avant-propos expliquent normalement au lecteur ce qu'il va trouver dans le livre, l'introduction est, elle, un début d'information sur le sujet lui-même.

Dans une préface ou un avant-propos, l'auteur raconte, par exemple, la genèse de la création du chef-d'œuvre que vous tenez entre les mains. Il peut également expliquer en quoi ce dernier va sûrement changer votre vie. Enfin, ce texte peut lui servir à remercier toutes les personnes qui l'ont aidé à mettre au monde sa prose immortelle.

Dans l'introduction, en revanche, l'auteur présente succinctement le sujet traité, indiquant ce que contient son ouvrage et s'assurant que le lecteur adopte une attitude suffisamment respectueuse.

Bien que la plupart des éditeurs observent la distinction entre les trois, ils peuvent avoir différents points de vue sur l'interchangeabilité d'un avant-propos et d'une préface. Certains intitulent « avant-propos » les remarques de l'auteur, et « préface » les leurs ou celles de tiers.

Pourquoi les notes de la gamme s'appellent-elles *do, ré, mi, fa, sol, la* et *si* ?

Sans certaines modifications datant du XVIIe siècle, les notes s'appelleraient *ut, ré, mi, fa, sol, la*. En effet, l'octave d'aujourd'hui provient d'un système à six notes (hexacorde) inventé par Gui d'Arezzo, un moine bénédictin italien qui vécut au

XIᵉ siècle. Il avait nommé les notes selon un système mnémotechnique inspiré par un hymne à saint Jean auquel il empruntait les premières lettres de chaque vers :

Ut *queant laxis*

Re*sonare fibris*

Mi *gestorum*

Fa*muli polluti*

Sol*ve polluti*

La*bii reatum*

Lorsque l'hexacorde de Gui d'Arezzo fut remplacé par l'octave, la septième note nouvellement ajoutée fut à son tour baptisée à partir des initiales du dernier vers de l'hymne :

S*ancte* I*ohannes*

Plus tard, on remplaça *ut* par *do* – tout simplement parce que ça sonnait mieux. En douteriez-vous ?

Pourquoi les danseurs classiques ne font-ils pas de pointes ?

Pourquoi seules les ballerines ont-elles le privilège de se torturer les orteils ? Cette tradition masochiste remonte à environ 2 siècles. D'après un spécialiste du ballet, la première gravure représentant une danseuse sur les pointes date de 1821.

Mais le tournant décisif eut lieu environ une décennie plus tard.

La technique se développa au cours des années 1830. Le premier ballet à être entièrement dansé sur les pointes fut *la Sylphide*, en 1832, dont le rôle-titre était interprété par Marie Taglioni, fille du chorégraphe Filippo Taglioni. Grâce à son perfectionnement de la technique des pointes, la danseuse semblait voler avec légèreté et délicatesse.

Bientôt, Taglioni et ses chaussons de satin rose devinrent la personnification dansée de la féminité. Les chorégraphes aimaient les pointes, car elles faisaient paraître les danseuses plus élancées et plus éthérées.

Pourquoi les **tombes** se trouvent-elles à 6 pieds sous terre ?

Les tombes n'ont pas toujours eu cette profondeur. Lors de la peste noire, par exemple, les corps des nombreuses victimes de la pandémie furent enterrés assez superficiellement, ce qui eut des conséquences désastreuses. En effet, en raison de l'érosion du sol, les corps finirent par refaire surface. Non seulement c'était peu ragoûtant, mais cela aggravait les problèmes sanitaires qui accablaient l'Europe à l'époque...

Il semble que ce soit l'Angleterre qui ait, en premier, ordonné que les tombes soient creusées à 6 pieds (soit environ 2 m) de profondeur, avec l'idée de permettre aux époux d'être enterrés l'un au-dessus de l'autre, ce qui accordait environ 1,30 m de hauteur aux deux cercueils et laissait une couche de sécurité d'environ 65 cm de terre entre eux et la surface.

La règle des 6 pieds place de surcroît les cercueils hors d'atteinte de la plupart des prédateurs, ainsi que du gel pour les contrées les plus froides. Bien sûr, on aurait pu les enterrer encore plus profondément, mais ça n'aurait sans doute pas été apprécié des fossoyeurs.

De plus, 2 m sous la surface du sol est une profondeur pratique, car elle est généralement encore au-dessus des rochers et des nappes phréatiques.

Illustrant l'intérêt de la période romantique pour tout ce qui était éthéré et exotique, le ballet romantique a pour thème principal la fuite hors du réel vers un monde surnaturel peuplé de fantômes, d'esprits et de farfadets aux mouvements libres de toute pesanteur. La légèreté et la grâce étaient considérées comme les qualités féminines essentielles, et encouragées comme telles. Les pointes devinrent une des principales techniques permettant aux danseuses du ballet romantique de créer l'illusion de l'apesanteur.

Gisèle, *le Songe d'une nuit d'été*, *Coppélia*, *le Casse-noisettes*, *l'Oiseau de feu*, *le Lac des cygnes* et *la Belle au bois dormant* ne sont que quelques-uns des ballets dont les rôles féminins dansaient sur les pointes.

D'un point de vue anatomique, il n'existe absolument aucune distinction entre les sexes qui justifie que seules les femmes fassent des pointes. D'ailleurs, certains ballets et chorégraphes mettent en scène des hommes utilisant cette technique.

Tous les experts que nous avons consultés s'accordent sur le fait qu'il n'est pas rare que les danseurs participent aux cours de pointes, que ce soit pour renforcer leurs pieds, étirer leurs voûtes plantaires ou expérimenter la modification de l'équilibre que requiert cette technique afin d'être de meilleurs partenaires pour les danseuses. Ou, comme Mikhaïl Barychnikov, tout simplement pour le plaisir.

Mais ce ne sont que des exceptions qui confirment la règle. Danser sur les pointes est non seulement associé aux femmes, mais à la féminité elle-même. Si le ballet contemporain fait moins appel à cette technique que le ballet romantique, il existe chez les chorégraphes modernes une tendance à mettre l'accent sur la force et l'athlétisme des danseurs masculins. La délicatesse n'est plus tendance.

On ne parvient à la légèreté de la danse sur les pointes que grâce à un entraînement intense et à un équipement spécial. À ce propos, nous nous sommes demandés comment était fait le chausson. Voici la réponse :

Le chausson de satin est doté d'une semelle de cuir fine et rigide, et d'un bout renforcé où se logent les orteils. Les danseuses garnissent souvent le bout de laine ou de coton, ce qui rend les chaussons plus confortables et protège mieux les orteils. Le point de contact avec le sol est constitué par la pointe des chaussons, qui ne mesure qu'environ 4 cm et doit porter le poids entier du corps.

qui ? pourquoi ? comment ? quand ? où ? qui ? pourquoi ? comm

La partie renforcée du bout du chausson est constituée par différentes couches de tissu collées ensemble. Cette « boîte » maintient fermement les orteils, car le poids du corps est transféré jusqu'au bout du pied. Ce dernier doit donc s'appuyer sur la résistance du chausson pour supporter le danseur.

Au cours de nos recherches sur la question, nous avons surtout appris qu'en aucun cas il ne fallait s'exercer aux pointes chez soi. En effet, les chaussons seuls n'apportent pas une protection suffisante aux ballerines en herbe :

> Les danseuses chevronnées contractent les muscles de leurs pieds, de leurs chevilles, de leurs jambes et de leur torse afin de s'élancer sans s'abîmer les pieds. Si l'on n'a pas des années de pratique derrière soi, il ne faut pas s'essayer à cette technique, qui peut être très dangereuse.

La plupart des danseuses ne commencent à apprendre à faire les pointes qu'à l'âge de 12 ans, ou lorsque leurs pieds ont arrêté de grandir.

Il est amusant de noter que cette technique, censée symboliser la féminité et la légèreté, requiert beaucoup de force musculaire.

Pourquoi les infirmières sont-elles habillées en blanc ? Pourquoi les chirurgiens portent-ils du vert ou du bleu lors des opérations ?

Le blanc est un symbole de pureté. Dans le cas d'une infirmière, c'est une pureté pratique, qui permet de déceler la moindre salissure. Jusqu'en 1914, les chirurgiens portaient eux aussi des vêtements blancs. Mais, à cette époque, l'un d'entre eux fut d'avis que sur du blanc les traces de sang étaient inutilement visibles et traumatisantes. Le vert épinard qu'il choisit à la place neutralisait efficacement le rouge vif.

Vers la fin de la Seconde Guerre mondiale, l'éclairage changea dans les salles d'opération, et la plupart des chirurgiens optèrent pour un vert plus tendre. Depuis les années 1960, c'est un bleu pâle contenant beaucoup de gris qui domine. Pourquoi ce nouveau changement ? Parce que cette couleur ressort mieux sur les écrans utilisés pour montrer les techniques chirurgicales aux étudiants.

Dans ce chapitre, nous allons explorer

le monde souvent surprenant de la technique

et des objets fabriqués par la main de

l'homme. Préparez-vous à des questions aussi

profondes que : « Pourquoi y a-t-il

88 touches sur un piano ? Que sont

devenues les piles A et B ? Pourquoi

les hublots sont-ils ronds ? Les chars romains

étaient-ils vraiment aussi fragiles que ceux

que l'on voit dans les péplums ? »

machines
et appareils

Pourquoi la jauge à essence d'une voiture met-elle tant de temps pour descendre de l'indication « plein » à « à moitié vide », alors qu'elle passe ensuite à « vide » à la vitesse de l'éclair ?

Lors d'un long trajet en voiture, on ferait n'importe quoi pour combattre l'ennui. On contrôle obsessionnellement le compteur kilométrique et la jauge à essence, comme on lit un paquet de céréales au petit déjeuner.

Après avoir fait le plein à la station-service, il n'y a rien de plus désespérant que de rouler sur une centaine de kilomètres et de constater que la jauge, elle, ne se déplace pas. Car si, d'un côté, nous aimons croire que notre voiture est une championne de l'économie de carburant, de l'autre, nous voudrions que la jauge se déplace pour être sûrs que nous avançons réellement, et que nous ne sommes pas passés dans un monde parallèle où nous tournerions en rond depuis une demi-heure. La jauge à essence devient alors l'arbitre de notre progression. Et lorsque l'aiguille, qui s'est finalement déplacée, affiche « aux trois quarts plein », notre sentiment personnel nous souffle que cela fait déjà des jours que nous roulons.

Quel soulagement ce serait si la jauge descendait régulièrement ! Car voilà qu'au moment même où l'aiguille vient d'atteindre « à moitié vide », elle se met à bondir vers « vide » comme si elle venait de découvrir la loi de la gravité. Il y a quelques minutes encore, il semblait qu'il nous faille traverser plusieurs fuseaux horaires avant qu'elle ne daigne se déplacer. Voilà soudain que nous paniquons : et si l'essence venait à manquer ?

Cet état de fait est bien contrariant. Pourquoi ces instruments ne sont-ils pas à même de mesurer correctement le niveau d'essence ?

La jauge dépend d'un capteur qui lui transmet l'information sur le niveau du carburant. Le capteur est constitué d'un flotteur raccordé à une résistance variable, dont la valeur varie selon que le flotteur monte ou descend.

Lorsque l'on fait le plein, le niveau du liquide dans le réservoir est plus haut que celui que le flotteur peut atteindre. Lorsque ce dernier se trouve au plus haut de sa trajectoire, la jauge indique « plein », même si le réservoir contient plus d'essence, et elle restera sur « plein » jusqu'à ce que le carburant supplémentaire soit consommé et que le flotteur commence à descendre. À l'inverse, la jauge indiquera « vide » dès que le flotteur sera au plus bas, même s'il reste du carburant dans le réservoir.

Nous avons demandé à un spécialiste pourquoi personne ne concevait un capteur capable de mesurer le niveau réel du carburant. Il nous a expliqué qu'il serait tout à fait possible de fournir aux automobilistes des mesures plus précises, mais que les constructeurs continuent à utiliser cette technologie « imparfaite » pour notre bien :

> Les constructeurs automobiles tiennent beaucoup à ce que leurs clients ne se retrouvent pas en panne sèche avant que leur jauge n'indique que le réservoir est vide, situation on ne peut plus désagréable. Ils se rattrapent donc sur le design du dispositif de jauge, mais celui-ci est fait de telle sorte qu'il indique que le réservoir est vide avant qu'il ne le soit réellement.

Des dizaines de millions d'automobilistes pressentaient déjà cet état de fait... Mais rares sont ceux qui ont eu le courage de tester la véracité de leurs soupçons !

Pourquoi le fait de gonfler correctement ses pneus permet-il de consommer moins de carburant ?

Vous souvenez-vous comme c'était difficile, quand vous étiez petit, de faire du vélo avec des pneus pas assez gonflés ?

Le même principe s'applique quand on conduit une voiture : les pneus sont là pour amortir les reliefs de la route, mais, lorsqu'ils sont trop mous — que cela vienne d'une pression trop basse ou d'une charge trop lourde —, ils absorbent une partie de l'énergie nécessaire au mouvement. C'est pourquoi ils influent sur la consommation de carburant d'une voiture, comme nous l'explique un spécialiste des pneumatiques :

> Environ 80 % de l'énergie fournie par le carburant sont consommés par le moteur de votre voiture. Sur les 20 % restants, qui servent à propulser le véhicule, une petite partie se perd en raison des frottements produits par les pièces mobiles extérieures au moteur. La majeure partie de l'énergie restante sert à lutter contre le vent, à faire tourner

les roues ou à gravir les pentes. Afin de remplir leur rôle, les pneus doivent fléchir sous les charges et devant les irrégularités de la chaussée. Lorsqu'ils fléchissent ainsi tout en roulant, il se forme à l'intérieur une circulation qui absorbe de l'énergie. Et plus ils s'enfoncent, plus ils consomment d'énergie.

Le fléchissement des pneus s'accroît avec le poids (objets déposés dans le coffre, nombre et corpulence des passagers assis à l'arrière), mais aussi avec la diminution de la pression.

C'est pourquoi rouler avec un pneu sous-gonflé requiert plus d'énergie que si le pneu est à la bonne pression.

Le spécialiste interviewé ci-dessus estime que réduire la pression d'un pneu radial standard de 2,25 bars à 1,7 bar fait augmenter de 2 % la consommation de carburant d'une voiture roulant à 90 km/h.

L'une des raisons pour lesquelles les pneus radiaux modernes obtiennent de meilleurs résultats que leurs prédécesseurs à carcasse croisée est que, avec les premiers, le fléchissement se répartit presque sur tout le pneu, tandis qu'avec les seconds, il se concentre près de la surface de la route. Ce progrès technologique présente hélas un petit inconvénient : comme il est assez difficile de voir à l'œil nu si un pneu radial est sous-gonflé, il est nécessaire d'avoir un manomètre.

Mais n'allez pas croire que vous roulerez plus vite en surgonflant vos pneus. Dès que la pression dépasse les

Comment une pompe à essence sait-elle que le réservoir est plein et qu'elle doit arrêter l'arrivée de carburant ?

Il existe un dispositif de sécurité situé à l'intérieur du pistolet qui obture celui-ci dès que l'essence refoule. Ce dispositif de sécurité étant placé assez près de l'extrémité et le pistolet pénétrant profondément dans le réservoir, ce dernier n'est jamais tout à fait plein lorsque l'arrivée d'essence est interrompue. Pour le remplir totalement, il est nécessaire d'appuyer à plusieurs reprises sur la gâchette. Mais cette pratique est dangereuse, et même prohibée dans certains pays.

2,5 bars, c'est l'effet inverse qui se produit, et non seulement vous ne réduisez pas la consommation de votre voiture, mais vous y gagnez de surcroît un voyage inconfortable... et potentiellement dangereux !

Qu'est-ce qui cause le tic-tac que l'on entend lorsque l'on allume le clignotant ? Et pourquoi certains clignotants ne font-ils pas de bruit ?

Le mécanisme d'un clignotant est simple. Un expert en mécanique automobile nous en a expliqué le fonctionnement :

> Le courant électrique faisant clignoter la lampe qui indique qu'on va tourner provient généralement d'un relais doté d'un interrupteur électromagnétique. Lorsque l'électroaimant est activé, il assemble mécaniquement deux contacts, envoyant une impulsion électrique au clignotant et produisant en même temps le fameux tic-tac.

Et pourquoi certaines voitures ont-elles des clignotants qui ne cliquettent pas ? Eh bien, cela dépend en fait du fabricant. La plupart des constructeurs automobiles optent pour un bruit nettement audible destiné à prévenir le conducteur s'il oublie d'éteindre son clignotant.

Mais où est le problème si le clignotant reste allumé trop longtemps ? Dans ce cas, l'automobiliste donne une mauvaise information sur la direction qu'il va prendre. Conséquence : si, par exemple, un piéton ayant l'intention de traverser la rue voit arriver une voiture signalant qu'elle va tourner, il va se sentir en sécurité pour traverser — hélas à tort.

En clignotant, une voiture influe sur le comportement des automobilistes et des piétons alentour. Aussi le petit tic-tac qui peut sembler superflu est-il en fait un élément important de la sécurité routière.

Que sent exactement une voiture qui « sent le neuf » ?

Les constructeurs automobiles font tout leur possible pour trouver des mélanges olfactifs susceptibles de nous procurer la plus grande satisfaction.

Un spécialiste nous a expliqué l'origine de « l'odeur de neuf » :

L'odeur que l'on apprécie dans un nouveau véhicule est la combinaison de celles que produisent les différentes couches de peinture, ainsi que les matières plastiques utilisées pour le tableau de bord, le tour des glaces et l'intérieur des portes. S'y mêle également l'odeur de la moquette, des tissus neufs et des matériaux (cuir ou vinyle) utilisés pour les revêtements souples et le rembourrage de certains éléments. Enfin, le caoutchouc, les colles et les enduits contribuent, eux aussi, à cette « odeur de neuf » qui ne dure jamais autant qu'on aimerait et qu'il semble impossible de reproduire artificiellement.

Dernières recherches

Lorsque nous avons consigné ce qui précède, nous étions bien loin de nous douter que, quelques années plus tard, Cadillac ferait des recherches pour doter toutes ses voitures d'une odeur agréable et uniforme puis, fort des résultats, lancerait Nuance, un arôme conçu pour convaincre les consommateurs indécis de dépenser plus pour avoir le plaisir de posséder une Cadillac.

Dans un article du *New York Times* traitant de la façon dont les constructeurs automobiles font appel à tous les sens des consommateurs, un cadre de General Motors expliquait : « Quand vous payez pour avoir des sièges en cuir, vous ne voulez pas qu'ils sentent l'essence à briquet, mais plutôt comme un sac Gucci. » Cette tendance prend de l'ampleur. Chez Porsche, on a désormais une fragrance « maison ».

Pendant ce temps, les constructeurs japonais se penchent, eux, sur la façon non pas d'ajouter des arômes mais de supprimer les odeurs existantes. En effet, des recherches ont montré que certains composés organiques volatils s'évaporant des matières plastiques et du vinyle présents dans les voitures pouvaient présenter un danger sérieux pour la santé, et ce au moins pendant les six premiers mois de mise en service. Les principaux constructeurs automobiles japonais ont juré de réduire ces émissions — même au prix de voitures ne sentant plus le neuf !

Pourquoi, dans les westerns, les roues des chariots semblent-elles tourner à l'envers ?

Un film se compose de plans fixes mis bout à bout à raison de 24 images par seconde. Quand on filme un chariot roulant lentement, l'obturateur capture 24 fois par seconde d'infimes mouvements de ses roues, ce qui a pour résultat un effet stroboscopique qui désoriente l'œil. Tant que le mouvement de la roue n'est pas synchronisé avec la vitesse de la caméra, il apparaîtra trompeusement dans le film comme étant inversé. C'est le même effet que produisent les stroboscopes des boîtes de nuit où, selon leur vitesse, les danseurs paraissent tressauter frénétiquement ou se mouvoir au ralenti.

Un employé de Kodak nous a expliqué comment l'effet stroboscopique fonctionnait dans les films :

> Quand les roues tournent lentement, elles semblent aller à reculons ; si elles accélèrent, elles finissent par se synchroniser avec la vitesse de la caméra, et elles ont l'air d'être immobiles ; si elles accélèrent encore, leurs rayons paraissent alors rouler dans le bon sens, mais à une autre vitesse que le chariot lui-même.

Vous pouvez également expérimenter cet effet stroboscopique en observant une roulette en train de ralentir : elle vous semblera tourner dans le mauvais sens.

Les chars romains étaient-ils vraiment aussi fragiles que ceux que l'on voit dans les péplums ? Si oui, comment les Romains pouvaient-ils s'en servir pour faire la guerre ?

En fait, les Romains étaient peut-être décadents, mais ils n'étaient pas idiots, et leurs chars étaient loin de figurer au nombre de leurs armes de guerre.

Le char a été inventé presque 2 000 ans avant l'avènement de l'Empire romain, et il ne pouvait être utilisé que sur terrain plat. Auparavant, les armées barbares s'en servaient parce que les chevaux n'étaient pas assez forts pour supporter le poids d'un soldat portant une armure et ses armes. Mais comme les légions romaines montaient, elles, à cheval, les chars furent réservés aux cérémonies et aux jeux — notamment les cruels jeux du cirque. Quels étaient les problèmes inhérents à l'usage des chars pour le transport ? En voici quelques-uns, décrits par une professeure d'histoire :

Les roues des chars n'étaient sans doute pas fragiles. Elles existaient sous deux formes : à rayons ou pleines. Par contre, il est probable qu'elles aient été attachées de façon peu fiable, les mécanismes de fixation n'étant pas très au point.
On n'a pas trouvé, sur les véhicules à deux ou quatre roues, de traces de mécanismes orientables qui leur auraient permis de braquer. Aussi les conducteurs devaient-ils freiner au moins l'une des roues lorsqu'ils prenaient un virage, ce qui réduisait l'efficacité de l'utilisation de la force motrice animale, aux dépens de la stabilité du véhicule.

Maintenant, si vous pensez que l'on pouvait conduire ces pétulants véhicules avec autant d'aisance qu'une voiture avec direction assistée, changez d'avis.

Ma supposition, qui vaut ce qu'elle vaut, est que les chars étaient réellement aussi peu stables qu'ils en ont l'air, car l'absence de suspension les faisait cahoter très violemment à chaque aspérité du terrain. De plus, il devait être extrêmement difficile d'en garder le contrôle car, dans l'Antiquité, les techniques de harnachement occidentales étaient très peu efficaces.

Ayant cessé de se servir du char comme véhicule de combat, les Romains l'utilisèrent pour disputer des courses dont le danger était partie intégrante du plaisir — comme pour les courses automobiles modernes. Vu sous cet angle, plus les véhicules étaient fragiles et plus grand était le plaisir, non ?

qui ? pourquoi ? quand ? où ? comment ? qui ? pourquoi ? quand ?

Pourquoi les vélos d'homme ont-ils une barre horizontale ?

Nul doute que vous serez fou de bonheur en apprenant que toutes les personnes à qui nous avons soumis cette question sont tombées d'accord sur un point central : un vélo doté d'une barre est plus solide qu'un vélo qui n'en a pas.

Après des décennies d'expérimentation, les constructeurs ont trouvé que le meilleur ratio force/poids était obtenu grâce à des cadres triangulaires ou en losange, et la barre transversale « ferme » la structure en losange. Sur un vélo d'homme, la barre est horizontale, tandis que sur un vélo de femme elle rejoint le tube de selle juste au-dessus des pédales. Mais pourquoi cette différence ?

Les modèles différents remontent à l'époque où il était de la première importance de protéger la dignité et la réputation des femmes cyclistes, qui portaient invariablement des robes ou des jupes. Maintenant que la plupart des femmes font du vélo en pantalon ou en tenue de sport, cette différence est devenue obsolète, mais la barre oblique possède néanmoins encore un atout : elle permet aux femmes de monter et de descendre de vélo plus facilement qu'avec une barre horizontale.

D'ailleurs, rares sont les femmes à se plaindre de la différence entre les deux types de vélos. Les cyclistes « de tous les jours » n'ont pas vraiment besoin de la rigidité de la barre horizontale ; quant aux sportives qui recherchent plus de solidité, elles achètent généralement des vélos d'homme ou des VTT.

Pourquoi la roue arrière d'un vélo cliquette-t-elle quand on descend en roue libre ou que l'on rétropédale ?

Quel enfant ne s'est jamais posé ces questions ? Voilà la réponse que nous a fournie un expert de la petite reine :

> La cassette de pignons arrière est dotée d'un mécanisme à cliquet qui s'enclenche lorsque l'on pédale, mais permet à la roue arrière de tourner indépendamment des pignons. Lorsque l'on cesse de pédaler, la roue désenclenche le mécanisme, qui produit un cliquetis en se dissociant de la cassette.

Pourquoi les pneus d'un vélo se dégonflent-ils lorsqu'on ne l'utilise pas pendant quelque temps ?

À peine le printemps pointe-t-il le bout de son nez que nous sortons notre bon vieux vélo resté enfermé depuis l'automne dans une remise. Il n'est pas rare que nous trouvions alors les deux pneus à plat. Comment cela se fait-il ?

1   La molette de la valve laisse s'échapper de l'air. Même si un bouchon contribue à réduire cet échappement, rien ne peut l'empêcher tout à fait. Un professionnel des pneus nous a expliqué qu'aucune matière n'est totalement imperméable aux gaz lorsqu'il existe une différence de pression entre l'intérieur et l'extérieur. Plus cette différence est importante, plus la migration du gaz est rapide. La pression d'un pneu de voiture standard diminue en moyenne de 0,1 bar par mois, même s'il est régulièrement utilisé.

2   Une chambre à air de vélo est plus poreuse qu'un pneu de voiture. L'intérieur des pneus de voiture est doublé avec du caoutchouc butyle, le plus imperméable des caoutchoucs du marché, réduisant au maximum l'échappement de l'air. Seul inconvénient : il est plus onéreux que le caoutchouc utilisé communément.

3   Le volume d'air contenu dans un pneu de vélo est assez faible. Un pneu de vélo standard contient environ 0,5 litre d'air à une pression un peu supérieure à 4 bars, contre 20 litres d'air à 2,5 bars pour un pneu de voiture. C'est pourquoi une légère perte d'air influe beaucoup plus sur la pression d'un pneu de vélo que sur celle d'un pneu de voiture.

4   La pression de l'air contenu dans un pneu de vélo étant presque deux fois supérieure à celle d'un pneu de voiture, il est très difficile de l'y maintenir de façon constante.

5   La pression d'un pneu diminue en même temps que la température ambiante.

6   Structurellement, un pneu de vélo risque plus d'être endommagé qu'un pneu de voiture.

7   On remarque moins le dégonflement d'un pneu de voiture que celui d'un pneu de vélo. En effet, ni à l'œil nu, ni en appuyant dessus, on ne peut remarquer la perte moyenne mensuelle d'environ 0,1 bar. Pourquoi cela ? Tout d'abord en raison de la masse du pneu lui-même, car il est constitué de plusieurs couches de toile caoutchoutée entourées d'une « ceinture » de caoutchouc profilé, tandis qu'un pneu de vélo est généralement constitué d'une seule épaisseur de caoutchouc profilé entourant une chambre à air.

De plus, l'épaisseur plus importante du talon et des jantes d'un pneu de voiture, l'absence de rayons et la pression inférieure contribuent à rendre une différence entre 2 et 2,5 bars indécelable tant à la vue qu'au toucher.

Les fabricants de bicyclettes ont tenté de remédier au problème en utilisant des pneus en matière plastique, mais ceux-ci, certes moins perméables, manquent de souplesse et sont inconfortables à l'usage. Il y a donc fort à parier que les pompes à vélo ont un avenir radieux devant elles...

Pourquoi y a-t-il plus de hublots que de rangées de sièges dans les avions de ligne commerciaux ? Et pourquoi les hublots ne sont-ils pas alignés sur les sièges ?

Du point de vue des constructeurs aéronautiques, il s'agit de doter les cabines d'avion du plus grand nombre possible de hublots, tout en respectant les exigences de sécurité engendrées par les milliers de cycles pressurisation/ dépressurisation qu'elles auront à subir.

Mais l'intérêt des compagnies aériennes est bien différent. Plus elles donnent d'espace à leurs passagers pour allonger leurs jambes, plus ceux-ci sont satisfaits. D'un autre côté, plus elles réduisent cet espace, plus elles peuvent vendre de billets.

Alors que nous écrivons ces lignes, en 2008, les fortes hausses des prix du carburant gonflent les charges des compagnies aériennes, ce qui ne les incite pas à augmenter l'espace pour les jambes. De plus, le pourcentage de places vendues est actuellement élevé ; aussi, si elles réduisaient le nombre de places disponibles sur les vols, risqueraient- elles de perdre de l'argent. Enfin, les passagers ayant besoin de plus d'espace sont souvent prêts à payer plus cher pour avoir un siège en classe affaires. Cependant, plus une compagnie serre ses passagers, plus elle risque de les perdre au profit d'une compagnie concurrente qui leur offrira plus d'espace. Des sites comme SeatGuru.com (en anglais) donnent la configuration exacte de tous les avions des plus grandes compagnies aériennes, attisant ainsi la « guerre de l'espace ».

Aussi quelques centimètres de plus ou de moins peuvent-ils être lourds de conséquences, et l'impact de ce genre de décision se compte-t-il en dizaines de millions d'euros. Il est assez facile de déplacer les sièges vers l'avant ou l'arrière en les faisant glisser sur des rails, mais reconfigurer un avion coûte cher — non tant en raison du matériel et de la main-d'œuvre nécessaires qu'à cause du temps d'immobilisation de l'appareil. Vous vous en doutez : le paysage dont jouiront les passagers n'est pas le principal souci des compagnies aériennes. Alors, la prochaine fois que votre place vous offrira une bonne vue, réjouissez-vous tout simplement de cette bonne fortune !

Pourquoi, avant le décollage, la lumière s'éteint-elle à l'intérieur de l'avion ?

Il y a deux moments où la lumière s'éteint en cabine. La première extinction est plutôt un vacillement. Un électricien travaillant pour une compagnie aérienne nous en a expliqué la cause :

> Lorsque l'avion est en attente, il est connecté à un groupe auxiliaire d'énergie qui lui fournit l'électricité nécessaire pour l'éclairage et la ventilation. Au moment où l'avion commence à rouler, il se déconnecte de l'unité auxiliaire pour se brancher sur ses moteurs, causant une brève interruption du courant.

Lors du décollage, l'éclairage principal de la cabine s'éteint, mais cela n'a rien à voir avec la sécurité ou la technique. La lumière est tout simplement coupée par les hôtesses. Il paraît que les passagers souhaitent mieux voir les lumières de l'extérieur lorsque l'avion s'envole.

Les numéros des avions Boeing obéissent-ils à un système ? Qu'est-il arrivé au Boeing 717 ?

En toute logique, on attribua le numéro 1 au premier avion Boeing ; c'était à la fin des années 1910. Depuis cette époque, l'avionneur a regroupé ses machines en plusieurs séries.

Les premières, qui allaient de 1 à 102, concernaient surtout des biplans. La série 300 comprenait, entre autres, le premier avion pressurisé, le Boeing 307 Stratoliner, et l'hydravion Boeing 314 Clipper. De nombreux avions militaires firent partie des séries 200 et 400, notamment le bombardier B-17 (ou 299), et les bombardiers B-47 et B-52 (série 400). La série 500 fut entièrement consacrée à des produits industriels, dont des avions à turbine à gaz, tandis que la série 600 comportait les missiles Gapa et Bomarc.

Lors de sa conception, le prototype du Boeing 707 reçut l'intitulé provisoire « 367-80 », afin de le faire passer pour une simple version améliorée du Boeing Stratocruiser. Mais, lorsque l'avion fut prêt, la série 700 fut créée en son honneur.

Question : pourquoi le premier avion de cette série fut-il le 707 — et non le 700 ? Selon l'entreprise Boeing, ce chiffre fut choisi...

...parce qu'il était accrocheur. Depuis, Boeing a continué sur la même lancée. Les chiffres sont affectés aux modèles, non selon le nombre de moteurs ou le moment de leur mise sur le marché, mais selon l'époque de leur conception. C'est pourquoi le 727 possède trois moteurs alors que le 737 n'en a que deux, et que le 767 fut lancé avant le 757 (fin 1982 contre début 1983).

Quant au Boeing 717, inconnu du grand public, son matricule a été affecté à un avion vendu à l'US Air Force, sans doute avant que l'entreprise ne se rende compte que la série des 7-7 occuperait une place aussi importante dans le domaine de l'aviation internationale.

Pour ce qui est des séries 800 et 900, elles existent déjà, mais ne concernent que des machines aussi exotiques que des engins lunaires ou des hydroptères.

Dernières recherches

Depuis la rédaction du texte ci-dessus, la série des 7-7 a connu un grand succès ; un employé de Boeing nous tient désormais au courant des évolutions. Tandis que les modèles 707, 727, et 757 ne sont actuellement plus produits, le Boeing 777 est très apprécié, notamment des compagnies aériennes internationales. En empruntant un itinéraire par l'est pour effectuer le trajet Hong Kong-Londres, le 777-200LR Worldliner a décroché le record du plus long vol sans escale.

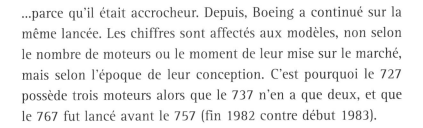

Quant au prochain avion à voir le jour, ce sera le 787 Dreamliner, que, dans le cadre de son éternelle course contre son concurrent européen Airbus, Boeing a conçu pour être l'adversaire du récent A380.

Quelle est l'origine du bruit que produisent les hélicoptères ?

Un expert en hélicoptères nous a répondu ce qui suit :

> Le « flop-flop-flop » caractéristique d'un hélicoptère est généré par le mouvement que font les pales du rotor dans l'air. Les pales balaient l'air en tournant, y décrivant une sorte de large disque. Lorsque la trajectoire d'une pale rencontre une zone du disque susceptible de créer une turbulence, nos oreilles perçoivent cela comme un bruit, qui rappelle un peu celui d'un ballon de baudruche qui crève. Si nous entendons toute une série de « flop », c'est que les pales traversent l'une après l'autre la zone de turbulence.

On appelle ces « flop » des claquements de pales ; il en existe trois types.

1 Lorsque les pales tournent, chacune laisse derrière elle un sillage d'air en mouvement. En pénétrant ce sillage, la pale suivante émet un claquement qui rappelle le bruit que produit une coque de bateau en frappant une vague.

2 Le second type est plus sourd que le premier.

> En avançant, chaque pale du rotor repousse l'air devant elle, générant des ondes de pression propulsées vers l'avant. Nous percevons ces ondes sous forme de son. Plus les pales tournent rapidement, plus les ondes de pression sont fortes. À chaque tour, le moment où la pale est le plus rapide est celui où celle-ci atteint la zone où elle se déplace « vers l'avant », c'est-à-dire dans la même direction que l'hélicoptère. Elle traverse alors très rapidement la zone de turbulence, et les ondes de pression se produisent de façon très soudaine.

3 Il arrive enfin qu'un hélicoptère produise un mini-bang supersonique.

Lorsqu'un hélicoptère vole très rapidement, sa vitesse combinée à celle d'une pale se mouvant « vers l'avant » atteint presque la vitesse du son. Les ondes de pression ne sont pas propulsées assez rapidement pour « fuir » devant les pales. Elles s'ajoutent donc les unes aux autres et forment une onde de choc qui est une version miniature de celle qui se produit devant un avion supersonique. Tandis que ce dernier forme constamment cette onde de choc, l'hélicoptère ne la produit que pour un court instant, au moment où chaque pale, propulsée vers l'avant, traverse la zone où sa vitesse est presque supersonique. À chaque fois qu'une onde se forme puis disparaît, il se produit un son.

Mais, de nos jours, les hélicoptères sont de moins en moins bruyants, car leurs rotors, plus efficaces, tournent à des vitesses assez faibles pour éliminer une grande part du bruit.

Y a-t-il une raison particulière au fait que les bateaux et les avions ont des feux rouges sur le côté gauche et des feux verts sur le côté droit ?

Les origines de ces « feux de côté » sont obscures. Selon un spécialiste de la marine, ils remonteraient peut-être à un ancien système de bouées latérales.

En 1889, la Conférence internationale de Washington, qui réunissait les principales nations maritimes, réglementa les couleurs des feux utilisés en mer, puis cet accord fut supplanté en 1936 par le système actuel : feu vert ou blanc à tribord, rouge ou blanc à bâbord.

En pratique, les feux de côté, qui font appel à des associations couleur-action que nous connaissons tous depuis l'enfance, facilitent les prises de priorité. Un expert en navigation nous a expliqué le système :

Imaginez un croisement à quatre branches. Le bateau qui est à votre droite a la priorité. Si vous le regardez, vous voyez son côté gauche, ou bâbord, qui porte un feu de couleur rouge. Cela signifie que vous devez vous arrêter et que lui peut passer. Quant à lui, il voit le feu vert que vous avez à tribord, et il sait qu'il peut y aller. Si vous regardez le bateau qui se trouve à votre gauche, vous voyez son feu vert. Cela signifie que vous pouvez passer. Quant à lui, il voit le feu rouge que vous avez à bâbord et sait qu'il doit s'arrêter.

Les feux de côté permettent également aux avions et aux bateaux de se dépasser dans l'obscurité.

On trouve l'explication dans le code de la navigation, qui exige que les bateaux comme les avions se dépassent par la droite. Ainsi, la position des feux d'un navire ou d'un avion à l'approche indique si vous-même êtes positionné correctement par rapport à lui.

Bien sûr, les contrôleurs aériens ont soin d'empêcher les avions de passer trop près les uns des autres. Mais les feux latéraux, qui sont visibles à de très grandes distances, permettent aux pilotes de détecter la présence d'un autre avion à proximité, et de déterminer la direction dans laquelle il vole.

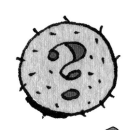

Pourquoi les hublots des bateaux sont-ils ronds ?

Les fenêtres servent principalement à faire entrer la lumière et l'air frais. Pour une fenêtre standard, c'est simple ; pour les hublots de bateau, quelques petits problèmes supplémentaires se posent. En effet, il leur faut affronter l'élément liquide — et les hublots qui ferment mal sont un véritable inconvénient en mer puisqu'ils risquent d'être immergés. Mais, pour un hublot, il y a un danger plus pernicieux encore que la mer : c'est le mouvement du bateau lui-même.

À l'époque où la plupart des embarcations étaient construites en bois, les hublots étaient généralement rectangulaires. Mais, dès lors que l'on utilisa l'acier, les angles laissèrent place aux arrondis.

Voici pourquoi. Le bois n'est peut-être pas aussi dur que l'acier, mais il dispose d'une caractéristique qui le rend plus intéressant pour la fabrication des hublots : il absorbe mieux les contraintes dues aux secousses. Lorsque sont apparues les coques d'acier, à la fin du XIXe siècle, les marins découvrirent bientôt qu'en raison de ces contraintes les coins des hublots rectangulaires se fissuraient rapidement.

En revanche, avec des hublots ronds, les contraintes se répartissaient régulièrement, et les architectes navals comprirent rapidement que c'était là la solution.

Cela dit, les hublots rectangulaires sont loin d'avoir disparu. On en trouve encore sur des bateaux en bois. Et les ponts de nombreux paquebots de croisière en arborent également. Cependant, plus les conditions météo qu'affronte un navire sont dures, plus la mer est susceptible de se déchaîner, plus la position du hublot est basse sur la quille et plus il y a de chances que celui-ci soit de forme ronde.

Pourquoi les hublots des avions sont-ils ovales ?

Nous supposions que les hublots des avions étaient soumis à une pression atmosphérique très importante. Un expert en aéronautique nous l'a confirmé :

> Dans le fuselage, les orifices arrondis sont plus solides car moins susceptibles de se fissurer en raison des contraintes. Or, dans une cabine pressurisée, les fissures peuvent conduire à une décompression explosive, et à de graves défaillances structurelles.

L'importance de cette question fut mise en lumière lorsque le premier avion à réaction à usage commercial, le *De Havilland Comet*, fut victime de trois accidents en plein vol peu après sa mise en service, en 1952. Les enquêtes révélèrent que ces trois accidents étaient principalement dus à la fatigue des structures métalliques. Et un des principaux points faibles résidait dans les angles des grands hublots rectangulaires du *Comet*. Le rapport d'enquête concluait que jusqu'à 70 % de la pression à laquelle l'avion était soumis s'exerçait sur les angles des hublots.

Le *Comet* fut alors modifié et doté d'un nouveau fuselage et de hublots arrondis.

Mais si les hublots circulaires sont la meilleure solution, pourquoi Boeing et Airbus les font-ils ovales ? Réponse : pour faire plaisir aux passagers !

Des hublots ronds entraîneraient un accroissement de la surface opaque des parois. En allongeant les hublots dans le sens vertical, les concepteurs d'avions procurent aux passagers plus de surface transparente permettant de voir le paysage et sur plus de hauteur, ce qui convient à des personnes de différentes tailles.

Chez Boeing, on est particulièrement fier des grands hublots (48 cm x 26 cm) du futur 787. Cette taille a été rendue possible par l'utilisation accrue de matériaux composites. Boeing ne cache pas que la raison de ce choix a été d'offrir aux passagers un vol plus agréable.

Convivial, n'est-ce pas ?

Les **sous-marins** utilisent-ils des ancres ?

Mais oui. Les ancres sont aussi nécessaires sur les sous-marins que sur les autres embarcations. Chaque fois qu'un sous-marin a besoin de maintenir sa position en surface et n'a ni quai ni bateau à proximité, il utilise une ancre. Il n'en a pas l'usage lorsqu'il est sous l'eau, mais seulement lorsqu'il refait surface, ce qui lui arrive de temps à autre.

Un de nos correspondants, marin de son état, nous a écrit qu'une fois remonté à la surface un sous-marin constituait une plate-forme très instable.

Nous croyions donc que l'ancre servait à stabiliser le sous-marin, mais un autre professionnel contacté à ce sujet nous a détrompés. Il nous a expliqué, que lorsque la mer était agitée, un sous-marin à l'ancre se plaçait perpendiculairement au vent, ce qui lui permettait de mieux affronter les turbulences à la surface de l'eau.

Mais selon lui, en surface, un sous-marin n'est pas plus instable que n'importe quel autre bâtiment. Alors, allez savoir... De toute façon, ça ne change rien à la réponse.

Comment monte-t-on de grandes grues sans en utiliser d'encore plus grandes pour l'assemblage ?

Pour répondre à cette question, nous avons fait appel à plusieurs spécialistes des travaux publics, et l'un d'entre eux nous a fourni une réponse compréhensible. La voici :

> Les grandes grues, qui portent souvent des flèches de 35 m de long ou plus, sont assemblées au sol, sur site. La plupart des grandes flèches sont constituées d'une structure d'acier en treillis, ce qui les rend relativement légères.
>
> Généralement, les bases de grue arrivent sur le chantier par elles-mêmes, et les sections qui doivent composer la flèche arrivent séparément, en remorque. Sur place, on dispose les sections de la flèche sur le sol avant de les assembler (un peu comme dans un jeu de Meccano), de les monter sur la base, et de les mettre en place au moyen de câbles fixés au corps de la grue.

De la même manière, on peut ajouter des extensions à la flèche en la couchant sur le sol.

L'usage de ces grues conventionnelles a cependant tendance à diminuer au profit de celui des grues à tour, que l'on installe au milieu du chantier et que l'on peut rehausser à volonté une fois qu'elles sont érigées. La colonne centrale, sur laquelle sont accrochées la cabine de contrôle et la « tête » mobile, est tout d'abord construite à hauteur de trois ou quatre étages, puis rehaussée au fur et à mesure que le bâtiment s'élève autour de la grue.

Pourquoi certaines rampes d'escalier mécanique ne vont-elles pas à la même vitesse que l'escalier lui-même ?

La roue motrice qui entraîne les marches d'un escalier mécanique est reliée à celle qui entraîne les rampes (ou mains courantes). Comme l'escalier et les mains courantes marchent en boucle continue, les parties descendantes servent respectivement de contrepoids aux parties ascendantes. Les mains courantes sont donc entraînées par la force de friction, et non par un moteur.

Étant destinées à offrir aux passagers un élément de stabilité et de sécurité, les mains courantes sont conçues pour se déplacer de façon synchrone avec le reste de l'escalier — ce qui est le cas quand les escaliers sont correctement entretenus. Lorsqu'elles sont plus lentes que les marches, elles représentent un danger pour les utilisateurs, qui ont l'impression que leurs pieds sont tirés vers l'avant. Cependant, il y a eu une époque où les mains courantes étaient légèrement plus rapides que les escaliers, car on pensait que, s'ils étaient contraints de se pencher légèrement vers l'avant, les usagers risquaient moins de tomber.

Qu'est-ce qu'on entend quand on secoue une ampoule électrique ?

En fait, ce que l'on entend dépend de l'état de l'ampoule. Si vous secouez une ampoule neuve et en bon état, vous entendrez peut-être le son exquis de particules de tungstène ayant pénétré l'ampoule durant sa fabrication. Ces particules n'affectent ni l'efficacité ni la durée de vie de l'ampoule.

Mais en général, lorsque l'on entend quelque chose qui remue à l'intérieur d'une ampoule, c'est qu'elle est bonne à jeter. C'est d'ailleurs la façon dont la plupart d'entre nous déterminons si une ampoule est grillée ou non. Dans ce cas, ce que l'on entend, ce sont des particules du filament brisé (ce qui est la cause numéro un de la fin des ampoules électriques). Donc, sauf dans les rares cas où des particules de tungstène y sont emprisonnées, une ampoule en état de marche ne doit produire aucun son quand on la secoue.

À noter cependant que, d'ici 2012, l'Union européenne devrait interdire la vente de lampes à incandescence classiques, notamment parce qu'elles consomment beaucoup d'électricité. Ces ampoules sont encore très largement répandues mais seront progressivement remplacées par des ampoules à basse consommation.

Pourquoi les néons émettent-ils un « pling » lorsqu'on les allume ?

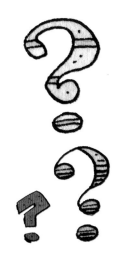

Les anciens modèles utilisent un système de préchauffage doté d'un starter (la petite pièce ronde argentée). Ce starter comprend un commutateur bimétallique qui produit des « pling » lorsqu'il est activé.

Mais les néons modernes, n'ayant plus le même fonctionnement, relèguent peu à peu ces « pling » au rayon des dépouilles d'un passé empreint de nostalgie...

Comment les fabricants d'ampoules électriques font-ils pour enlever l'air qu'elles contiennent ? Le vide est-il nécessaire au bon fonctionnement de l'ampoule ?

Comme nous l'avons appris à l'école, l'oxygène est le meilleur ami du feu. Si une ampoule en contenait lorsqu'on l'allume, le filament fondrait instantanément. C'est pourquoi, lors de la dernière étape de fabrication, on pompe l'air de l'ampoule encore incandescente à travers un tube de verre faisant partie du dispositif de maintien du filament, après quoi ce tube est coupé puis scellé. Ainsi, l'air ne peut pas pénétrer à nouveau dans l'ampoule, et on met le culot en place. Les traces d'air résiduel sont absorbées par une substance chimique appelée getter.

L'expert qui nous a expliqué tout cela nous a beaucoup surpris en nous apprenant que toutes les ampoules n'étaient pas emplies de vide. « Le vide n'est pas nécessaire au fonctionnement des ampoules, nous a-t-il dit. En fait, après l'élimination de l'air, les lampes de 40 W et plus sont emplies de gaz, qui est généralement un mélange d'azote et d'argon. »

Ce gaz inerte permet au filament d'opérer efficacement à haute température, tout en réduisant l'évaporation du tungstène qu'il contient, faisant durer l'ampoule plus longtemps.

Pourquoi les ampoules ont-elles tendance à se desserrer une fois installées dans la douille de la lampe ?

Un sondage mené de façon très peu scientifique par notre équipe a indiqué que, si ce problème touchait beaucoup d'entre nous, la majorité ne se sentait néanmoins pas concernée. Y aurait-il un sadique qui ne dévisserait que les ampoules de quelques victimes sélectionnées ?

Peut-être... Mais il existe une explication naturelle plus probable. Les coupables seraient en fait les vibrations.

Explication. C'est le frottement qui maintient le filetage du culot d'une ampoule en contact étroit avec la douille de la lampe. Or les vibrations affaiblissent la force de frottement, faisant ainsi peu à peu sortir l'ampoule de la douille. Dans les lieux soumis à d'intenses vibrations, comme les voitures ou les avions, il est nécessaire d'utiliser des ampoules à baïonnette qui ne peuvent sortir de la douille.

C'est peut-être l'incessant tremblement en provenance de l'appartement de votre voisin fan de heavy metal qui vous cause ce problème ? Deux solutions nous viennent spontanément à l'esprit : utilisez des lampes pour ampoules à baïonnette — ou une baïonnette pour convaincre votre voisin de se calmer !

Pourquoi les lignes à haute tension bourdonnent-elles ?

Pour faire simple : dans un courant continu, les électrons se déplacent continuellement dans une seule direction à travers un circuit.

Dans le courant alternatif, les électrons vont d'abord dans une direction, puis dans l'autre. Ils changent ainsi de direction plusieurs fois par seconde. Le courant alternatif est généralement produit par un générateur qui convertit une énergie mécanique (provenant d'un rotor) en énergie électrique. Si l'on fait tourner une bobine conductrice dans un champ magnétique, on y génère un courant électrique.

Pour comprendre comment une ligne à haute tension produit un bourdonnement, il faut savoir également que le courant alternatif ne change pas juste de direction, mais que son intensité varie également. En effet, lorsque le courant se déplace dans une direction, il perd peu à peu en intensité.

Après avoir parcouru un quart du circuit, il s'arrête complètement. Mais comme la bobine continue de tourner, le courant recommence à passer faiblement, et cette fois dans la direction opposée. Il augmente jusqu'à atteindre sa puissance maximale à mi-parcours de la révolution de la bobine. Puis le courant faiblit de nouveau jusqu'à s'arrêter totalement aux trois quarts, avant de repartir dans sa direction première.

Maintenant que nous savons tout ça, nous pouvons comprendre que le bourdonnement continu est en réalité une vibration du fil électrique due au fait qu'une partie de la force qui meut les électrons est transférée au fil lui-même. Selon son type et le degré de rigidité avec lequel il est tendu entre les pôles, le fil vibre et produit le fameux bourdonnement. Si le courant a été standardisé à 50 cycles par seconde (ou 60 en Amérique du Nord), le son est relativement grave.

Ce son n'est pas très fort en soi. Un ingénieur en électricité nous a expliqué que les vibrations de ce genre généraient des bourdonnements très faibles, difficilement audibles pour une oreille humaine. Mais, bien sûr, la taille des lignes à haute tension est un facteur qui influence le volume du bruit : plus une ligne à haute tension est grande, plus le bourdonnement qu'elle produit risque d'être fort.

Outre ce bourdonnement, il est fréquent que les lignes à haute tension produisent un crépitement :

> Ce crépitement est dû à un phénomène indésirable connu sous le nom d'effet couronne. Il se produit quand l'air qui entoure les lignes à haute tension est ionisé dans le voisinage des poteaux. Il arrive que les isolateurs soient défectueux au niveau des poteaux et que du courant se propage sur ceux-ci. Le courant est attiré par les surfaces métalliques et les aspérités des poteaux. Ceci ionise l'air autour de ces aspérités et produit une faible luminosité près des conducteurs. Et au moment où les particules d'air s'ionisent, elles produisent un crépitement.

La pluie causant un effet couronne partiel, le crépitement se produit plus fréquemment quand il a plu.

où ? comment ? qui ? pourquoi ? quand ? où ? comment ? qui ?

Pourquoi les feux de signalisation sont-ils rouge, orange et vert, et pourquoi le rouge est-il en haut, le vert en bas et l'orange au milieu ?

Les feux de signalisation existent depuis plus longtemps que les automobiles. Le premier fut vraisemblablement installé à Londres en 1868. Il était doté de deux bras — rappelant ceux d'un signal de passage à niveau — qui opposaient un obstacle tangible à la circulation. Il était conçu pour contrôler le flux des piétons, et nécessitait quelques accessoires pour être également opérationnel durant la nuit. La solution la plus simple était d'adapter la signalisation des chemins de fer : des lanternes à gaz de couleur rouge et verte qui indiquaient quand le passage était libre (vert) ou quand il fallait attendre (rouge). Ce prototype britannique n'eut pas un grand succès : il explosa peu après son introduction, coûtant la vie à un agent de police londonien. Le lieu de mise en service du premier feu de signalisation moderne destiné à contrôler la circulation automobile fait l'objet d'une controverse animée. Bien que les villes nord-américaines de Salt Lake City (Utah) et de Saint Paul (Minnesota) le revendiquent également, on considère généralement le feu rouge et vert installé en 1914 à Cleveland (Ohio) comme étant le premier. S'il est possible que les couleurs des feux de signalisation aient été arbitrairement copiées sur celles des chemins de fer, leur configuration actuelle comporte un important aspect sécuritaire. Jusque dans les années 1950, de nombreux feux étaient installés à l'horizontale. La formule verticale actuelle, couronnée par le feu rouge, fut adoptée pour aider les daltoniens à se repérer sans aucun risque. De plus, afin de permettre à ces personnes de différencier les feux encore plus aisément, le rouge contient une touche de jaune, et le vert un peu de bleu.

À quoi sert la touche « Syst » située en haut à droite de la plupart des claviers de PC ?

La bonne nouvelle, c'est que si vous appuyez par erreur sur cette touche, vous ne risquez rien. La mauvaise nouvelle, c'est qu'en fait elle ne sert à rien.

Sur la plupart des claviers de PC, la fonction « Syst » (pour « Système ») partage une touche avec « Imp écr » (pour « Imprimer écran »), une fonction qui a au moins la vertu de servir à quelque chose : elle permet de réaliser une capture d'écran en plaçant dans le presse-papiers la copie conforme de l'écran (à condition néanmoins d'appuyer en même temps sur Ctrl + Alt).

À une époque, IBM caressait de grands espoirs pour cette touche désormais délaissée ; elle permettait aux utilisateurs de communiquer directement avec le système d'exploitation.

En 1984, elle fut ajoutée aux 83 touches déjà existantes sur le clavier AT. Mais la plupart des programmes n'ont pas développé d'application pour cette touche d'intervention.

Cependant, la touche « Syst » effectue un certain retour depuis que le système d'exploitation libre Linux donne à ses utilisateurs la possibilité d'utiliser des « touches magiques » pour passer des ordres directement au noyau Linux en appuyant sur Alt + Syst + touche magique. Cela permet notamment de redémarrer le système quand il ne répond plus aux méthodes habituelles.

Bien que les claviers affichent aujourd'hui 20 touches de plus qu'à l'âge d'or du clavier AT, les programmes les plus répandus en utilisent moins que jamais. Par exemple, quand avez-vous utilisé la touche « Arrêt défil » pour la dernière fois ?

Pourquoi les circuits imprimés des ordinateurs sont-ils verts ?

Avant d'être submergés de courriers, annonçons-le d'emblée : nous savons aussi bien que vous qu'il existe des circuits imprimés de toutes les couleurs imaginables, y compris rose, doré, jaune, marron ou noir (qui n'en est pas une). Une personne travaillant pour un fabricant de cartes électroniques nous a écrit que son entreprise créait des circuits dans une matière colorée de paillettes arc-en-ciel réparties au hasard.

Cela dit, les cartes vertes représentent la grande majorité des cas. Alors pourquoi ?

Le vert que l'on voit sur la plupart des circuits imprimés, et pas seulement sur ceux des ordinateurs, provient du vernis de protection. Celui-ci, présent sur les deux faces des cartes électroniques, est généralement appliqué sous forme liquide.

Ce vernis de protection n'est pas là pour faire joli, mais pour recouvrir et isoler les parties du circuit qui n'ont pas besoin d'être soudées. Quantité de problèmes peuvent advenir si le matériau de soudure parvient accidentellement en dehors des espaces prévus ; le pire étant le court-circuit, comme nous l'a expliqué un professionnel des cartes électroniques :

> La couleur verte est une matière à base d'époxy qui sert à protéger de la soudure. Lorsque des composants sont installés sur une carte, le vernis de protection empêche cette soudure de parvenir à un trou ou à un contact non prévus, ce qui causerait un court-circuit. Aujourd'hui, le processus d'assemblage est plus simple qu'avant, car tous les composants sont installés sur une seule face, de façon à ce que le vernis ne parvienne que là où il le doit.

Il existe également une certaine inertie en ce qui concerne les couleurs des objets. Autrement dit : si les circuits imprimés ont toujours été verts, à quoi bon changer ? Les fabricants ne sont pas très motivés pour changer, sauf si les clients réclament de nouveaux coloris.

> Nous savons en tout cas que les premières cartes électroniques n'étaient pas vertes. Un chercheur ayant travaillé près de 30 ans dans le domaine du développement de circuits intégrés nous a appris qu'au début son entreprise produisait elle-même ses cartes, qui étaient blanches.

> Comme, à l'époque, on soudait les circuits à la main, on n'avait pas besoin de vernis protecteur. Dans un de nos ateliers, il y avait plein de gars qui plaçaient les composants sur les cartes et les soudaient. Après, les circuits imprimés ont été vernis à la main avec un genre de goudron, et également gravés à la main dans une solution acide. Et puis, au cours du temps, tout cela a évolué.

qui ? pourquoi ? quand ? où ? comment ? qui ? pourquoi ? quand ?

Un technicien audiovisuel nous a écrit au sujet de la variété de coloris des premiers circuits :

> La teinte de chaque carte indique sa composition, et donc son usage. Les plus anciennes, qui étaient en bakélite, étaient marron, la résine de phénol était caramel, la fibre de verre était généralement verte mais pouvait aussi être bleue. Quant aux cartes en Téflon, elles étaient blanches.

Mais pourquoi le vernis de protection était-il vert à l'origine ? Selon certains, il comportait un pigment à base de cuivre, seul capable à l'époque de résister à la chaleur.

Pour d'autres, c'est un choix de l'armée car, durant la Seconde Guerre mondiale, alors que les fabricants commençaient à développer différentes couleurs pour les cartes électroniques, le choix de l'état-major s'était porté sur celle-ci.

On nous a proposé une autre théorie liée également à l'armée :

> Suite à des tests intensifs, l'armée américaine opta en 1954 pour un vernis de protection vert, car c'était cette nuance particulière qui, quelle que soit la situation, formait le meilleur contraste avec l'encre de sérigraphie qui, elle, était blanche, tout en permettant de bien distinguer les circuits. Les autres tons n'offraient pas le contraste requis sous tous les éclairages testés. Comme l'armée était un gros consommateur de circuits imprimés, le vert qu'elle exigeait devint de facto la couleur standard. Les autres teintes ne furent plus utilisées que pour des prototypes.

Quel que soit le rôle de l'armée dans cette affaire, il semble que le vert soit de fait la nuance offrant le meilleur contraste avec les composants, ce qui rendait moins pénible le travail des assembleurs comme des contrôleurs. De plus, le vernis de protection liquide est une résine qui doit sécher pour atteindre la dureté requise, et le vert étant la meilleure couleur du point de vue des rayons UV, elle simplifie le travail des fabricants.

Cela dit, on trouve sur le marché des circuits imprimés arborant de splendides coloris, souvent d'ailleurs à un prix non moins splendide. Mais il faudra plus qu'un engouement passager pour faire d'une autre teinte que le vert le « nouveau noir » du marché des vernis de protection.

Pourquoi les touches des téléphones sont-elles agencées différemment de celles des calculatrices ?

Les théories du complot abondent à ce sujet, mais l'explication de ce fait « inexplicable » renforce l'un des dogmes de l'inimaginable : dans le doute, on peut élucider pratiquement tout phénomène d'origine humaine par la tradition, l'inertie ou les deux.

C'est au début des années 1960 que le grand public a commencé à avoir accès à la fois aux téléphones à touches et aux calculatrices à transistors. D'emblée, ces dernières arborèrent les chiffres 1, 2 et 3 au bas du clavier, tandis que sur les téléphones ils se trouvaient à la rangée supérieure. Les deux configurations reproduisaient celles de prototypes plus anciens.

Avant les années 1970, les calculatrices étaient mécaniques. Les claviers des premiers modèles ressemblaient à ceux des caisses enregistreuses : à gauche, ils comportaient une colonne de touches allant de 0 (en bas) à 9 (en haut). À droite, la colonne suivante représentait les dizaines, avec 10 en bas et 90 en haut, et elle était flanquée de la rangée des centaines, etc. Les calculatrices des débuts comportaient toutes 10 rangées de touches en hauteur, et la plupart en avaient 9 en largeur. Dès le début, les calculatrices de poche placèrent 7, 8 et 9 en haut, de gauche à droite.

Avant les téléphones à touches, bien sûr, les téléphones à cadran étaient la norme. Il est fort probable que le clavier des téléphones ait été conçu pour imiter les cadrans, où l'on trouvait le 1 en haut et les grands chiffres en bas. De plus, des recherches avaient montré que cette configuration évitait les erreurs lors de la composition des numéros.

Au début des claviers à touches, un fabricant de téléphones aurait souhaité profiter des résultats des recherches menées par les fabricants de calculatrices, et aurait appris à sa grande déception qu'aucune étude n'avait jamais été menée sur l'ergonomie des claviers de calculette. Aussi étrange que cela paraisse, cette histoire semble véridique.

Pourquoi les agrafeuses ont-elles généralement un dispositif permettant de plier les agrafes vers l'extérieur ?

La question étant posée assez fréquemment, un fabricant d'agrafeuses fait figurer la réponse dans la FAQ (foire aux questions) de son site Internet :

> Sur la base d'une agrafeuse manuelle se trouve une pièce métallique appelée enclume. Cette enclume pivote et, selon sa position, permet soit de replier les extrémités des agrafes l'une vers l'autre, soit de les déplier vers l'extérieur (position « épinglage »). Pour choisir la position, il suffit d'appuyer sur le bouton placé sous la base de l'agrafeuse : cela soulève l'enclume et permet de la faire pivoter.

Avant que l'utilisation d'agrafes ne se généralise, au début du XXe siècle, les papiers étaient maintenus entre eux par des épingles — le terme d'épinglage est encore utilisé aujourd'hui pour désigner l'usage d'agrafes dépliées. Comme les épingles n'étaient pas serrées, il était assez facile de les ôter sans abîmer les documents qu'elles maintenaient. Aujourd'hui encore, c'est l'avantage principal de la fonction épinglage. Épingler des papiers est moins solide que de les agrafer, mais cela permet d'ajouter facilement de nouveaux documents à une liasse.

Pourquoi est-il probable que vous n'ayez jamais utilisé la fonction épinglage de votre agrafeuse ? C'est qu'en fait les inconvénients dépassent les avantages. Non seulement une agrafe épinglée ne maintient pas efficacement les documents, mais ses branches peuvent dépasser, risquant ainsi d'accrocher d'autres objets — ou vos doigts !

Comment les fabricants font-ils pour faire tenir les agrafes neuves sous forme de bandes ?

Les agrafes sont tout simplement assemblées par de la colle.

Ainsi attachées, elles forment ce que l'on appelle des bandes d'agrafes, prêtes à être insérées dans une agrafeuse. La qualité de la colle est importante, car il faut à la fois qu'elle maintienne les agrafes entre elles avant usage et qu'elle permette un décollement facile et rapide lors de l'utilisation.

Pourquoi le « quatre » des cadrans demontre et d'horloge à chiffres romains apparaît-il sous la forme « IIII » et non « IV » ?

Les créateurs de cadrans d'horlogerie ont une grande liberté de choix en matière de chiffres horaires. Certains utilisent des chiffres arabes, d'autres des chiffres romains, et certains n'en utilisent pas du tout.

Mais avez-vous remarqué que, dans le cas de chiffres romains, le quatre est presque toujours représenté par le signe « IIII » ? Nous avons eu beau nous adresser aux plus grands horlogers, aucun n'a pu nous expliquer cette coutume.

Nous avons fini par rencontrer un spécialiste plus explicite. Voici ce qu'il nous a raconté :

> Lorsque les horloges mécaniques furent inventées, au XIVe siècle, elles ont tout d'abord été installées dans des lieux publics — souvent sur les façades des cathédrales. Les cadrans n'étaient au début qu'ornementaux, car les premières horloges ne possédaient pas d'aiguilles. Elles se contentaient de sonner toutes les heures.

> Elles étaient très précieuses pour les gens du peuple, qui étaient presque tous illettrés. La plupart des paysans étaient incapables de lire les chiffres romains, y compris en Italie. Et ils ne savaient pas faire de soustraction. Ils calculaient et indiquaient l'heure en comptant sur leurs doigts. Quatre « I » étaient donc pour eux plus faciles à comprendre que IV, qui représente « 5 moins 1 ».

> Plus tard, les horloges indiquèrent fréquemment non seulement 12, mais même les 24 heures du jour. Aux XVe et XVIe siècles, les Allemands fabriquèrent des horloges qui utilisaient les chiffres romains pour les 12 premières heures de la journée, et les chiffres latins pour les 12 autres. Cependant, les horloges habituelles étaient toujours un véritable casse-tête pour les illettrés, et l'usage de « IIII » au lieu de « IV » leur facilitait un peu la vie.

Alors pourquoi, de nos jours, les horlogers continuent-ils à utiliser les chiffres romains ? Principalement parce que le style antique plaît aux consommateurs. À une époque où l'on peut produire des pièces d'horlogerie de qualité à des coûts de plus en plus faibles, les fabricants ont besoin d'arguments pour convaincre les consommateurs de dépenser plus, et le design peut les y aider. Certains prétendent que l'avantage des chiffres romains est qu'ils sont plus faciles à lire de loin (ou la tête en bas), mais ils ont en fait pour principal attrait de témoigner d'un certain style.

Ce qui est drôle, c'est que ce style se fonde sur un système qui fut mis au point pour des paysans incultes...

Comment les gens faisaient-ils pour se réveiller avant l'invention du réveille-matin ? Et comment se donnaient-ils rendez-vous avant qu'il n'existe des horloges et des montres ?

Imaginez un type vivant dans l'obscurité du Moyen Âge, disons au IXe siècle. Après une dure journée de labeur, il décide de retrouver un ami pour boire un bon petit apéritif. Il lui dit donc : « Bon, alors on se retrouve chez moi à... », et il s'ensuit un silence gêné. Ou bien il vient de trouver une nouvelle place comme apprenti charpentier, et son patron lui dit : « Sois là à... heures précises. » Comment pourra-t-il être ponctuel ? Et comment fera-t-il pour se réveiller à temps ?

Bien que les Égyptiens et les Chinois aient déjà utilisé des clepsydres beaucoup plus tôt, ce n'est qu'au milieu du XIVe siècle, en Italie, que fut inventée l'horloge mécanique. Il y a fort à parier qu'avant cela les gens estimaient l'heure en se basant sur la course du Soleil. Quand il faisait beau, ils suivaient la progression de l'ombre portée par les arbres, ou par des gnomons (cadrans solaires primitifs) qui indiquaient l'heure approximative par rapport à midi.

Pour se réveiller, les gens dépendaient d'événements environnementaux. À la ville comme à la campagne (où vivait environ 90 % de la population européenne), ils possédaient généralement des animaux domestiques, notamment des coqs, qui annonçaient bruyamment le lever du soleil.

De toute façon, les paysans du Moyen Âge avaient très peu de loisirs. Leur vie était astreignante : les ouvriers comme les paysans se réveillaient à l'aube, accomplissaient leurs tâches journalières puis allaient se coucher pour recommencer le lendemain, et ainsi de suite à l'exception des dimanches.

Nul doute que, de même que nous nous éveillons de nous-mêmes le matin, les gens de cette époque avaient une « horloge biologique » qui les sortait du sommeil.

Bien des siècles après l'invention de l'horloge mécanique, seuls les nantis avaient les moyens d'en posséder une. Mais il y avait toujours quelques coqs, le soleil, des domestiques, un crieur public, les cloches d'une église, et plus tard celles des manufactures et des usines, pour réveiller la population. Cependant, selon un spécialiste, ces signaux n'étaient sans doute pas très réguliers.

Ils dépendaient de la nature, des conditions météorologiques et des différentes exigences des travaux agricoles, et ne se conformaient pas à un emploi du temps établi, mais aux possibilités et aux circonstances. Ils ne permettaient pas la ponctualité : en quelque sorte, ils s'y substituaient.

Dans les cités, le travail obéissait à d'autres règles. Ici aussi, les ouvriers se réveillaient à l'aube, « au chant du coq », puis travaillaient aussi longtemps que le permettaient les conditions d'éclairage naturel ou artificiel. Dans la plupart des ateliers, il y avait une personne (généralement l'apprenti) qui ne dormait que d'un œil, se réveillait avant tout le monde, allumait le feu et allait chercher de l'eau, puis réveillait les autres. C'était généralement la même personne qui, le soir venu, fermait boutique. La productivité était une notion inconnue à cette époque. On ne connaissait que la valeur du labeur.

Lorsque l'on installa des horloges sur les clochers des villages, elles firent à leur tour office de réveille-matin. Mais, au Moyen Âge, les horloges reflétaient la conception approximative de l'heure caractéristique de l'époque : les premières d'entre elles ne possédaient pas d'aiguilles, et se contentaient de sonner une fois par heure, ou parfois tous les quarts d'heure.

Les Chinois furent les premiers à concevoir des dispositifs destinés à arracher leurs propriétaires aux bras de Morphée. Un éminent horloger nous a fourni quelques précisions sur ces premiers « réveils » :

On dit que ce sont les Chinois qui utilisèrent les premières horloges, qui étaient constituées d'une mèche que l'on saturait d'huile et qui se consumait. Avec l'expérience, les gens finirent par savoir quelle longueur de mèche se consumait en une heure.

Ils firent alors des nœuds à des intervalles correspondant à une heure de combustion. Pour se réveiller à un moment précis, on s'attachait la ficelle à un orteil et, lorsque arrivait l'heure fatidique, la personne qui ressentait une désagréable chaleur n'avait aucune difficulté à se réveiller (enfin, disons que c'est là une légende horlogère...).

Selon le même principe, on sut bientôt à quelle longueur de bougie correspondait une heure, et des marques furent apposées en conséquence sur la cire. Pour que la bougie puisse donner l'alerte à un moment précis, elle était placée dans un récipient de métal. Un objet métallique était inséré dans la cire à la hauteur correspondant à l'heure requise, et lorsque la flamme arrivait à ce niveau, l'objet tombait bruyamment dans le récipient métallique.

Contrairement à ce que l'on pourrait penser, ce ne sont pas les commerçants qui exprimèrent les premiers le besoin de disposer d'horloges précises, mais bien les religieux. Si les musulmans prient traditionnellement cinq fois par jour et les juifs trois, les premiers chrétiens n'avaient pas de règle à cet égard. Mais l'émergence des monastères entraîna une nouvelle règle de vie pour les religieux.

Dévoués au service de Dieu, ceux-ci organisèrent méthodiquement leur emploi du temps. Ce dernier différait selon les ordres, mais les monastères divisèrent généralement la journée en six segments séparés par un temps de prière. Cet emploi du temps incluait des veilles nocturnes, ce qui signifie qu'après être allés se coucher les moines ou les nonnes devaient être réveillés en pleine nuit. Avant l'invention du réveil, une personne était généralement désignée pour rester éveillée tandis que le reste du monastère dormait, et elle avait la tâche peu enviable de devoir tirer les autres du sommeil à l'heure de la prière.

Les réveils mécaniques conçus par les moines étaient plus proches d'un minuteur moderne que des appareils que nous avons sur notre table de nuit, comme nous l'a expliqué un autre expert en horlogerie :

Les premiers réveils étaient fort primitifs et ne possédaient ni aiguilles ni cadran. Ces dispositifs mécaniques étaient conçus pour faire tinter des cloches à l'heure voulue. Pour ce faire, on plaçait dans le trou le plus proche de l'emplacement de l'heure choisie une cheville qui, reliée à un mécanisme, actionnait les cloches.

Plus tard, les horloges furent réglées pour sonner à chacune des six (puis sept) heures canoniques ; des carillons différents indiquaient la prière qui allait commencer.

Avant les horloges, comment les gens faisaient-ils pour se rendre à temps à leurs rendez-vous importants ? Il est probable qu'afin de ne prendre aucun risque ils arrivaient longtemps à l'avance. Par exemple, si des courtisans devaient se trouver au palais pour une cérémonie qui avait lieu avant l'aube, ils préféraient arriver à minuit et attendre plutôt que de risquer de ne pas se réveiller à temps. Comme vous le savez, le temps appartenait aux riches, et les paysans étaient contraints d'obéir aux règles de leurs seigneurs. Et, au contraire des temps modernes, où l'on se donne rendez-vous à des heures « rondes » (vous remarquerez qu'il est rare que l'on réserve une table pour 19 h 38...), on convenait souvent de se retrouver au moment d'un événement naturel (« rendez-vous au lever du soleil »).

Au fil du temps, les plus hauts bâtiments des villes accueillirent des horloges munies de cadrans et d'aiguilles, démocratisant ainsi l'accès à l'heure exacte. Mais cela se révéla être une épée à double tranchant, car les puissants purent réglementer précisément — et parfois augmenter — l'épuisante charge de travail des paysans et des artisans. De même, plus tard, la généralisation des horloges et des montres (qui furent inventées au début du XVIe siècle) contribua à renforcer l'efficacité et la discipline de fer de la révolution industrielle.

Pourquoi les montres comme les horloges tournent-elles de gauche à droite ?

Un éminent horloger nous a fait part d'une explication très simple. Avant l'invention des horloges, les gens utilisaient des cadrans solaires. Or, dans l'hémisphère Nord, les ombres tournaient dans ce que nous appelons aujourd'hui le sens des aiguilles d'une montre c'est-à-dire de gauche à droite. Les aiguilles des horloges ont donc été conçues pour imiter les mouvements du Soleil. Si les horloges avaient été inventées dans l'hémisphère Sud, sans doute le sens des aiguilles d'une montre serait-il inversé.

Pourquoi les plongeurs crachent-ils dans leur masque avant d'entrer dans l'eau ?

Lorsque nous évoquons des images du commandant Cousteau dans l'univers sous-marin, notre œil intérieur voit les splendides couleurs irisées des poissons tropicaux, la subtile beauté des barrières de corail, la féroce détermination des requins, les vastes étendues des océans...

En y regardant de plus près, nous nous sommes rendu compte qu'avant de plonger le célèbre commandant crachait dans son masque, puis enduisait de salive la face interne du verre. Beurk.

Ce rituel préalable à la plongée est l'une des rares occasions où cracher est socialement accepté, car, ici, ce geste est justifié : il empêche le verre de s'embuer. Évidemment, personne n'a envie de s'aventurer à l'aveuglette dans les profondeurs marines.

Qu'est-ce qui cause cette buée ? Au cours d'une plongée, l'air emprisonné dans le masque s'humidifie de plus en plus, car il se sature en vapeur d'eau en raison de la respiration et de la transpiration. À l'intérieur du masque, la vapeur d'eau se condense, passant de l'état gazeux à l'état liquide, et produit ainsi de la buée.

Pourquoi la condensation a-t-elle lieu ? D'une part, l'air contenu dans le masque peut être saturé en vapeur d'eau. D'autre part, la face interne du masque se refroidit au fur et à mesure que le plongeur descend, car le verre est en contact constant avec l'eau. Or la température de celle-ci est bien inférieure à celle de la respiration humaine (sauf évidemment si l'on plonge dans des sources d'eau chaude). L'air froid ayant une humidité relative plus basse que l'air chaud, il se produit un phénomène de condensation.

Si l'air se trouvant à l'intérieur du masque est saturé en eau, il lui faut trouver une surface où se condenser, ce qu'il fait donc sur le verre, où se forment de microscopiques gouttelettes d'eau. Ces dernières réfractent la lumière dans toutes les directions, faisant apparaître le masque comme opaque ou embué.

Si le verre est sale, le problème n'en est que pire, car les impuretés sont des endroits où l'eau va se condenser. Il en va de même pour d'éventuelles irrégularités dans la structure du verre.

Maintenant, comment se fait-il que cracher dans son masque soit utile (après tout, cela revient à mettre encore plus d'eau à l'intérieur du masque) ? Les molécules d'eau sont ce que l'on appelle des dipôles : elles disposent d'une petite charge positive à une extrémité, et d'une petite charge négative à l'autre extrémité. Elles ont tendance à se condenser soit sur une particule chargée, soit sur une grande molécule (également susceptible d'être chargée). Il se forme alors des amas de microgouttelettes, réfractant la lumière dans des directions imprévisibles.

Lorsque l'on crache dans le masque, on enduit l'intérieur du verre de charges diffuses, ce qui augmente de façon exponentielle le nombre de points susceptibles d'attirer un amas de gouttelettes. C'est pourquoi l'eau se condense uniformément. Ainsi, au lieu de gouttelettes qui se forment normalement, le verre se couvre d'une couche d'eau. Une fois cette couche formée, lorsque de nouvelles molécules d'eau adhèrent à leur tour au verre, elles s'agrègent à cette couche plutôt que de former de petits amas séparés, ce qui conduit l'eau à couler comme un rideau le long du masque en vertu de la force de gravité. Étant donné que l'eau qui continue à adhérer au verre forme elle-même une couche continue, elle ne réfracte pas la lumière dans toutes les directions. C'est pourquoi l'on peut voir au travers.

Les détergents utilisés dans les lave-vaisselle font appel au même phénomène pour éliminer les traces d'eau. Ce n'est pas qu'ils nettoient les verres mieux que d'autres produits, mais ils recouvrent leur surface, dispersant ainsi les molécules chargées et évitant que les imperfections ne s'agrègent.

Hélas, la dispersion n'est pas la panacée. Un moniteur de plongée nous a expliqué ceci :

> La plupart des plongeurs crachent dans leur masque et étalent la salive avant de plonger. Cela évite au masque de s'embuer — au moins pour un certain temps. Mais la buée finit toujours par apparaître.
>
> Lorsque le masque s'embue, on peut le nettoyer sous l'eau. Pour ce faire, il faut l'ôter et le frotter dans l'eau, puis le remettre. Pour enlever le surplus d'eau contenu dans le masque, il faut y insuffler de l'air. Mais cela ne fonctionne que pour un quart d'heure, après quoi le masque s'embue à nouveau.

Existe-t-il une autre méthode antibuée ? Au fil du temps, les plongeurs ont tenté toutes sortes de choses, notamment le dentifrice, le savon liquide, le tabac à chiquer (!) et même le varech. Mais aucune n'est idéale. Les particules abrasives du dentifrice, efficaces pour nettoyer les dents, peuvent rayer le verre. Le savon marche bien, mais il risque d'irriter les yeux. On n'a pas toujours du varech sous la main ; et quant au tabac, il est déconseillé par la plupart des médecins.

Deux autres méthodes sont plus efficaces. La plus répandue est l'usage d'un produit antibuée. Il suffit d'enduire le verre sec de deux gouttes de ce produit. Il est indiqué de l'appliquer à l'intérieur et à l'extérieur du masque, mais le moniteur de plongée cité ci-dessus nous a dit qu'il suffisait d'en recouvrir la face interne. L'effet antibuée dure plus longtemps que celui de la salive, et, sous forme de gel, le produit présente l'avantage supplémentaire de pouvoir être appliqué sous l'eau.

La deuxième solution est l'achat d'un masque antibuée. Selon un fabricant, ces masques sont très efficaces :

> Les masques sont fabriqués en verre trempé, puis traités avec un produit antibuée. Grâce à cela, l'eau condensée se disperse uniformément sur le verre. Afin d'activer le dispositif antibuée, il suffit de plonger le masque dans l'eau avant de le mettre.

Il existe cependant des plongeurs qui aiment relever le défi que pose un masque conventionnel et se battre à la loyale contre la buée.

Interrogés sur le fait de cracher dans les masques, différents plongeurs nous ont donné des réponses extrêmement divergentes, allant d'une opposition tranchée...

> Cracher dans son masque présente des inconvénients incontestables. D'abord, c'est grossier et sale. De plus, ça peut être dangereux. J'ai entendu parler d'un cas d'herpès ayant failli rendre la personne partiellement aveugle, où le virus avait été transmis d'un bouton de fièvre aux yeux par l'intermédiaire de la salive. Pourquoi ne pas utiliser les produits antibuée que l'on trouve aujourd'hui sur le marché ?

... à un enthousiasme inconditionnel : « J'ai commencé la plongée l'été dernier. Au début, j'utilisais des produits antibuée, mais je perdais sans cesse les petites bouteilles. À la fin de la saison, j'étais une cracheuse confirmée. Et ça marche super bien ! »

Comment fonctionnent les films en 3D et les lunettes qui vont avec ?

Les films en 3D (trois dimensions) sont une variante des dispositifs de stéréoscopie utilisés dans certains gadgets pour touristes. Ces appareils présentent deux images légèrement différentes à quelques centimètres de distance du point de vue d'un œil humain. L'image de gauche n'est visible que pour l'œil gauche, et vice versa.

Cependant, la technique d'un film en 3D est plus compliquée, car chaque œil ne doit voir que l'image qui lui est destinée, bien que les deux images soient projetées simultanément sur l'écran. Voici un survol historique du film en 3D :

Le premier système fut inventé dans les années 1890 ; les images s'appelaient alors des anaglyphes. L'image destinée à l'œil gauche était projetée à travers un projecteur doté d'un filtre rouge, et celle destinée à l'œil droit traversait un filtre bleu-vert. Des lunettes munies de filtres de même couleur étaient utilisées pour visionner les images — le filtre rouge destiné à l'œil gauche transmettait la lumière du projecteur de l'image de gauche, et bloquait la lumière de celui de l'image de droite. Ce système a également été utilisé pour imprimer des BD en 3D ainsi que, de manière très confidentielle, pour des essais de télévision en trois dimensions.

Le seul problème lié à cette technique est qu'elle fonctionne surtout avec des images monochromes. En effet, les verres rouge et bleu-vert ajoutent aux films une coloration peu esthétique.

Pourquoi n'existe-t-il plus de piles A et B ?

Parce qu'elles sont dépassées. Jadis, elles entraient dans la composition de piles zinc/carbone de grande taille. Les piles A fournissaient le courant bas voltage pour les tubes qui alimentaient les premières radios ou les téléphones à manivelle.

Bien sûr, nous utilisons encore les « descendantes » des piles A et B. Les piles ont rapetissé en même temps que les appareils qu'elles alimentent. D'un point de vue chronologique, les premières piles ont été les piles A, suivies de B, C et D — l'avancée dans l'alphabet correspondant à des piles de taille croissante. Puis, lorsque l'on fabriqua des piles plus petites que les A d'origine, elles prirent pour dénomination AA, puis AAA. Il existe même des piles AAAA.

Aujourd'hui, on ne produit plus de piles A et B. En effet, le volume de ces piles étant supérieur à celui de la plupart des appareils qui les emploient, leur usage perd incontestablement en intérêt.

Pourquoi les piles de 9 V sont-elles rectangulaires ?

Les piles les plus vendues (AA, AAA, C et D) ont une tension de 1,5 V. Les piles de 9 V contiennent 6 piles cylindriques de 1,5 V chacune, rangées dans un boîtier.

La forme des piles de 9 volts vient de l'époque où elles étaient utilisées pour alimenter des appareils pour lesquels le facteur taille était primordial. Agencez 6 cylindres de la manière la plus économe en place, et vous verrez que le résultat est un parallélépipède.

Cela étant, les piles de 9 V sont moins employées aujourd'hui que par le passé. On les trouve dans des équipements spécifiques tels que les détecteurs de fumée.

Les piles s'usent-elles plus vite si l'on monte le son de la radio ?

Oui. Un cadre travaillant pour un fabricant de piles nous a appris que des recherches l'avaient prouvé :

> Récemment, nous avons testé une chaîne portative alimentée par 6 piles D. Entre le minimum et le maximum d'intensité sonore, la quantité de courant nécessaire a été multipliée par trois, afin d'alimenter les enceintes. Conséquence : à plein volume, les piles ne durent que le tiers de leur temps de vie à volume zéro.

Le principe s'applique quelle que soit la taille de l'appareil ou des enceintes. Plus on demande de puissance de son à une chaîne ou à une radio, plus elle consomme d'électricité.

Pourquoi les batteries de voiture sont-elles si lourdes ? Ne pourrait-on pas les miniaturiser ?

Il est certain que la plupart des consommateurs aimeraient que la batterie de leur voiture ait la taille d'une pile AA. Si leur véhicule calait, ils n'auraient qu'à sortir de la boîte à gants une petite batterie, qu'ils auraient rechargée chez eux...

Les fabricants de voitures aimeraient, eux aussi, réduire la taille des batteries. En effet, toute pièce pesante — qu'il s'agisse de l'acier de la carrosserie, du moteur et des cylindres, etc. — compromet l'efficacité de l'utilisation du carburant.

Les fabricants de batteries ont donc réagi. Aujourd'hui, certaines batteries sont deux fois plus petites qu'il y a 20 ans. Mais il ne faut pas espérer voir de batteries de taille AA dans un futur proche. En effet, des plaques de plomb de haute densité, nécessaires à la production de tension, sont une composante majeure de toute batterie et, jusqu'à présent, on n'a trouvé aucun matériau de remplacement pour ces plaques.

Dans une batterie, plus la surface de plomb est grande, plus il est facile de générer du courant. Nous payons d'ailleurs déjà le prix de la réduction de taille : les batteries modernes sont peut-être efficaces pour démarrer à froid, mais elles ont une autonomie assez réduite. Autrement dit, quand on en fait un usage intensif, elles ne durent pas aussi longtemps qu'elles le pourraient.

Pourquoi les yeux sont-ils parfois rouges sur les photos ? Et pourquoi est-ce plus particulièrement le cas pour les chats et les chiens ?

Avez-vous déjà vu une photo de professionnel déparée par des yeux rouges ? Non, évidemment. Les photographes savent que leurs clients veulent un portrait de leur visage, et non une mise à nu des vaisseaux sanguins de leurs yeux.

Car il s'agit bien de sang. Et il transparaît de façon inopportune lorsque le flash de l'appareil se trouve trop près de l'objectif. La lumière du flash pénètre le cristallin ; elle est reflétée par la rétine, qui tapisse le fond du globe oculaire, et se trouve projetée à nouveau vers l'appareil photo. Ce phénomène se produit dans des environnements sombres qui nécessitent l'usage du flash, et dans lesquels la pupille s'ouvre plus largement.

Voici quelques conseils simples pour vous éviter les photos « aux yeux rouges » :

1 Quand c'est possible, écartez le flash de l'axe de l'objectif – 8 cm de plus suffisent.

2 Dans l'obscurité, ne photographiez pas les gens de face (vous remarquerez que, sur les photos de groupe, le lapin russe est celui qui regarde l'objectif). Les personnes apprécieront de surcroît de ne pas être aveuglées par le flash.

3 Et puis, évitez de prendre des photos quand il fait nuit noire. Avec ou sans yeux rouges, elles ne sont jamais vraiment réussies. Laissez donc les photos de grottes aux pros.

Et pourquoi les chats et les chiens ont-ils facilement les yeux rouges sur les photos ? Ces animaux ont des pupilles à la fois plus grandes et plus dilatées que celles des humains, ce qui permet à la lumière du flash d'atteindre leur rétine.

Pourquoi les films ont-ils des largeurs de 8, 16, 35 et 70 mm ?

Si 8 est la moitié de 16, 35 celle de 70, 16 n'est pas la moitié de 35 – la largeur des films possède-t-elle seulement une logique ?

Le film de la première caméra Kodak faisait 70 mm de large. Ce qui signifie que Kodak produit des films dans ce format depuis 1888. Edison voulait, quant à lui, utiliser des films plus étroits. Il testa les largeurs d'une moitié et d'un tiers de 70 mm, et opta pour la moitié : le 35 mm. Les largeurs inférieures sont un peu plus récentes :

Le format 16 mm résulte de tests datant d'avant 1916. À cette époque, on se rendit compte qu'un sixième du format standard donnerait une image satisfaisante. On ajouta à cette image de 10 x 7,5 mm des bords de 3 mm destinés aux perforations. Le 16 mm était né. Quant au format 8 mm, c'est en effet la moitié de 16 mm.

Dans l'histoire du cinéma, il a existé d'autres largeurs : Kodak a fait notamment une tentative de demi-35 mm doté d'une seule bande perforée, et il y eut également des films en 21 et 22 mm. Mais aucun n'a perduré.

Pourquoi les comptes à rebours des anciens films ne vont-ils pas toujours jusqu'à 1 ?

Le compte à rebours aide le projectionniste à savoir exactement quand le film va commencer. Les nombres apparaissent précisément à une seconde d'intervalle, le 1 correspondant tout simplement au début du film.

N'aurait-on pas pu faire débuter le film à 0, et donner au public la satisfaction de pouvoir compter de 10 jusqu'à 1 ?

Si... On aurait pu. Mais, comme souvent, la tradition et l'inertie ont été les plus fortes.

Pourquoi le tuyau qui se trouve sous les éviers et les lavabos forme-t-il un S ? Un tuyau droit ne suffirait-il pas ?

Vous pouvez nous croire sur parole : il ne s'agit pas d'une ruse des fabricants de tuyaux pour vous en vendre davantage. Vous avez vraiment besoin de ces tuyaux alambiqués.

Le siphon sert à garder un peu d'eau écoulée et à faire tampon, empêchant que les odeurs du tout-à-l'égout ne remontent et envahissent l'air de la cuisine ou de la salle de bains. Il en va d'ailleurs de même pour les siphons des toilettes, qui forment un S de taille supérieure.

Le siphon en S permet également de retenir certaines choses qui risqueraient de boucher le tuyau d'évacuation. Et il peut enfin empêcher votre bague préférée de disparaître à tout jamais dans les égouts.

Quand on vous disait que vous en aviez besoin !

Pourquoi, quand on ouvre un robinet, l'eau a-t-elle parfois un aspect laiteux ? Et pourquoi ce phénomène concerne-t-il surtout l'eau chaude ?

L'aspect laiteux qu'a parfois l'eau qui vient juste de sortir du robinet est tout simplement dû à de petites bulles d'air. Une grande partie de ces bulles se forme au moment où l'eau heurte l'aérateur en sortant du robinet. Des bulles apparaissent également lorsque l'on verse de l'eau dans un récipient en contenant déjà. En effet, le liquide ajouté crée des remous dans l'eau du récipient, et ces remous génèrent des bulles d'air.

L'aspect laiteux se dissipe rapidement car certaines bulles, moins denses que l'eau, remontent à la surface, où elles crèvent, tandis que d'autres se dissolvent dans l'eau avant même d'arriver à la surface. Si l'air chaud peut contenir plus de vapeur d'eau que l'air froid, l'eau chaude ne peut contenir autant d'air que l'eau froide. Dans l'eau froide, les bulles d'air se dissolvent plus rapidement que dans l'eau chaude ; c'est pourquoi l'aspect laiteux de l'eau chaude peut être à la fois plus prononcé et plus durable que celui de l'eau froide.

Le fait que l'eau froide dissolve plus de gaz la rend meilleure au goût que l'eau chaude. C'est pour cela que l'on utilise de l'eau froide dans la plupart des recettes de cuisine ou de pâtisserie, ainsi que pour faire le thé et le café.

Quand je fais couler de l'eau chaude, pourquoi le son qu'elle produit change-t-il au fur et à mesure qu'elle se réchauffe ?

L'eau froide peut aussi produire un sifflement, mais ce phénomène concerne en effet plus fréquemment l'eau chaude.

Le sifflement provient d'une diminution du débit d'eau dans les tuyaux, et son origine dépend de la nature de la tuyauterie. Dans le cas de tuyaux de cuivre, leur diamètre est généralement trop petit. S'ils sont en acier galvanisé, le bruit a pour origine leur entartrage, qui réduit également leur circonférence.

Le débit de l'eau chaude est souvent moindre que celui de l'eau froide, car la première contient des bulles d'air qui se forment lors du processus de réchauffement.

Quant aux craquements que peut produire un chauffe-eau, ils ont pour origine l'accumulation de calcaire. Lorsque la résistance se dilate ou se contracte selon la température, le calcaire se brise et tombe au fond du ballon. Les tuyaux se contentent de transmettre ce son si particulier jusqu'à nos oreilles...

Comment réalise-t-on le conduit à l'intérieur d'une aiguille de seringue ?

On utilise des aiguilles pour piquer les patients. Mais faut-il au préalable piquer les aiguilles ?

La réponse est non. Un expert nous a écrit ce qui suit :

Le secret est que nous ne faisons pas le trou *après* avoir fabriqué le corps de l'aiguille, mais *avant*.

Bien, mais comment ? Un ingénieur qui, durant des décennies, a produit des aiguilles de seringue a répondu à cette question :

L'aiguille d'une seringue est également appelée canule. Elle est produite à partir d'une grande bande d'acier inoxydable. Selon la taille du produit fini, qui dépend de son usage, la largeur de la bande de métal peut aller d'environ 1,5 cm à l'épaisseur d'une lame de rasoir.

On fait passer cette bande d'acier à travers une série de moules qui lui donnent peu à peu la forme d'un tube. Lorsque le tube se referme, la « couture » est soudée, puis le tube est enroulé sur des bobines. À ce stade de la fabrication, le diamètre du tube peut varier de plusieurs millimètres à moins de 1 mm.

Durant la phase suivante, le tube est étiré et passe à travers de petits anneaux qui réduisent son diamètre et l'épaisseur de sa paroi. Selon la taille désirée pour l'aiguille de seringue et les propriétés physiques dont le produit fini devra être doté, ce processus peut faire appel ou non à des températures élevées. En général, les canules utilisées pour injecter des liquides dans le corps ont un diamètre extérieur d'environ 0,33 mm et une épaisseur de paroi d'environ 0,08 mm. La lumière de l'aiguille (le conduit central) ne mesure donc qu'environ 0,16 mm de diamètre.

Une fois le processus de réduction achevé, le tube est à nouveau embobiné pour être transporté jusqu'à une machine qui le coupera en tronçons de la longueur des aiguilles à fabriquer. Pour finir, les aiguilles sont ciselées ou limées jusqu'à obtention d'une pointe adéquate.

Lors de son passage à travers les différents moules, le tube d'acier est poli de l'extérieur et acquiert un aspect brillant. La trace de la « couture » disparaît au fur et à mesure de la fabrication.

Même avec des techniques en pleine évolution, c'est du conduit intérieur que part la fabrication de l'aiguille :

Aujourd'hui, grâce au laser, on enroule autour d'un espace vide une enveloppe d'Inox plus fine que ce que l'on était capable de produire avec les méthodes électriques. Une fois l'enveloppe terminée, on la resserre de plus en plus pour affiner le conduit central. Étrangement, nous n'avons jamais réussi à obturer totalement le tube...

Pourquoi le cor d'harmonie est-il conçu pour les gauchers ?

Nous espérons que cette question ne nous a pas été soumise par des gauchers qui apprennent à jouer du cor d'harmonie parce qu'ils sont convaincus qu'un instrument est enfin prévu pour eux. Sinon, ils risquent d'être cruellement déçus.

Pourquoi les cravaches produisent-elles un craquement quand on les fait claquer ?

Une cravache peut atteindre une vitesse supérieure à 1 000 km/h, et elle dépasse alors le mur du son. Ce que l'on entend est donc un minibang supersonique.

En effet, s'il y a une chose que nous avons apprise au cours des rudes années que nous avons passées dans la jungle des questions improbables et de leurs réponses inimaginables, c'est que rien n'est jamais conçu pour les gauchers à l'exception de certains ustensiles habilement commercialisés et vendus particulièrement cher.

Au cas où le sujet ne serait pas limpide pour tout le monde, présentons succinctement le cor d'harmonie, ou cor français : c'est un instrument à vent doté d'une embouchure de petite taille, d'un pavillon conique et, entre les deux, d'une tubulure rappelant cette pâtisserie nommée zlabia, c'est-à-dire un entrelacs de volutes dorées entourées d'un tuyau parfaitement rond. Mais sans miel. Le corniste met sa main droite dans le pavillon et appuie sur les 3 touches (les palettes) avec les doigts de la main gauche. La question posée peut donc être traduite ainsi : pourquoi la partie la plus difficile est-elle jouée par les doigts de la main gauche ?

Peut-être vous en doutez-vous déjà ? C'est qu'à l'origine l'instrument ne disposait pas desdites palettes. Une professeure de musique spécialiste de cet instrument nous a expliqué ce qui suit :

> Entre 1750 et 1840, les cors n'avaient pas de palettes ; aussi la technique de jeu était-elle totalement différente de celle d'aujourd'hui. Les instruments étaient construits avec des tuyaux mobiles interchangeables appelés tons, grâce auxquels ils jouaient dans le ton respectif des morceaux choisis, et on obtenait des sons qui n'appartenaient pas aux séries harmoniques en insérant la main de diverses façons dans le pavillon du cor. Ceci se faisait de la main droite, sans doute en raison du fait que la plupart des gens sont droitiers. (Selon une autre hypothèse, les premiers cors de chasse étant conçus pour être joués à cheval, le cavalier tenait son instrument de la main gauche, parce qu'il avait les rênes dans la droite.)
>
> Les palettes furent ajoutées du côté gauche, car les cornistes continuaient à beaucoup utiliser les techniques manuelles effectuées par la main droite.

Les cors d'harmonie modernes rendent ces techniques inutiles. Mais tant de générations ont joué de cette façon que les positions des mains sont restées. Une fois de plus, c'est l'inertie qui gagne, même s'il serait sensé que les droitiers se servent de leur main droite pour actionner les palettes. Mais après tout, ce n'est que justice pour les gauchers, qui affrontent depuis des siècles un monde façonné sans aucun égard pour eux.

Pourquoi de nombreux guitaristes laissent-ils l'extrémité des cordes dépasser du manche de leur guitare ?

Afin de compenser les tailles très diverses des instruments, les cordes de guitare sont beaucoup plus longues qu'il n'est généralement nécessaire. Les stars du rock ont des *roadies* qui taillent leurs cordes au coupe-câble avant les concerts. Mais les musiciens moins connus, ainsi que les guitaristes amateurs, doivent se débrouiller tout seuls.

Mais pourquoi laissent-ils souvent ces cordes échevelées jaillir au bout du manche de leur guitare ? Nous avons reçu une très aimable réponse d'un technicien travaillant pour un célèbre fabricant de guitares. Il nous a proposé les cinq explications suivantes. (Nous les avons complétées par quelques petites choses glanées sur divers forums Internet.)

1 Le *roadie* n'a pas eu le temps de couper les cordes avant le début du concert.
2 Le *roadie* (ou l'artiste) avait égaré son coupe-câble.
3 Certains musiciens sont tout bonnement paresseux.
4 Le morceau de corde en trop est utilisé pour les cas d'urgence : il peut éventuellement servir à réparer une corde cassée. Cette récupération est, de plus, un moyen de faire des économies.
5 Certains musiciens croient que couper le surplus de corde risque d'altérer le son de leur instrument.

À ce propos, un guitariste nous a écrit ceci :

Je laissais toujours mes cordes entières jusqu'à ce qu'un ami, musicien professionnel, me fasse faire un petit test. Je me suis rendu compte que une fois mises en place et accordées, il n'y avait aucune différence entre une corde entière et une corde raccourcie.

Un autre guitariste a corroboré cette opinion, soulignant un inconvénient lié aux cordes laissées intactes : « Pendant un enregistrement, les bouts de corde risquent de se frôler entre eux et de résonner, ce qui peut gâcher toute la session d'enregistrement. »

Nos sources internautiques ont ajouté trois autres explications possibles à cette liste déjà longue :

6 Il arrive que ce qui apparaît comme un surplus soit en fait une corde entière. En effet, certains guitaristes attachent une sangle autour de la tête de leur instrument afin de pouvoir le suspendre à un mur ; quant aux musiciens radins, il arrive qu'ils remplacent la sangle par une simple corde.

7 L'hypothèse qui fait mal : le guitariste en a assez de se piquer sans cesse les doigts sur les pointes acérées des cordes coupées et de saigner comme un porc.

8 L'hypothèse *so cool* : laisser ses cordes telles quelles est une façon de montrer qu'on est cool (même si personne ne sait pourquoi).

Nous avons trouvé quelqu'un qui, lui, sait pourquoi :

Je pense qu'il s'agit là d'une attitude réservée aux seuls musiciens initiés, à laquelle nous autres pauvres béotiens n'avons pas accès. Quand on voit des photos de guitaristes dont l'instrument est couronné d'un fouillis de cordes, l'expression de leur visage (vous savez : les yeux fermés, et les sourcils levés qui témoignent d'une intense inspiration) démontre assez que ces cordes les rendent beaucoup plus créatifs. Il faut d'ailleurs reconnaître que dégager sa main gauche de cet incroyable embrouillamini après avoir joué un sublimissime *mi* majeur demande une bonne dose de génie !

Pourquoi y a-t-il 88 touches sur un piano ?

Les pianos ont généralement 52 touches blanches et 36 touches noires. Les notes vont d'un *la* situé à trois octaves et demie du *do* du milieu, à un *do* situé, lui, quatre octaves au-dessus. Pourquoi pas, par exemple, 64 ou 128 touches ?

L'ancêtre du piano est l'orgue. Au Moyen Âge, les orgues ne disposaient que de quelques touches, mais elles étaient généralement si dures que les organistes devaient porter des gants de cuir pour les enfoncer.

Selon un historien du piano, les claviers ne comportaient à l'origine que l'équivalent des touches blanches que l'on trouve sur les pianos modernes, et ce n'est que peu à peu que les noires ont été ajoutées : « Il semble que les premiers claviers chromatiques [donc munis de touches blanches et noires] soient apparus au XIVe siècle. »

Clavicordes et clavecins connurent leur heure de gloire aux XVe et XVIe siècles, mais ils ne couvraient pas plus de quatre octaves. Ils connurent diverses modifications au fil du temps, et au XVIIIe siècle le clavecin, qui était de plus en plus apprécié, disposait de cinq octaves.

En 1709, Bartolomeo Cristofori, un Florentin constructeur de clavecins, inventa le pianoforte, un instrument dont l'avantage sur le clavecin était qu'on pouvait en jouer, au choix, avec douceur *(piano)* ou avec force *(forte)*. Notre expert précise que les premiers pianos ressemblaient encore beaucoup aux clavecins, mais...

> ... qu'ils étaient dotés d'un mécanisme d'échappement grâce auquel les notes étaient produites lorsque de petits marteaux heurtaient les cordes (le mécanisme reliait ingénieusement les touches aux marteaux), tandis que, pour les clavecins, les cordes étaient pincées par un dispositif nommé sautereau.

Bientôt, d'autres pianos furent fabriqués, mais il n'existait aucune norme, ni en matière de taille, ni concernant le nombre de touches.

Selon un facteur de pianos, c'est sans doute un mélange d'ingéniosité et d'esprit capitaliste qui donna naissance au clavier à 88 touches. De grands compositeurs tels que Mozart avaient besoin d'instruments capables d'exprimer toute l'étendue musicale des morceaux qu'ils créaient. D'autres profitèrent à leur suite des nouvelles possibilités qu'offraient les grands pianos « modernes ». Les constructeurs de pianos savaient qu'ils disposeraient d'un avantage vis-à-vis de leurs concurrents s'ils étaient en mesure de fabriquer à l'intention de compositeurs ambitieux des instruments à la fois plus performants et de plus grande taille. C'est pourquoi le piano connut une importante évolution entre 1790 et 1890 :

À la fin du XVIIIe siècle, alors que la carrière de Mozart touchait à sa fin et que débutait celle de Beethoven, les claviers des pianos embrassaient six octaves. Au début du XIXe siècle, ils en étaient à six et demie, et à la fin du siècle, à sept — qui allaient de *la* à *la*. Dès le milieu du XIXe siècle, certains constructeurs s'étaient essayés à des claviers de sept octaves un quart (qui sont les plus répandus de nos jours), mais ceux-ci ne devinrent la norme qu'à la fin des années 1890.

Jusqu'au milieu des années 1880, les plus grands pianos Steinway avaient un maximum de 85 touches, mais, lorsque le célèbre fabricant osa aller jusqu'à 88, ses concurrents se hâtèrent de l'imiter.

Et pourquoi s'est-on arrêté à 88 ? Pourquoi ne pas être allé jusqu'à une jolie centaine bien rondelette ?

Une extension infinie des claviers est rendue impossible par des considérations d'ordre pratique. D'une part, une corde ne peut produire qu'un éventail de sons limité, notamment dans les graves, où elle risque de vibrer de façon intempestive, d'autre part, l'oreille humaine est également limitée dans sa capacité de perception, surtout dans les aigus. Il existe bien un modèle de piano, le Bösendorfer Concert Grand, dont les 94 touches permettent de jouer huit octaves entières (les 6 touches supplémentaires étant ajoutées du côté grave), mais l'écart des 88 touches standard est le maximum que notre oreille puisse à coup sûr entendre pleinement.

La taille et le poids des instruments sont également pris en compte. Les presque 3 m de longueur du Bösendorfer ne sont dépassés que par les 3,10 m du Fazioli Concert Grand. Seules une poignée de compositions exigent ces 6 touches supplémentaires pour pouvoir être jouées, et ce n'est donc pas pour cette raison que l'entreprise Bösendorfer a créé son Concert Grand. Il paraît que le véritable motif est que le constructeur a souhaité rendre la résonance des 88 notes standard plus riche et plus agréable à l'oreille.

Quelle est la différence entre un rasoir d'homme et un rasoir de femme ?

Outre les codes couleur bien distinct, les fabricants de rasoirs signalent trois différences importantes :

1 La principale réside dans l'angle de rasage. Les rasoirs pour homme présentent un angle plus important parce que le poil de barbe est plus épais que la plupart des poils de femme, et demande donc un rasage plus agressif. Généralement, sur les rasoirs mecaniques du type mach3, l'angle des lames est de 30 degrés, sans doute le meilleur angle pour pouvoir se raser en toute sécurité (pensez à l'angle du coupe-chou de nos grands-pères : 90 degrés, ce qui obligeait à maintenir cet angle de 30 degrés sous peine de voir le fil de la lame pénétrer inexorablement dans la peau). En outre, les femmes se plaignent plus que les hommes quand elles se coupent, et elles se couperaient davantage en utilisant des rasoirs d'homme. Difficile d'enfiler des collants sur des jambes tailladées et sanguinolentes !

2 Les rasoirs féminins ont généralement une tête plus recourbée ; ainsi les femmes voient-elles plus commodément la peau de leurs jambes durant l'opération.

3 Les femmes ne se rasent pas aussi souvent que les hommes, surtout l'hiver, lorsqu'elles portent des pantalons. Il existe des rasoirs pour femme présentant une barre de garde en forme de peigne, ce qui amène des poils d'une certaine longueur à un angle idéal pour le rasage.

D'après nos informations, les fabricants utilisent les mêmes lames pour tous les types de rasoirs. D'ailleurs, l'un d'eux nous a confié que, malgré tous les efforts investis dans un design spécifiquement féminin, la plupart des femmes utilisaient... des rasoirs d'homme.

Bien que les chiens aient un sens de l'odorat très développé, leur nourriture sent affreusement mauvais. Le shampooing mousse mieux au second lavage. La plupart des ours en peluche ont l'air malheureux. Parfois, on se demande comment les responsables de ces bizarreries, pour ne pas dire ces incohérences, arrivent à garder leur place… Nous allons tenter ici de vous l'expliquer.

vie quotidienne

Pourquoi les serviettes de toilette sentent-elles mauvais au bout de quelques jours alors qu'elles sont censées n'être en contact qu'avec un corps propre ?

Vous avez peut-être éliminé la plupart des microbes et impuretés après avoir pris votre douche, mais le fait de vous frictionner détache des particules de peau morte qui adhèrent sur la serviette humide. Celle-ci devient alors un terrain de jeux idéal pour la moisissure présente de façon endémique dans toute salle de bains.

Beaucoup de gens ouvrent la fenêtre ou mettent la ventilation en marche lorsqu'ils se douchent, mais referment la fenêtre ou éteignent la ventilation quand ils se sèchent. Or la directrice marketing d'un grand fabricant de linge de maison nous a expliqué qu'il était très important de bien aérer après avoir pris une douche. En effet, si l'humidité n'est pas évacuée, la salle de bains se transforme en terrarium. Le type de moisissure qui affectionne les rideaux de douche en plastique s'attaque alors aux serviettes, surtout si celles-ci n'ont pas entièrement séché depuis leur dernière utilisation. Et elles finissent par sentir mauvais.

Pourquoi certaines serviettes de toilette ont-elles un côté plus doux que l'autre ?

Cela s'appelle une serviette réversible. On obtient la face la plus douce en coupant les bouclettes du tissu éponge (avec une machine rappelant les anciennes tondeuses à gazon). D'après un professionnel que nous avons consulté, c'est pour des raisons purement esthétiques ; en effet, beaucoup de gens préfèrent accrocher leurs serviettes côté doux à l'extérieur, car ils apprécient son apparence et son toucher veloutés.

Les motifs décoratifs sont généralement apposés de ce côté, car la matière leur donne du relief.

Mais c'est de l'autre côté que se trouve la face utile de la serviette. Car, s'il n'a pas cet aspect douillet de la face velours, le côté bouclettes est, lui, plus absorbant.

Et il semble que ce soit le modeste côté utilitaire qui soit sur le point de gagner la bataille : en effet, de nos jours, environ 95 % des serviettes présentent des bouclettes sur leurs deux faces, tendance à la hausse !

Pourquoi les ventilateurs de plafond prennent-ils la poussière ?

On pourrait penser que la rotation permanente des pales évacue la saleté. Eh bien, on se trompe... Les ventilateurs de plafond semblent être en fait de véritables pièges à poussière.

Sans vouloir vous offenser, votre maison – ou votre appartement – est un lieu extrêmement poussiéreux. En effet, des dizaines de milliers de cellules de peau morte tombent de notre corps à chaque minute. Par chance, si l'on peut dire, des millions d'acariens demeurent chez nous et se nourrissent de ces pellicules. On estime que dans un matelas pour deux personnes, environ deux millions d'acariens subsistent grâce aux cheveux et aux peaux mortes. Chacune de ces charmantes bestioles défèque environ vingt fois par jour, et ses crottes sont si microscopiques qu'elles volent à travers toute la maison. Mais, malgré ces myriades d'acariens qui se nourrissent de nos mues, la poussière trouvée sur les ventilateurs de plafond (comme en général dans les logements) se compose pour une très grande part de particules de peau et de poils humains. Ça donne envie de sortir à toute vitesse aller chercher un filtre à air, n'est-ce pas ?

Lorsqu'il tourne, un ventilateur de plafond génère d'importantes turbulences, ce qui fait tourbillonner la poussière dans toute la pièce. Une bonne partie de celle-ci se redépose sur l'engin, et semble s'y trouver fort bien. Tout en plaidant coupable, un fabricant de ventilateurs nous a fourni un début d'explication à ce phénomène :

> L'air comporte toujours énormément de poussière, dont seule une partie est visible à l'œil nu. Avec le temps, une grande quantité d'air vient heurter les pales d'un ventilateur, et la poussière s'y amasse. Les gens nous demandent souvent comment il se fait qu'il y ait de la poussière et des toiles d'araignée sur les ventilateurs. Il faut bien comprendre qu'il y a énormément de poussière dans l'air.

Mais il faut savoir que l'accumulation de la poussière sur les objets ne se fait pas au hasard. La plupart des particules de poussière ayant une charge électrique, elles peuvent s'attirer mutuellement – un mouton n'est donc rien d'autre qu'une accumulation de particules de poussière dotées d'une fatale attraction... Un physicien nous a expliqué ce principe :

Les particules chargées sont attirées par toute surface elle-même chargée, et y adhèrent. Il peut s'agir d'appareils électriques traversés par du courant ou de toute surface soumise à une force de frottement provoquant une accumulation d'électricité statique. Les ventilateurs de plafond font partie des deux catégories. En tournant, les pales sont soumises à une force de frottement due à la résistance de l'air ; ce phénomène dégage des électrons, et les pales se chargent en électricité. Elles-mêmes chargées, les particules de poussière viennent y adhérer.

C'est généralement sur le bord d'attaque des pales que s'accumule le plus de poussière. En effet, c'est lui qui subit le plus de frottements, et il développe en conséquence la charge électrique la plus importante.

Autrement dit, la poussière ne s'entasse pas sur les pales juste en tombant dessus : l'attraction électrique joue un rôle important dans ce phénomène. C'est aussi ce qui explique que certaines surfaces verticales – écrans de téléviseur, appareils hi-fi, etc. – prennent autant la poussière.

Qu'est-ce qu'on entend quand une maison craque ?

Nous aimons nous imaginer notre foyer comme un bastion, un refuge contre les vicissitudes et l'inconstance du monde extérieur. L'infrastructure d'une maison est constituée d'éléments tels que fondations, piliers et poutres, qui évoquent la solidité et la permanence.

Mais les architectes à qui nous nous sommes adressés nous ont rapidement ôté nos illusions. En fait, parler de la stabilité d'une maison avec un architecte, c'est un peu comme parler de la sécurité des cabines de douche avec Norman Bates, le personnage schizophrène de *Psychose*... Selon l'auteur de plusieurs ouvrages sur le sujet :

Même s'il semble solide et massif, un bâtiment n'est jamais au repos. Ses mouvements sont généralement infimes et indétectables à l'œil nu, mais d'une force pratiquement irrésistible, et il se disloquerait si les constructeurs ne tenaient pas compte de cette mobilité dans leurs calculs.

Dans une maison, toutes les parties listées ci-dessous sont susceptibles de bouger :

1 Le sol s'affaisse sous le poids des fondations.

2 Les matériaux que l'on travaille à l'état humide — mortier, ciment, plâtre, etc. — se rétractent en séchant.

3 Certains matériaux secs (tel le plâtre de gypse) ont tendance à se dilater, exerçant une pression sur les éléments adjacents.

4 La plupart des éléments de bois ne sont pas tout à fait secs lorsqu'ils sont installés dans une construction. Or le bois diminue de volume en séchant.

5 Les éléments de la structure du bâtiment destinés à supporter des charges — poutres, piliers ou colonnes — se tassent sous le poids de ces charges.

6 Le vent et les secousses telluriques causent à tous ces éléments des déformations supplémentaires.

7 Bois et béton s'affaissent avec le temps.

8 Le bois a une propension particulière à se dilater dans les environnements humides et à se contracter en milieu sec. Lorsque l'humidité baisse de façon notable — par exemple lorsque l'on chauffe une pièce en hiver —, il craque alors fortement.

9 Lorsque deux matériaux aux propriétés différentes se côtoient, ils risquent d'appuyer l'un contre l'autre ou, au contraire, de s'écarter l'un de l'autre, ce qui peut générer certains bruits.

La principale expression sonore d'un bâtiment se produit lorsqu'il se dilate et se contracte. Voici ce qui se passe :

> Il se produit constamment des mouvements de va-et-vient causés par les variations de température et d'humidité. La chaleur augmente le volume d'un édifice, tandis que le froid le réduit. Chauffé par le soleil, un toit se dilate au milieu de la journée, tandis que les murs, plus frais, gardent le même volume ; au contraire, la nuit, le toit se rétracte à nouveau.

Et cœtera, et cœtera. Cela fait partie du travail de conception de l'architecte de faire en sorte de compenser autant que possible les mouvements des différents matériaux. En tout cas, nous l'espérons. Sinon, nous risquons de finir aussi mal que Marion Crane dans *Psychose*...

où ? comment ? qui ? pourquoi ? quand ? ou ? comment ? qui ?

Pourquoi les cravates se terminent-elles en pointe ?

Les cravates ne sont pas nécessairement pointues. En fait, jusqu'au début du XXᵉ siècle, elles ne l'étaient pas. Elles étaient alors taillées dans le droit-fil, tandis qu'aujourd'hui, elles le sont généralement dans le biais. Selon un journaliste de mode, il y a deux avantages principaux à tailler un tissu perpendiculairement au sens du tissage : « Cela rend la cravate plus résistante au nouage, et optimise l'élasticité naturelle de la soie. »

Lorsque l'extrémité d'une cravate est achevée, elle est pliée selon le sens du tissage, et forme alors automatiquement une pointe.

Avez-vous déjà remarqué que les cravates en tricot en étaient dépourvues ? Sans doute avez-vous deviné pourquoi. Le fil d'une cravate tricotée est en effet horizontal, et non oblique comme celui des cravates tissées. C'est bien la preuve que la pointe d'une cravate n'a de raison que fonctionnelle, et non esthétique.

Pourquoi, quand on les essaie au magasin, les chaussures ne sont-elles pas lacées ?

Nous avons appris à nouer nos lacets à l'âge de 4 ans. Mais personne ne nous a appris à lacer une chaussure de A à Z. Nous supposions que les vendeurs de chaussures voulaient embêter et humilier leurs clients, mais les experts auxquels nous avons fait appel nous ont détrompés en nous donnant quatre bonnes raisons à cette pratique :

1 Lacer les chaussures étant assez chronophage, commercialiser des souliers déjà lacés en ferait monter les prix.

2 Les gens ne lacent pas tous leurs chaussures de la même façon. Aussi les fabricants laissent-ils celles-ci sans lacets pour que chacun le fasse à sa guise.

3 Les clients chaussent ainsi plus facilement les souliers pour les essayer — ce qui est un avantage car certaines personnes interprètent faussement toute difficulté à enfiler une chaussure comme un problème de pointure.

4 Mais la raison principale est sans doute d'ordre psychologique. Inconsciemment, l'on considère une chaussure sans lacets comme étant réellement neuve. Certaines personnes refusent même d'acheter des chaussures déjà lacées. Ils n'aiment pas l'idée qu'on ait pu les essayer avant eux...

Pourquoi les chaussettes présentent-elles un angle de 115 à 125 °, alors que le pied humain forme avec la cheville un angle d'environ 90 ° ?

Certes, toutes les chaussettes ne sont pas pourvues d'un talon. Certaines forment un tube droit, fermé à une extrémité par une couture.

Mais la plupart des chaussettes sont dotées de ce que l'on nomme un « talon diminué ». Un spécialiste du sujet nous a expliqué comment on fabrique cette petite merveille :

> Imaginez une machine à tricoter entièrement circulaire ; elle commence la chaussette par le haut (bord côtes) et tricote la tige en rond jusqu'à arriver là où le talon doit commencer. Ici, la machine ne tricote plus en cercles entiers, mais par mouvements de va-et-vient.
>
> Une fois l'angle du talon terminé, la machine reprend son tricotage circulaire.

Non intentionnel, l'angle de 115 à 125 ° formé par le talon est en fait le résultat du processus de tricotage. Les fils utilisés pour la fabrication de chaussettes s'étirent afin de se conformer aux contours du pied. Une chaussette tube, donc dotée d'un angle à 180 ° (ou nul), habillant confortablement une cheville et un pied humains, pourquoi une chaussette conventionnelle ne ferait-elle pas au moins aussi bien ?

Pourquoi trouve-t-on parfois du sable dans les poches des jeans neufs ?

Cela pourrait théoriquement être un pantalon rapporté par un client qui revenait de la plage — mais c'est fort peu probable. Il s'agit sans doute plutôt d'un jean *stone washed*.

Avant d'être commercialisés, les jeans *stone washed* sont, comme leur nom l'indique, lavés avec des pierres — un processus qui assouplit le tissu. Un des cadres marketing de l'un des géants mondiaux du jean nous a expliqué comment ces pierres pouvaient se transformer en sable :

La pierre ponce est une roche tendre. Pour fabriquer des jeans *stone washed*, on les lave en même temps que des pierres ponces dans de gigantesques machines à laver. Or, il arrive que durant ce processus de lavage, les pierres se désintègrent en fines particules ou en sable, que l'on retrouve ensuite parfois dans les poches des pantalons.

Il est logique que ce soit dans les poches que l'on trouve ce « sable », car, sur toute autre partie du pantalon, il ne peut qu'avoir été rincé sans laisser de trace.

Pourquoi le coton rétrécit-il plus au lavage que la laine ?

Si nous avions su à quel point ce sujet était compliqué, nous aurions choisi un problème plus simple : par exemple, résoudre certaines questions de physique quantique...

Très aimablement, des industriels de la laine et du coton nous ont envoyé des rapports pleins d'équations et de formules diverses telles qu'on s'attend à les rencontrer aux examens finaux de Polytechnique. Mais nous sommes allés trop loin pour reculer. Nous allons donc résoudre cette question, tout en simplifiant largement la réponse.

Si de nombreux facteurs contribuent au rétrécissement du coton, le principal est de loin le gonflement des fibres lorsqu'elles sont exposées à l'eau.

On pourrait penser que ce gonflement conduit à augmenter la taille d'un vêtement. En fait, afin que les fibres gonflées restent à leur place, il faudrait une plus grande longueur de fil de chaîne pour passer entre les fils de trame, dont le diamètre a augmenté. Comme cette longueur supplémentaire n'est pas disponible, le tissu rétrécit. Un tissu tricoté ne dispose pas non plus d'une longueur de fil supplémentaire ; son fil unique se raccourcit donc afin que les mailles gagnent à nouveau en souplesse. Le rétrécissement peut se produire aussi bien dans la machine à laver que dans le sèche-linge.

Il existe des procédés chimiques permettant d'éliminer ce phénomène de rétrécissement (à l'exception de 1 % résiduel), mais ils affectent le toucher et la souplesse du coton.

La laine est non seulement sujette au même processus de rétrécissement dû au gonflement des fibres, mais également à un autre, qui lui est propre : le rétrécissement dû au feutrage. C'est à cause du risque de feutrage que l'on ne doit pas laver la laine dans les machines ne disposant pas de programme adapté.

> Le feutrage se produit lorsque la laine est soumise à la chaleur, à l'humidité et à des frottements comme ceux du lavage en machine. La structure de la fibre de laine se bloque, et le tissu s'épaissit et rétrécit. Ce rétrécissement est irréversible.

Pourquoi alors la laine ne rétrécit-elle pas lorsqu'elle est passée au sèche-linge ? Parce que, lors de la dernière phase de la fabrication d'un vêtement de laine, le matériau est prérétréci lors d'une étape que l'on appelle le foulage. Le tissu subit l'action simultanée de la chaleur, de l'humidité et d'un mouvement de frottement, ce qui le fait rétrécir tant en longueur qu'en largeur. Le foulage assouplit le tissu, donnant aux vêtements de laine une texture plus douce. De nombreux traitements ont été inventés pour permettre aux lainages d'être lavés et séchés en machine.

La laine présente un avantage sur le coton : lorsqu'elle rétrécit en raison du gonflement des fibres, ce rétrécissement est souvent réversible. Au fil des années, nous avons testé cette hypothèse en prenant courageusement du poids, au mépris de notre propre santé. Aujourd'hui, nous pouvons dire que, en effet, nos anciens T-shirts de coton, qui nous allaient à merveille autrefois, n'ont pas su s'élargir en même temps que nous !

Pourquoi le jean 501 a-t-il ce numéro ?

Oscar Levi Strauss (mais oui, M. Levi Strauss a vraiment existé) dirigeait un commerce de mercerie et de produits textiles en Californie. Le 501 est le jean Levi's « original », et son matricule lui vient tout simplement du numéro de référence du tissu avec lequel il était fabriqué. Strauss, qui n'aimait pas appeler ses vêtements des jeans, définissait le 501 comme un « bleu de travail s'arrêtant à la taille ». Considérant cette origine « ouvrière », on éprouve quelques difficultés à l'associer aux productions de grands couturiers comme Gloria Vanderbilt ou Calvin Klein, dont les prix n'ont décidément rien à voir avec la nature première du jean.

Qu'est-ce qui donne à la **laine mouillée** cette **odeur** si particulière ?

Les glandes sébacées des moutons produisent de la lanoline, l'équivalent de la sueur chez les humains. La laine absorbe cette lanoline, qui la protège du dessèchement. Ça, c'était la bonne nouvelle. La mauvaise, c'est que la lanoline est grandement responsable de l'odeur caractéristique du mouton mouillé.

Lors de la transformation de la laine, la lanoline est censée en être extraite presque entièrement. Après la tonte et le calibrage de la laine suivent le lavage, puis le cardage des fibres : la laine passe dans des cuves remplies de détergent où elle est débarrassée de sa lanoline, puis à travers de grands peignes d'acier qui la démêlent et en éliminent les impuretés. Pour finir, elle est lissée et séchée.

Selon la qualité du lavage et du cardage, il peut rester trop de lanoline dans la laine. À l'inverse, si les produits nettoyants sont trop agressifs, ils risquent d'abîmer les fibres. Dans l'un comme dans l'autre cas, le résultat risque de « sentir le mouton ».

Mais on peut également choisir de ne pas dégraisser entièrement la laine, car la lanoline facilite le tricotage. Notons que si les manteaux de laine supportent la pluie sans se mettre à sentir le suint, c'est qu'avec les techniques modernes on ôte pratiquement toute la lanoline de la laine.

Pourquoi le fait de rincer une tache à l'eau chaude la fixe-t-il ? Pourquoi est-il plus efficace de la rincer à l'eau froide ?

Commençons par la bonne nouvelle. En augmentant la température de l'eau que vous faites couler sur une tache, vous augmentez également sa solubilité. Et dissoudre une tache semble être une bonne méthode pour l'éliminer.

Et la mauvaise nouvelle... En pratique, dissoudre une tache conduit généralement à la faire s'élargir. Ainsi, généralement, l'eau chaude dissout-elle une tache, mais tout en la faisant pénétrer plus profondément dans les fibres. C'est notamment le cas des taches grasses sur tissu synthétique. Et une fois que la tache s'est profondément incrustée dans le tissu, les produits de nettoyage perdent généralement de leur efficacité.

Dans d'autres cas, l'eau chaude modifie chimiquement la tache, ce qui empêche son nettoyage. Les taches de protéines en sont un bon exemple, comme nous l'a expliqué une spécialiste des détergents.

> Si la tache contient des protéines, le fait de la rincer à l'eau chaude va faire coaguler ces protéines. Par exemple, on peut rincer du blanc d'œuf à l'eau froide, mais l'eau chaude le fera coaguler immédiatement. Ce phénomène rend la tache insoluble et la fixe sur l'étoffe.

Mais il existe des taches pour lesquelles on peut indifféremment utiliser de l'eau chaude ou froide : ce sont celles contre lesquelles, de toute façon, rien ne marche...

Pourquoi, une fois mouillés, presque tous les tissus apparaissent-ils plus foncés que lorsqu'ils sont secs ?

Mouillez un chemisier blanc, et vous y ferez une tache plus foncée. Si un maladroit renverse son Perrier sur votre veston bleu marine, le liquide incolore parviendra mystérieusement à assombrir davantage sa couleur. Comment cela se fait-il ?

Un simple phénomène de physique élémentaire ! La véritable couleur du vêtement se modifie de trois façons :

1 La lumière éclairant le tissu se réfracte dans l'eau, même s'il ne s'agit que d'une couche très fine. De la sorte, la lumière disponible est dispersée.

2 La réflexion ayant lieu à la surface de l'eau cause une dispersion incohérente de la lumière.

3 Une combinaison de ces deux phénomènes fait que la surface du tissu est atteinte par une quantité moindre de lumière susceptible d'être réfléchie vers vos yeux. En conséquence, la tache d'eau paraît plus foncée que le reste du vêtement qui, lui, reflète la lumière directement.

Pourquoi les plombages ne rouillent-ils pas ?

Les amalgames dentaires ne rouillent pas parce qu'ils ne contiennent ni fer, ni acier. Sans fer, pas de rouille.

Mais nous comprenons bien que la question est plus profonde. Le fait d'exposer constamment un métal à l'air et à des liquides peut en effet induire un grand risque de corrosion. Voici pourquoi ce n'est pas le cas.

La plupart des amalgames dentaires contiennent environ 50 % de mercure, le reste se partageant entre argent, étain, cuivre et zinc. La proportion d'argent varie entre 2 et 35 % ; elle est généralement plus proche des 35 %.

La forte proportion de mercure s'explique par sa capacité à s'allier à d'autres métaux. Si l'on ne combinait que de l'argent, du cuivre et de l'étain, on obtiendrait une poudre dénuée de résistance à la pression. Le mercure combine les autres métaux afin de former une masse à la fois solide et résistante, mais pouvant aussi être comprimée dans une cavité, et la scelle efficacement. Si les amalgames sont bon marché et aisés à mettre en place, le métal se corrode effectivement — ce qui est l'une des raisons pour lesquelles on doit les remplacer de temps à autre. Mais la corrosion présente également un aspect positif, comme nous l'a expliqué un dentiste :

Une fois le plombage mis en place, un film de métal corrodé se forme aux points de contact entre l'amalgame et la dent. Ce film scelle mécaniquement le plombage, et empêche toute fuite d'alliage, qui conduirait *in fine* à de nouvelles caries.

La corrosion empêche aussi les bactéries et d'autres substances chimiques de pénétrer dans la cavité rebouchée.

Parfait. Mais le mercure n'est-il pas un toxique dangereux ? En effet. En Europe, de nombreux pays interdisent désormais l'usage de plombages traditionnels. On emploie des composites qui sont des matériaux sous forme de pâtes contenant des particules de quartz, de silice et de zirconium. Ils étaient initialement utilisés pour les dents antérieures mais grâce à l'amélioration de leur résistance à l'usure, ils servent également aujourd'hui à restaurer les dents postérieures.

L'American Dental Association ainsi que l'Organisation mondiale de la Santé soutiennent, quant à elles, que les fuites minimes de mercure restent dans des limites acceptables. Pour la médecine alternative cependant, les plombages peuvent être responsables de nombreux troubles de la santé, et affecter notamment les reins et le cerveau. Voilà qui relègue la question de la corrosion dans le domaine des préoccupations bien futiles...

Pourquoi la plupart des parfums sont-ils de couleur jaune ?

Le jaune est la couleur naturelle des huiles essentielles qui composent les parfums.

En réalité, les nuances des centaines, parfois (excusez du peu) des milliers de matières premières concentrées diluées avec de l'alcool pour fabriquer du parfum ou de l'eau de toilette peuvent varier légèrement. Certaines huiles essentielles assez répandues, comme la mousse de chêne, sont à l'origine vert foncé ou marron. Mais la plupart sont de couleur ambrée et deviennent jaunes une fois diluées.

Si la nuance naturelle des ingrédients n'est pas assez esthétique, le parfumeur peut la colorer. Certes, il est difficile d'éclaircir une nuance soutenue, comme de changer radicalement la couleur du liquide. Aussi le résultat final reste-t-il généralement assez proche des couleurs de départ de ses ingrédients.

Tous les parfums ne sont pas jaunes, bien évidemment. Certains, dont la couleur est peu attirante, sont conditionnés dans des flacons opaques. Quant à des couleurs telles que rose, bleu, etc., elles ne sont rien d'autre qu'un outil marketing. Mais un parfumeur avec qui nous nous sommes entretenus nous a dit en confidence que le jaune « naturel » s'adressait aux clients haut de gamme, tandis que les couleurs originales étaient plutôt réservées à un public jeune. D'ailleurs, la popularité de ces produits est souvent aussi éphémère que le sillage du parfum lui-même.

Pourquoi les savons colorés produisent-ils une mousse blanche ?

Il suffit de très peu de teinture pour colorer du savon ou du shampooing. Un professeur de physique nous a expliqué ceci :

> Lorsque le liquide est dans le flacon, la lumière qui nous sert à le voir traverse une épaisseur importante de savon ou de shampooing, ce qui intensifie sa nuance.

Mais, une fois mélangée à l'eau, la teinture se retrouve diluée, et le pourcentage de matière colorante est ainsi fortement réduit.

Une employée du service consommateurs d'un des géants du marché du savon et du shampooing nous a expliqué qu'il serait possible de doter les substances lavantes d'assez de teinture pour que la mousse elle-même soit colorée, mais que les recherches menées indiquaient que la majorité des consommateurs préféraient que leur peau et leurs cheveux soient en contact avec une mousse blanche.

De plus, une forte concentration de colorant risquerait de teindre les serviettes de toilette — et de transformer les cheveux blonds en coiffures post-punk !

Pourquoi les objets propres grincent-ils ? Pourquoi les verres ne grincent-ils pas toujours lorsqu'on les frotte ?

Lorsque l'on frotte deux substances l'une contre l'autre, il se passe toutes sortes de choses passionnantes. Nous avons parlé à un biochimiste qui nous a expliqué que, lorsque l'on entend un beau grincement bien net, c'est que le verre a dépassé le « coefficient de frottement ».

Le coefficient de frottement est un terme barbare désignant tout simplement la force nécessaire pour surmonter le frottement existant entre deux objets. Quand ce coefficient est élevé, cela signifie qu'il faut une grande force pour surmonter un frottement donné, et vice versa.

Lorsqu'un objet, disons un verre, est sale ou contient des restes de boisson, ou que vos doigts sont graisseux, ces impuretés agissent comme lubrifiant, permettant aux doigts de glisser sur la surface du verre. Mais si l'objet est dépourvu d'impuretés et que vous avez les mains propres, le frottement est plus important : les deux surfaces entrent entièrement en contact l'une avec l'autre et adhèrent un instant l'une à l'autre avant que la force (le coefficient) ne surmonte ce frottement. Celui-ci se relâche alors, puis reprend, et ainsi de suite.

La force du frottement, accompagnée par cette suite de moments d'adhésion et de relâchement, fait vibrer le verre (il arrive aussi que des objets mis en contact vibrent tous deux, mais toute matière n'est pas capable de vibrer) ; si ces vibrations possèdent une fréquence que nous sommes en mesure d'entendre, il se produit un grincement audible. Bien entendu, la force avec laquelle les surfaces frottent l'une contre l'autre et le type de frottement affectent le volume et la nature du son produit.

Certaines surfaces ne requièrent que peu de force pour grincer ; c'est notamment le cas du verre. Un de nos amis scientifiques se consacre si pleinement à ses recherches qu'il va jusqu'à travailler au restaurant, une habitude surprenante et, à notre avis, également gênante.

Souvent, même dans des restaurants élégants, si mon verre à pied a une paroi fine, j'attends de l'avoir presque vidé et je mouille mon doigt et le fais glisser le long du bord. À un moment, mon doigt commence à tressauter légèrement, et le verre se met à chanter. Il produit généralement un son aigu, mélodieux et perçant. Cette vibration se produit à la même fréquence que lorsque vous faites tinter le verre avec votre ongle.

On peut faire la même chose avec de la vaisselle en porcelaine, les vitres des fenêtres... et les tableaux noirs (ça, c'est franchement désagréable !). Il suffit de produire un frottement suffisant pour obtenir cette série de mouvements d'adhérence et de relâchement. Lorsqu'on n'arrive pas à faire grincer un objet, c'est que le frottement, la tension superficielle ou l'adhésion ne sont pas suffisamment forts.

Si vous croyez que le verre comme vos mains ont des surfaces lisses, vous vous trompez.

Au microscope, la peau d'un doigt, le tranchant d'un ongle, les fibres de coton d'un torchon, tout ressemble aux sillons d'un champ labouré ou aux pavés d'une ruelle médiévale.

Au Moyen Âge, on faisait de la musique avec des verres. Cette technique fut affinée et aboutit à des « instruments » de concert, composés de plusieurs verres de tailles diverses, « accordés » pour produire différentes notes selon la quantité de liquide qu'ils contenaient, et dont jouaient des maestros du grincement — dont les mains étaient sans doute impeccablement propres.

Ces principes de frottement et de vibration sont à l'origine des sons que génèrent tous les instruments à cordes. Aussi, avec un archet de violon, on peut aussi bien jouer une musique merveilleuse sur un Stradivarius que faire résonner une scie musicale, ce qui, comme Marlene Dietrich l'a démontré en son temps avec brio, peut donner des résultats tout à fait émouvants !

Pourquoi le papier journal est-il si efficace pour nettoyer les vitres ?

Quand on feuillette un journal, on a très vite les mains sales. Alors comment se fait-il que des vitres frottées avec le même journal étincellent de propreté ? Nous avons posé la question à la fois à des laveurs de vitres émérites et à des imprimeurs.

Pourquoi le shampooing mousse-t-il mieux à la seconde application ?

Même si nos cheveux et nos mains sont déjà mouillés, il est difficile d'obtenir une belle mousse dès le premier shampooing. Par contre, le deuxième produit une mousse abondante. Pourquoi ?

Parce que nos cheveux sont gras. Lors du premier lavage, le sébum qui les recouvre empêche la formation de la mousse. Mais une fois cette substance huileuse rincée, si l'on se lave à nouveau les cheveux, la mousse se forme normalement.

L'un des attraits de ce « nettoyant » est sans doute son prix. Cependant, nous n'avons trouvé aucun laveur de vitres l'utilisant dans l'exercice de ses fonctions, bien que plusieurs aient pu imaginer pourquoi il pouvait s'avérer efficace. Voilà ce que l'un d'eux nous a déclaré :

> Je ne me sers pas de papier journal pour nettoyer les vitres : j'utilise des raclettes. Quand j'étais petit, c'est vrai que mon père m'a expliqué que le papier journal était un bon truc, sans doute parce que c'était moins cher que l'essuie-tout. Mais, en grandissant, j'ai fait mes propres expériences, et ça fait bien 25 ans que je n'ai pas utilisé de journal pour nettoyer une fenêtre.

Bien sûr, l'absence d'apprêt sur le papier journal n'a pas pour objectif de le rendre efficace pour nettoyer les vitres, mais plutôt de satisfaire les éditeurs de journaux.

> Le papier journal est absorbant pour permettre à l'encre d'y pénétrer.

Mais il n'est pas seulement bon marché et absorbant, il confère également un beau brillant aux vitres, comme nous l'a expliqué un spécialiste du nettoyage :

> Je ne pense pas que les laveurs de vitres professionnels utilisent du papier journal. C'est plutôt une technique maison, mais il faut dire que ça marche étonnamment bien. Il est très absorbant, ne peluche pas et donne au verre un fini étincelant. Pour moi, ce qui fait briller ainsi les vitres est aussi ce qui nous salit les mains : l'encre ! Oui, je crois qu'il reste un film d'encre sur les vitres, et que c'est ce film qui les rend si brillants.

Dans ce cas, pourquoi les professionnels n'utilisent-ils pas de journaux ? Parce que cela comporte quelques inconvénients rédhibitoires. En effet, malgré tout, c'est une méthode lente. Avec une raclette, vous allez beaucoup plus vite.

De plus, que faire du papier usagé ? Un laveur de vitres nous a écrit à ce sujet :

> Étant donné que nous avons énormément de vitres à nettoyer, il ne serait pas pratique d'utiliser (puis de devoir jeter) du papier

journal, car il en faudrait des quantités industrielles. Rien que pour cette raison, vous aurez du mal à trouver un professionnel qui nettoie les vitres avec du papier journal.

La prochaine fois que vous nettoierez vos fenêtres, vous serez peut-être tenté de donner sa chance à votre quotidien favori plutôt qu'à de l'essuie-tout. D'ailleurs, les professionnels ont tendance à se méfier de ce dernier, car s'il essuie correctement, il laisse des peluches. Il vaut mieux prendre un chiffon.

Quant aux journaux, les encres végétales, utilisées de plus en plus à la place des encres pétrochimiques du passé, ont certes l'avantage de nous salir moins les mains, mais elles polissent aussi moins bien les vitres...

Pourquoi le papier journal se laisse-t-il déchirer très proprement dans le sens vertical et très difficilement dans le sens horizontal ?

Le papier journal contient beaucoup de fibres de bois. La pâte à papier, composée d'un minimum de 80 % d'eau, est pulvérisée sur une table de fabrication, puis séchée en plusieurs étapes. Les fibres sont agencées horizontalement pour rendre le papier plus solide face aux risques de déchirure.

Le fait d'orienter les fibres dans une seule direction a pour objectif de base d'augmenter la stabilité de la feuille de papier durant la fabrication. Autrement dit, le journal fini a un « fil », comme le bois, la viande ou un drap de lit (avez-vous déjà remarqué combien il est facile de déchirer un vieux drap dans un sens, et difficile dans l'autre ?). Lorsque l'on déchire du papier journal verticalement, on suit ce fil — c'est-à-dire qu'on passe entre les fibres.

Pourquoi la nourriture pour chiens sent-elle si mauvais ?

On entend toujours parler du merveilleux sens de l'odorat des chiens. La zone olfactive d'un être humain couvre une surface de 3 cm^2, celle d'un chien, de 130 m^2. Tandis que nous nous reposons principalement sur la vue, les chiens évaluent la nourriture — ainsi que les autres êtres vivants — grâce à leur odorat.

Et, malgré des capacités aussi développées, un chien accepte de manger un gloubi-boulga qui sent la nourriture pour chiens ? Peut-être que, en tant que minus de l'odorat, nous ne sommes pas en mesure d'apprécier l'odeur délicate de ce mets raffiné, de même qu'un enfant n'aime pas le bouquet d'un bon vin ? Inutile d'essayer de nous faire croire ça. Il va juste falloir admettre que nous ne sommes pas d'accord sur ce point avec nos amis canins.

Étant donné que les propriétaires de chiens ont une tendance à l'anthropomorphisme, on peut se demander pourquoi personne n'a encore eu l'idée de créer des nourritures canines qui donneraient envie aux maîtres de manger la même chose que leur cher toutou — mais on nous affirme que la seule chose qui compte, c'est le bien-être de l'animal. Un professionnel nous a déclaré ceci :

> Contrairement aux aliments pour les êtres humains, la nourriture pour animaux de compagnie est véritablement diététique, complète et équilibrée. De plus, elle doit être appétissante, et convenir à l'odorat et au goût de l'animal. Ce qui n'équivaut pas forcément à plaire aux maîtres.

Ironie du sort : les chiens, pourtant capables de manger n'importe quelle saleté traînant dans la rue, ont l'estomac sensible. Une spécialiste ès cabots nous a expliqué que si l'on essayait de fabriquer des aliments susceptibles de plaire à l'odorat des êtres humains, cela comporterait des risques pour la santé des animaux : « La nourriture pour chiens diffuse tout simplement l'odeur des ingrédients dont elle est composée. Je doute qu'il soit possible de neutraliser cette odeur sans ajouter de substances chimiques pouvant s'avérer dangereuses pour les animaux. »

Les matières grasses apparaissent fréquemment à la deuxième place sur la liste des ingrédients, et ce sont elles qui sont en grande partie responsables de la pestilence que l'on sait. Dans son ouvrage *Food Pets Die For — Shocking Facts About Pet Food* (« Manger et mourir. Une enquête choc sur la nourriture pour animaux », non traduit en français, N.D.T.), Ann N. Martin vilipende la qualité de ces matières grasses :

Les graisses diffusent une odeur forte qui appâte votre animal et l'encourage à manger ces cochonneries. Certaines proviennent de restaurants qui s'en débarrassent car elles ne sont plus adaptées à la consommation humaine. Les autres, et c'est le cas le plus fréquent, sont des résidus d'équarrissage, c'est-à-dire qu'elles sont extraites de cadavres de mammifères ou de volailles au cours de l'abattage et du dépeçage d'animaux impropres à la consommation humaine.

Pas franchement appétissant... Mais, pendant que l'industrie de l'alimentation animale et ses opposants, comme Ann N. Martin, se disputent pour savoir si oui ou non nos chers toutous sont mis en danger, il faut bien reconnaître que la plupart des chiens vident leur écuelle en quelques coups de langue satisfaits. Ce qui nous satisfait à notre tour. Car plus vite le chien a vidé tout ça, plus vite l'odeur disparaît !

Pourquoi le papier d'aluminium n'est-il pas chaud quand il sort d'un four brûlant ?

Soyez certains que si vous touchez du doigt du papier d'aluminium se trouvant dans un four chaud, il sera chaud lui aussi. Supposons que vous enfourniez d'une part un rôti dans un plat de céramique fermé par un couvercle en verre et d'autre part des pommes de terre enveloppées dans du papier alu : chacun à son rythme, aliments et récipients vont atteindre la température indiquée par le thermostat du four. En fait, ce n'est pas que l'aluminium est froid, c'est qu'il refroidit très vite.

En termes de vitesse et de régularité, les métaux n'ont pas tous la même aptitude à diffuser la chaleur — on dit des plus efficaces en la matière qu'ils ont un coefficient élevé de conduction thermique. L'une des raisons pour lesquelles on utilise l'aluminium en cuisine est qu'il fait partie de ceux-ci. Seuls trois autres métaux ont un coefficient de conduction plus élevé :

Comment les tampons encreurs peuvent-ils rester humides alors qu'ils sont en permanence exposés à l'action desséchante de l'air ?

L'encre utilisée pour les tampons est basée sur un mélange d'eau et de glycol capable d'absorber l'humidité de l'air. Celle qu'il absorbe lorsque le temps est humide suffit à compenser celle qu'il perd lorsque l'air est sec.

l'or, l'argent et le cuivre, et ils sont tous trois nettement plus coûteux que l'aluminium.

Mais pourquoi le papier alu refroidit-il beaucoup plus vite que la casserole en céramique et son couvercle en verre ? C'est que, une fois qu'il est sorti du four, il réagit autant à l'air frais ambiant qu'il le faisait à la fournaise, et qu'il libère rapidement sa chaleur dans la pièce.

En outre, comme nous l'a expliqué un ingénieur en métallurgie, l'une des principales différences entre le papier alu et la casserole ou le couvercle tient à son épaisseur.

La feuille de métal étant très fine, la chaleur n'a pas beaucoup de chemin à faire avant d'être transmise à l'air. Vous remarquerez que le papier alu est le seul ustensile de cuisine métallique à être aussi mince. Casseroles et poêles sont généralement beaucoup plus épaisses, même lorsqu'elles sont elles-mêmes en aluminium. Et en raison de cette épaisseur, elles conservent plus longtemps la chaleur. Ainsi, ce sont l'épaisseur du papier aluminium et son coefficient élevé de conduction thermique qui lui permettent de refroidir avant même que vous ne le touchiez, vous donnant l'impression qu'il ne s'est pas réchauffé du tout.

Il nous a également fait remarquer qu'une autre caractéristique physique de l'aluminium entretenait cette impression fausse. Si l'aluminium est très conducteur, il possède une émissivité réduite, c'est-à-dire que sa surface émet peu de chaleur. Placez votre main quelques centimètres au-dessus d'un récipient d'eau bouillante et vous risquez de vous brûler, mais placez-la à la même distance d'un objet d'aluminium chauffé à plus de 100 °C et vous sentirez une chaleur bien moindre. Ce n'est qu'en posant votre main à la surface de l'objet en aluminium que vous sentirez sa chaleur réelle.

Pourquoi les gobelets en carton et en plastique sont-ils plus larges du haut que du pied ?

Un habitué des machines à café nous a soumis cette question :

> Je n'ai jamais compris pourquoi les gobelets sont plus larges en haut qu'à la base. Cela les déséquilibre et augmente le risque qu'ils se renversent. S'ils étaient fabriqués avec la base plus large que le haut, cela les rendrait plus stables, et je ne pense pas que ça présenterait un inconvénient quelconque.

Quand on y pense, l'idée de ce lecteur est appliquée depuis des lustres par les fabricants de bouteilles. Et nous n'avons jamais eu de difficultés à boire à même une bouteille de bière dont la base était plus large que le goulot... Il est assez rare que les bouteilles et les verres se resserrent vers le bas, alors pourquoi est-ce le cas des gobelets jetables ? Y aurait-il quelque chose qui nous échappe ?

En effet, de l'avis général des fabricants auxquels nous nous sommes adressés :

> Les gobelets sont plus larges du haut afin de pouvoir les empiler pour le transport et pour le stockage, que ce soit dans les entrepôts ou dans votre placard de cuisine. S'ils n'étaient pas évasés vers le haut, on ne pourrait pas plus les empiler que des boîtes de conserve vides.

Dans le commerce, non seulement le temps c'est de l'argent, mais l'espace aussi. Ainsi préfère-t-on avoir plus de produits en rayon, même si la forme des gobelets, optimisée pour le rangement, l'est nettement moins pour leur utilisation.

Pourquoi certaines pailles tombent-elles au fond du verre et d'autres remontent-elles à la surface ?

Le comportement de la paille dépend du liquide que contient le verre, ainsi que de sa propre composition. Le phénomène de la paille remontant rapidement à la surface est généralement lié aux boissons gazeuses non alcoolisées. C'est un météorologue qui nous a expliqué ce phénomène :

> La remontée se produit lorsque des bulles de dioxyde de carbone (ou de gaz carbonique) se forment à la fois à l'extérieur et à l'intérieur de la paille. Ceci augmente sa flottabilité, et elle ressort progressivement du liquide.
>
> Lorsque la boisson vient juste d'être versée, le gaz est soumis à une très forte pression. Alors que celle-ci baisse, le gaz forme de petites bulles sur les parois du verre et de la paille. Les bulles grossissant, la paille se met à flotter de plus en plus haut dans le verre.

Cependant, il arrive aussi qu'une paille remonte dans une boisson non gazeuse. Personne n'a su nous fournir une explication satisfaisante à ce phénomène jusqu'à ce que nous rencontrions un fabricant de pailles. On nous demande souvent comment les spécialistes réagissent lorsqu'on leur pose des questions bizarres. Notre réponse : « Ça dépend. » Oh, bien sûr, nous aimons les sources bien informées qui nous fournissent des tas d'informations. Mais avouons que nous avons un faible pour les personnes qui, comme ce fabricant de pailles, nous laissent mijoter un peu dans notre jus avant de nous divulguer leurs secrets. Voici le texte de la lettre qu'il a envoyée à la rédaction. À l'exception des formules de politesse, nous n'avons rien enlevé :

> Après avoir réfléchi à votre question pendant quelque temps, j'ai décidé de jeter votre courrier, car j'étais trop occupé pour y répondre. L'ayant finalement récupéré, je me suis dit que j'allais tenter de vous fournir une

réponse un peu technique, mêlée de quelques réflexions de bon sens et saupoudrée d'une certaine licence poétique.

Pour commencer, le phénomène auquel vous faites référence a un rapport avec la « gravité spécifique ». La gravité spécifique est le rapport de la densité d'une substance comparée à la densité d'un volume égal d'eau, quand toutes deux sont pesées dans l'air.

Aujourd'hui, les pailles sont fabriquées en polypropylène ; par le passé, elles furent fabriquées en véritables fétus de paille de blé, puis en papier, puis en polystyrène.

L'eau a une gravité spécifique de 1, celle du polypropylène est de 0,9 et celle du polystyrène de 1,04. Dans un verre d'eau, une paille de polypropylène remonte, tandis qu'une paille de polystyrène tombe au fond. Dans un liquide gazeux, en revanche, même cette dernière remonte, car les bulles adhèrent à ses parois, ce qui compense la légère différence de gravité spécifique existant entre l'eau et le polystyrène. Pour la même raison, une paille de polypropylène remonte plus haut dans une boisson gazeuse. Si vous plongiez une paille de polypropylène dans de l'essence (c'est une hypothèse, je ne vous conseille en aucun cas de le faire), elle coulerait, car la gravité spécifique de l'essence est plus légère que celle de l'eau.

Si vous alignez dix verres remplis à même hauteur de liquides différents, les pailles flotteront à différentes hauteurs selon la gravité spécifique des liquides et le nombre de bulles qui adhèrent à leurs parois.

Bonne chance.

Nous sommes preneurs de toute la chance que vous nous souhaitez. Et vous remercions, ainsi que nos autres sources d'informations, car vous contribuez à éclairer l'ignorance du genre humain (mais oui) !

Pourquoi les bouteilles ont-elles un goulot ?

La bouteille date des antiques civilisations d'Égypte et de Mésopotamie. D'après les historiens, c'est là que l'on commença à consommer du vin, dès 5400 av. J.-C. Cela dit, les bouteilles de l'époque ne ressemblaient en rien à celles que nous connaissons. Il s'agissait d'amphores, c'est-à-dire d'outres d'argile à goulot court. Les vestiges indiquent que l'on bouchait ces outres à l'aide de tissu, de cuir et d'argile cuite.

Lorsque se développa la technique du soufflage du verre, à l'époque romaine, la plupart des récipients furent dotés d'une forme ventrue, sans doute parce qu'elle était assez facile à réaliser. Plus tard, lorsque l'on fabriqua des bouteilles pour contenir du vin, cette forme ne fut plus appropriée, car il fallait pouvoir garder les bouteilles couchées afin de préserver l'humidité du bouchon et d'éviter une oxydation inopportune du contenu.

Avant la production de masse de bouteilles en verre, il n'existait aucune norme en matière de volume. Au XIXe siècle, la plupart des bouteilles contenaient entre 700 et 800 ml — 750 ml n'est devenu le volume standard qu'une fois le XXe siècle bien avancé. La bouteille de verre, avec son long goulot caractéristique, n'existe que depuis environ 200 ans, et nous avons été plutôt surpris lorsqu'un célèbre collectionneur de flacons nous a répondu en ces termes :

> Cette question ne m'a jamais été posée depuis 44 ans que je collectionne les vieilles bouteilles. Je ne peux qu'émettre des suppositions, car je ne saurais vous indiquer de sources écrites.

Nous avons pris contact avec une trentaine d'experts ès bouteilles — collectionneurs, souffleurs de verre, industriels, cadres de domaines viticoles — et, s'ils nous ont fourni pléthore de théories, aucune n'était totalement fiable. Il ne nous a même pas été possible d'établir une conclusion définitive sur l'origine du goulot allongé : est-ce une conséquence du processus de soufflage du verre ? Un choix esthétique ? A-t-il seulement une utilité ? Un cadre supérieur travaillant pour un fabricant industriel de bouteilles penche, lui, pour l'hypothèse « conséquence du processus de soufflage du verre » :

> Jadis, on soufflait les bouteilles en introduisant un tube dans une boule de verre fondu et en soufflant dedans avec la bouche. Pendant que la bulle ainsi formée s'élargissait, on la mettait en forme à l'aide d'une « cuiller » en bois mouillé. Il était plus facile de façonner un récipient doté d'un goulot, car celui-ci

entourait l'extrémité du tube, ce qui empêchait la boule de verre de tomber pendant le processus.

Le goulot, dont l'extrémité était travaillée pour former un bord plus épais, était une embouchure de petite dimension, plus facile pour le souffleur de verre à former de façon parfaitement circulaire, et également plus rapide à faire qu'un orifice plus large.

Mais d'autres experts sont d'avis que le goulot est totalement étranger au soufflage du verre. Selon l'un d'eux : « On utilisait un grand nombre de récipients dotés de larges ouvertures, notamment pour l'entreposage d'aliments. Les souffleurs de verre avaient les connaissances et les techniques nécessaires pour fabriquer des bouteilles dénuées de goulot. »

Les souffleurs de verre que nous avons contactés ont corroboré cette opinion, et souligné les mêmes avantages formels que les historiens :

1 Il est plus facile et meilleur marché de boucher une bouteille ayant un goulot. Un commissaire-priseur spécialisé en antiquités nous a déclaré ceci : « À mon avis, les bouchons de petite taille étaient meilleur marché. Un grand couvercle est forcément plus onéreux qu'un petit. »

Un vigneron nous a fait remarquer que le goulot des bouteilles avait toujours servi à maintenir le bouchon (aujourd'hui, un goulot standard mesure 6,25 cm, afin de maintenir efficacement un bouchon de 5 cm de long). D'autre part, un goulot étroit réduit l'évaporation (ce qui était de première importance lorsque les bouteilles étaient destinées à contenir de précieuses huiles parfumées), ainsi que l'exposition à l'air (ce qui est important pour conserver le vin).

2 Le goulot peut servir de poignée. Le collectionneur déjà cité ci-dessus, qui nous a par ailleurs reproché de lui « avoir fait passer trois nuits blanches à cogiter sur cette f... question », remarque que les goulots étaient autrefois montés sur des outres ventrues et permettaient d'y boire directement. Le propriétaire d'un musée des récipients pour boissons souligne un avantage pratique particulièrement important par le passé, lorsque les bouteilles étaient beaucoup plus lourdes qu'elles ne le sont de nos jours. Si elles n'avaient pas été pourvues d'un col, il aurait été difficile de les manipuler. Et en ce qui concerne le vin tout particulièrement, le goulot permet de saisir les bouteilles couchées horizontalement.

3 Avec un goulot, on verse mieux. Un col étroit diminue le débit du liquide, qu'il s'agisse de le verser directement dans un verre ou, par exemple, de décanter un vin.

Selon un fabricant de bouteilles, le goulot jouait un rôle important dans la capacité d'une bouteille à verser son contenu correctement. Il nous a mis au défi de verser du vin d'une outre à embouchure large dans un verre. Nous avons poliment décliné l'invitation — il n'est déjà pas si facile de verser proprement avec une bouteille normale.

Pourquoi la colle n'adhère-t-elle pas à la bouteille ou au tube qui la contient ?

Pour deux raisons principales :

1 Pour se solidifier, la colle doit d'abord sécher. Les colles à l'eau ou au latex durcissent en perdant de l'eau, soit parce que celle-ci est absorbée par une surface poreuse, soit par évaporation. Le contenant de la colle conserve, lui, l'humidité — en tout cas s'il est bien fermé.

2 Différentes colles sont conçues pour adhérer sur différents supports. Sans une réaction chimique entre les deux, elles ne collent pas. Tubes et flacons de colle sont généralement fabriqués dans des matériaux qui, justement, n'adhèrent pas bien à leur contenu.

Aussi, même quand on oublie de refermer le bouchon, les deux ne collent pas l'un à l'autre. Dans la plupart des cas, au bout d'utilisations répétées, il se forme une croûte de colle séchée sur l'embout du contenant. Mais généralement, elle n'adhère pas très solidement, et il est assez facile de l'ôter.

Quelle est la différence entre une colle normale et une colle extraforte ?

La principale différence est que la colle extraforte se compose d'un polymère appelé cyanoacrylate, tandis que les colles normales sont formées d'un mélange de résines naturelles et de solvants. Selon les ingrédients, le processus d'adhésion est différent, comme nous l'a expliqué le responsable technique d'un fabricant de colles :

La plupart des substances adhésives font appel à un processus mécanique, c'est-à-dire qu'elles pénètrent dans les irrégularités et les orifices microscopiques des surfaces à coller, où elles se solidifient. Une colle extraforte engendre ce que l'on appelle une liaison polaire : support et matière adhésive sont attirés l'un par l'autre comme deux aimants. Mais les colles extrafortes adhèrent également de façon mécanique, ce qui renforce l'adhérence.

Précisons que, grâce au fait que les colles extrafortes mettent en œuvre un processus chimique, elles sont particulièrement efficaces pour assembler des surfaces de natures différentes.

Pourquoi certains trottoirs présentent-ils des rainures tracées à intervalles réguliers ? Et qu'est-ce qui cause les fissures irrégulières de certains trottoirs ?

Croyez-le ou non, on fait des rainures dans les trottoirs pour éviter la formation de fissures accidentelles. Contrairement à ce qu'on pourrait croire, le béton est loin d'être un matériau inerte : en réalité, il est extrêmement sensible aux changements de température. Lorsqu'un trottoir est exposé à une température fraîche, il se rétracte.

Un ingénieur spécialisé dans les sols en ciment nous a expliqué que sa résistance à la compression était dix fois supérieure à sa résistance à la traction :

> Il serait beaucoup plus facile de casser un morceau de ciment en tirant dessus dans des directions opposées qu'en le soumettant à une pression centripète. Aussi, les fissures des trottoirs sont presque toujours causées par une tension quelconque. Souvent, les dalles de ciment sont maintenues en place par le biais de leurs frottements avec le soubassement sur lequel elles ont été construites. Dans ce cas, elles sont soumises à des tensions lorsqu'elles se rétractent ; si la résistance due au frottement est plus forte que la résistance du ciment à la traction, il se forme une fissure. Il y a toujours un matériau qui cède.

S'il n'existe aucune contrainte, le ciment ne se fissure pas.

Le ciment est un matériau qui se contracte en séchant et gagne en solidité avec le temps. Les trottoirs sont donc particulièrement sujets à se fissurer la première nuit après que le ciment a été coulé. Il existe deux stratégies pour lutter contre les fissures.

L'une consiste à utiliser une armature d'acier. Mais la méthode la plus efficace est de déterminer à l'avance où les fissures sont susceptibles de se former et de placer à ces endroits des joints de séparation entre les dalles de ciment.

D'une certaine façon, ces rainures sont des fissures artificielles, formées d'avance de manière stratégique. Elles s'adaptent à tous les types de dalles de ciment. Toujours selon le même ingénieur :

> Le ciment est scié, ou façonné à une épaisseur d'environ un quart de celle des dalles, ce qui crée un « plan affaibli ». Le ciment va se fissurer au niveau du joint, car celui-ci forme un point faible. Les joints des trottoirs sont placés à intervalles relativement réguliers. Ainsi, ils évitent que le ciment ne se fissure au hasard − dans un souci esthétique.

Voilà justement le plus étrange de toute cette histoire : en dépit de tout le mal que l'on se donne pour les éviter, les fissures des trottoirs ne constituent aucune gêne réelle pour qui que ce soit. Généralement, elles n'affectent pas même l'intégrité structurelle du matériau, y compris quand elles sont assez larges pour permettre à l'eau de s'infiltrer. Elles ne sont « pas jolies », tout simplement !

Pourquoi, lorsqu'on creuse un trou et qu'on le rebouche par la suite, la quantité de terre n'est-elle jamais suffisante pour le reboucher entièrement ?

Voici plusieurs explications que nous ont fournies un géologue et un ingénieur agronome :

1 On n'a pas correctement mis toute la terre de côté. Dans l'excitation d'une découverte (géologique, archéologique, etc.), il arrive que l'on répande la terre autour du trou sans y prêter attention. Et après, il est difficile de la récupérer.

2 Remuer la terre en modifie la structure.

Le sol se compose de matière organique et inorganique, ainsi que de poches d'air à travers lesquelles l'eau s'infiltre et les plantes font passer leurs racines. De plus, il y a des tunnels creusés par des vers ou d'autres animaux. Lorsque l'on creuse un trou, on détruit cette structure.

Si quelqu'un se tient dans le trou, cela peut également compacter le sol.
3 Le sol a séché durant l'opération. Or un sol humide possède un volume supérieur à celui d'un sol sec.

Cependant, nos deux experts nous ont fait remarquer que la question n'était pas toujours justifiée, et qu'après avoir rebouché un trou, il restait parfois de la terre :

Quand on a mis de côté toute la terre sortie du trou et qu'on l'y replace, il peut se former un monticule au-dessus du trou. Cela vient du fait qu'en le retournant, on aère beaucoup le sol. En remettant la terre dans le trou, on crée des bulles d'air qui n'y étaient pas auparavant. Cela peut prendre jusqu'à 1 an pour que le sol retrouve sa cohésion précédente. Un crachin incessant peut accélérer un peu le processus.

Comment se fait-il que les pièces d'un puzzle ne s'adaptent toujours qu'à quatre autres ? Chaque pièce est-elle unique ?

Certes, on pourrait avancer que les gens qui entreprennent d'assembler un puzzle de 1 000 pièces représentant une tomate ont des prédispositions au masochisme. Néanmoins, nul ne souhaite s'arracher les cheveux qui lui restent parce qu'en plus deux pièces peuvent s'insérer au même endroit. Il incombe donc aux fabricants de puzzles de désamorcer ce problème potentiel.

Un fabricant de jeux avec qui nous nous sommes entretenus a choisi une solution artisanale : ses puzzles sont dessinés à la main. Un dessinateur esquisse la structure d'un puzzle, et un projet est créé sur cette base. Des inspecteurs vérifient ensuite que chaque pièce est unique dans sa forme, a bien la bonne taille, et qu'elle s'adapte parfaitement à celles qui

À quoi sert la boule qui se trouve au sommet des mâts de drapeau ?

Selon un expert ès drapeaux, la boule en question peut faire partie du dispositif servant à manœuvrer les drisses grâce auxquelles on hisse et on amène un pavillon, mais il ne s'agit dans ce cas que d'une coïncidence. À notre grande surprise, nous avons en fait appris que cette boule était purement décorative.

Les ancêtres des drapeaux étaient des emblèmes sculptés, représentant un animal ou toute autre figure, que l'on plaçait au sommet d'un mât. Des rubans accrochés au-dessous servaient de décoration. D'après notre expert, l'importance de ces éléments s'inversa au fil du temps, de telle sorte que ce fut finalement le symbole représenté sur le morceau de tissu (passé de l'état de ruban à celui de drapeau) qui devint le signifiant, tandis que la sculpture rétrécie devenait purement ornementale, prenant la forme d'une boule, d'un fer de lance, d'un aigle (par exemple aux États-Unis), etc.

Mais selon d'autres personnes interrogées, l'ornement du sommet ne serait là que pour des raisons esthétiques.

Nous supposions que les oiseaux étaient moins susceptibles de se poser sur une boule ou une pointe que sur une surface plane, ce qui protégerait mât et drapeau de décorations indésirables. Mais on nous a assuré qu'au contraire les volatiles adoraient s'y percher.

Alors, et contrairement à ce que nous pensions jusqu'à présent, il semble qu'il nous faille admettre que les boules en question sont bel et bien des objets d'art...

l'entourent. Puis le puzzle est soumis à un nouveau contrôle visuel pour vérifier qu'il n'y a pas deux pièces identiques. Cette méthode est certes loin d'être infaillible, mais le dessin à la main rend pratiquement impossible un doublon.

Une fois le projet approuvé, on fabrique une matrice à partir de laquelle les pièces du puzzle seront découpées. Le motif du puzzle est imprimé sur un support de carton, et les pièces sont embouties en une seule fois par la matrice ; un dispositif hydraulique la fait descendre sur le support. En tout, le processus complet — y compris la réalisation de la boîte, du couvercle et la fermeture de la boîte — ne prend que quelques secondes.

La même matrice étant utilisée pour fabriquer l'ensemble des puzzles d'un même modèle, c'est une sécurité de plus pour le fabricant. Une même matrice sert généralement pour différents puzzles, c'est-à-dire que pour plusieurs puzzles de, disons 550 pièces, le modèle est le même, et que seul le motif diffère. Cependant, il est nécessaire de changer régulièrement de modèles — et donc de matrices de coupe — car sinon, avec le temps, les amateurs finiraient par les mémoriser.

Un concurrent du fabricant dont nous venons de parler a, lui, fait le choix de la technologie de pointe. Il fait appel à un logiciel breveté, qui conçoit la forme de chaque pièce, et contrôle à la fois que les pièces s'ajustent entre elles et qu'il n'y a pas de doublons. C'est également le logiciel qui crée le modèle selon lequel la matrice est découpée.

Chez ce fabricant aussi, on utilise une même matrice pour toute une série de puzzles. On a cependant soin de fournir un modèle individuel à chaque client (sous la marque de qui les puzzles seront revendus).

L'un des avantages de cette solution high-tech est que les anciens projets peuvent aisément être gardés en mémoire par le logiciel, pouvant servir à tout moment pour la fabrication d'une nouvelle matrice du même modèle — ce qui est nécessaire environ une fois par an, car les matrices s'émoussent avec le temps et finissent par ne plus couper proprement. Or des pièces aux bords irréguliers risqueraient de frustrer les fans de puzzles autant que des doublons !

Pourquoi Mickey n'a-t-il que quatre doigts ?

Ou, pour être plus précis : pourquoi Mickey n'a-t-il que trois doigts et un pouce à chaque main ? Et d'ailleurs, pourquoi retrouve-t-on cette particularité du « doigt manquant » chez tous les personnages animaux de dessin animé ?

Les entretiens que nous avons eus avec de nombreux dessinateurs ont confirmé l'hypothèse qui nous laissait pourtant sceptiques au début : Mickey n'a que quatre doigts parce que c'était la solution la plus pratique pour les artistes qui l'ont dessiné. Les premiers dessins animés étaient réalisés à la main, image par image — un travail minutieux et fastidieux. Or la main est la partie de l'anatomie la plus ardue à représenter, et il est notamment très difficile de tracer des doigts distincts sans que la main n'apparaisse beaucoup trop grande.

Aussi les dessinateurs de Mickey étaient-ils preneurs de toute idée qui leur faciliterait la tâche. C'est pourquoi, dans les dessins animés de Disney et consorts, les animaux n'ont droit qu'à trois doigts plus un pouce, tandis qu'on a épargné pareille amputation aux personnages humains.

Et avant que quelqu'un ne nous pose la question : non, nous ne savons pas avec certitude quel doigt a été sacrifié sur l'autel de la commodité. Mais, étant donné qu'en dehors du pouce les trois doigts sont symétriques, nous supposons qu'il s'agit de l'auriculaire.

Pourquoi les ours en peluche ont-ils l'air malheureux ?

Étant donné que le marché du jouet regorge de représentations toutes plus sirupeuses les unes que les autres, et que poupées et peluches se doivent généralement d'arborer une mine réjouie, nous nous sommes souvent demandé pourquoi les ours en peluche avaient l'air si maussade. Nous avons donc contacté des créateurs et des fabricants d'ours en peluche, des collectionneurs et des auteurs spécialisés, afin qu'ils nous expliquent ce qui déplaît tant à ces chers nounours.

Le hasard est parfois étonnant : en 1902, l'ours en peluche fut inventé en même temps en Allemagne et aux États-Unis. Le rédacteur en chef d'une revue qui lui est consacrée nous a narré son histoire. Au début, les ours en peluche avaient un aspect plus réaliste qu'aujourd'hui :

> En Allemagne, Richard Steiff les conçut sur le modèle des ours qu'il avait pu voir au zoo et au cirque. En Amérique, ils furent inspirés par les ours que chassait le président Theodore Roosevelt, qui leur donna même son nom (*teddy-bear*, qui veut dire nounours en anglais, vient de Teddy, le diminutif de Theodore).

Aussi, ils avaient au début le museau et les bras allongés, le dos courbé et de toutes petites oreilles. Leur gueule était généralement une simple ligne de fil brodé, qui pouvait ressembler à une moue mais était en fait censée imiter la mimique du plantigrade original.

Chez les grands fabricants d'ours en peluche, personne n'a été en mesure de nous expliquer pourquoi leur expression est souvent triste. Certains nous ont même dit qu'ils ne cherchaient pas à donner aux peluches un air maussade. Mais quand on va dans une boutique, il n'y a aucun doute que, comparés aux autres jouets, les nounours ont l'air plutôt déprimé. Pourtant, ce ne sont pas uniquement les fabricants qui ont nié l'évidence. Voici ce que nous a déclaré le journaliste déjà cité ci-dessus :

Aujourd'hui, les ours en peluche peuvent afficher toutes sortes d'expressions : un large sourire, un air mélancolique, un éclat de rire, une grimace, etc. Certains présentent toujours une simple ligne droite brodée, mais j'aime à la considérer comme une expression de sagesse, de contemplation, de sérieux ou de sincérité plutôt que de tristesse.

Un de ses confrères est d'avis que c'est la variété qui fait le charme de la vie d'un ours en peluche :

Bien sûr qu'il y a des nounours grognons, à qui l'artiste a choisi de donner cette expression particulière. D'ailleurs, certains collectionneurs sont spécialisés dans ce type de peluche, peut-être parce qu'elles leur rappellent quelqu'un — leur père, leur mari, leur grand-mère, une collègue, etc. D'autres, notamment ceux qui s'intéressent aux antiquités, trouvent qu'une expression nostalgique convient bien au caractère des ours, car elle reflète leur âge et leur longue expérience.

Il existe aussi des nounours carrément souriants, dont la bouche relevée aux coins vous donne automatiquement envie de sourire à votre tour, et ils ont leurs propres collectionneurs. Mais je pense que la plupart d'entre nous préfèrent constituer une collection dans laquelle on trouve le plus d'expressions différentes, y compris des ours avec la gueule ouverte — bien que cette mimique soit très difficile à rendre. Certains créateurs

qui ? pourquoi ? quand ? où ? comment ? qui ? pourquoi ? quand ?

réussissent à rendre l'aspect sauvage et naturel de l'ours, sans toutefois que la peluche soit effrayante à regarder.

C'est un peu comme dans une portée, quand vous aimez un chiot particulier alors qu'ils se ressemblent tous.

Même quand vous voyez plusieurs nounours alignés, chacun d'entre eux possède une expression un peu différente, et il y en a un qui vous attire davantage.

Les artistes avec qui nous avons parlé ne savent pas exactement pourquoi ils donnent tels ou tels traits à une peluche. L'un d'entre eux nous a confié :

Certaines de mes bouches sourient, certaines non, et certaines boudent carrément. Ça dépend de ce que je ressens pour chaque nounours. Je sais que ça peut paraître bizarre à quelqu'un qui n'a jamais fabriqué d'ours en peluche. Vous cousez ce truc, et vous laissez passer une nuit. Au matin, vous le regardez, et vous savez tout de suite si c'est un nounours joyeux, pensif, etc. Deux ours en peluche faits à la main n'ont jamais la même tête !

Parmi les experts que nous avons consultés, beaucoup pensent que la tradition du nounours maussade vient d'une volonté de reproduire l'aspect réel d'une gueule de plantigrade. Après tout, un ours sauvage n'a pas pour habitude de sourire béatement. Les tenants de l'hypothèse « réaliste », peut-être les plus nombreux parmi nos sources, soutiennent que les vrais ours ne sont pas maussades mais arborent en fait une mimique neutre.

Observez des ours en peluche avec attention, et vous remarquerez que beaucoup d'entre eux ont une bouche formant un Y renversé, donc orientée vers le bas. Par anthropomorphisme, nous avons tendance à interpréter cette mimique comme un air renfrogné.

Notre équipe a un faible pour la théorie psychologique suivante, selon laquelle le Y inversé...

... confère à l'ours en peluche une expression contemplative et détendue, apte à « écouter » et à absorber les émotions de son propriétaire, que celles-ci soient tristes ou joyeuses.

Les étoiles, les nuages, les arbres…

Ces éléments si familiers peuvent nous plonger

dans des abîmes de perplexité si nous cherchons

à les comprendre. Alors nous avons décidé de

nous attaquer à certaines grandes questions sur

la nature et sur les sciences : pourquoi ne voyons-

nous jamais d'étoiles sur les photos d'astronautes

dans l'espace ? Pourquoi les océans sont-ils salés ?

Comment les Romains calculaient-ils

alors qu'ils utilisaient la numération en lettres ?

sciences et nature

Pourquoi la glace se forme-t-elle à la surface des lacs et des étangs ?

L'eau à température ambiante voit sa densité diminuer lorsqu'elle gèle. La chaleur reste à la surface de l'eau puisque le Soleil l'atteint plus directement que le fond des océans. Selon ces vérités scientifiques, la glace devrait se former au fond des lacs et des étangs plutôt qu'à leur surface. Pourquoi est-ce le contraire ?

Un professeur de physique nous a expliqué que l'eau est plus dense à 4 °C. Voici la clé du mystère de la formation de la glace en surface... et uniquement en surface.

Un de nos chercheurs scientifiques favoris confirme et nous propose un résumé technique :

> Au fur et à mesure que l'eau refroidit, elle devient plus dense. Elle se contracte. Elle coule vers le fond de l'étang, du lac, du tonneau sous la gouttière, de la brouette ou de l'écuelle du chien. À 4 °C, l'eau atteint sa densité maximale. Elle commence ensuite à se dilater (c'est-à-dire à prendre plus de volume) au fur et à mesure qu'elle refroidit. Plus légère, moins dense, l'eau entre 4 °C et 0 °C (son point de congélation) monte progressivement à la surface.
>
> Puis l'eau à 0 °C perd de la chaleur pour se transformer en glace. Ce phénomène s'appelle la « chaleur latente de fusion ». Au cours du processus de congélation, des cristaux de glace se forment et se répandent sur un plus grand volume ; ils fusionnent alors ensemble en utilisant plus d'eau gelée. Comme ils sont beaucoup plus légers, ils restent à la surface.
>
> Une fois la surface complètement gelée, la chaleur se dissipe à partir des bords et la congélation progresse. Finalement, quand le noyau se congèle, une pression énorme s'exerce, créée par le phénomène d'expansion et la surface de la glace. Le contenant peut alors céder – ce qui arrive fréquemment dans nos conduites d'eau.

Une fois la couche supérieure du lac ou de l'étang gelée, l'eau qui est en dessous atteindra rarement 0 °C, la glace agissant efficacement comme isolant. En maintenant la température de l'eau entre 0 et 4 °C, la glace permet à certains organismes aquatiques de survivre durant l'hiver lorsque le lac est gelé.

Si l'eau est plus lourde que l'air, pourquoi les nuages restent-ils suspendus dans le ciel ?

Qu'est-ce qui vous fait penser que les nuages ne tombent pas ? En réalité, ils le font constamment. Par chance, les gouttes de condensation d'un nuage ne chutent pas à la même vitesse qu'un ballon chargé d'eau. En fait, celles-ci sont réellement paresseuses : elles tombent à la faible vitesse de 3 mm par seconde. Et elles sont si petites – environ 0,1 mm de diamètre – que leur descente n'est pas perceptible par l'œil humain.

Qu'est-ce que nous sentons réellement lorsque la pluie menace ?

Deux théories dominent :

1 L'humidité. Un biophysicien accuse l'humidité, qui est plus élevée quand il pleut. Bien sûr, l'humidité elle-même n'a pas d'odeur, mais elle accentue celle de tous les objets qu'elle pénètre. Tout, de la poubelle à l'herbe, sent plus fort lorsque l'humidité relative de l'air est élevée. L'odeur qui monte de la faune et de la flore nous donne alors le sentiment qu'il va pleuvoir. L'expert d'un centre de recherche atmosphérique affirme que plusieurs gaz polluants sont également plus perceptibles par nos récepteurs olfactifs quand il fait humide.

2 L'ozone. Un employé d'une association météorologique nous rappelle qu'avant un orage les éclairs produisent de l'ozone, un gaz reconnaissable à son odeur.

Un météorologue adhère, lui aussi, à la théorie de l'ozone, à une condition. Les émissions d'ozone sont courantes pendant les orages en été, mais pas celles provenant des pluies des nuages stratiformes pendant la saison froide. Aussi, si ça « sent comme la pluie » durant l'hiver, vous n'êtes probablement pas en train de sentir l'ozone mais plutôt le sol, les plantes et la végétation.

Pourquoi les nuages de pluie sont-ils sombres ?

La pluie, c'est de l'eau. L'eau est transparente. Les nuages de pluie devraient donc plutôt être clairs.

Il y a toujours des particules d'eau dans les nuages. Mais, quand elles sont petites, elles réfléchissent la lumière et sont perçues comme étant blanches. Lorsqu'elles deviennent assez grandes pour former des gouttes de pluie, elles absorbent la lumière et, d'en bas, nous paraissent sombres.

Pourquoi les éclairs ont-ils une forme de zigzag ?

Nous avons fait la connaissance d'un spécialiste des orages, passionnément habité par l'objet de ses recherches et tout à fait disposé à en partager les fruits. Les éclairs représentent, nous explique-t-il, l'un des premiers phénomènes naturels perceptibles, mais également l'un des moins bien compris (les principales découvertes ont été faites au cours de ces quinze dernières années).

Bien qu'il y ait d'autres sortes d'éclairs – éclair de chaleur, feu Saint-Elme –, l'éclair zigzag est le plus communément observé. Il émane d'un nuage de type cumulonimbus et vient frapper la terre avec une violence inouïe. Mais l'éclair prisonnier à l'intérieur du nuage est également très répandu - plus encore que le précédent. Quels sont les phénomènes à l'origine d'un éclair ? De puissants mouvements de convection agitent l'intérieur des nuages. Au cours de ces mouvements de gouttelettes d'eau et de cristaux de glace, des électrons sont arrachés lors des chocs entre des flux ascendants et descendants. Il en résulte l'apparition de charges électriques positives, portées par des ions, et négatives, portées par des électrons. Habituellement, les charges positives se concentrent au sommet du nuage tandis que sa base porte une charge négative. Lorsque le champ électrique créé par cette répartition des charges est trop élevé pour la capacité d'isolant de l'air, il se produit une décharge.

Bien que nous ayons la sensation visuelle que l'éclair foudroie la terre instantanément - en parcourant un chemin en forme de zigzag -, ce que nous voyons en réalité se décompose en une série d'étapes élémentaires. Chacune de ces étapes correspond à un trajet des charges électriques dans l'air d'environ 50 m de longueur. Notre spécialiste élabore la théorie suivante :

Dans ce qui peut être décrit comme une « avalanche d'électrons », des précurseurs déchirent, redéchirent et re-redéchirent encore l'air. Entre chaque étape, il y a une pause de 50 microsecondes, durant laquelle la tête de l'éclair « cherche » son chemin dans l'air. Ce processus est répété jusqu'à ce que le « meneur » trouve une cible.

C'est ce processus répété qui donne aux éclairs leur apparence en zigzag. Des études ont montré qu'un seul éclair peut être composé de plus de 10 000 étapes.

Une fois que le meneur (ou traceur, ou encore leader) frappe le sol, toutes les autres branches de l'arborescence stoppent leur progression vers la terre. Pourquoi les éclairs sont-ils si lumineux ? Le leader, renforcé en charge négative, repousse toutes les charges négatives du sol, alors qu'il attire toutes celles qui sont positives. Cela renvoie de l'énergie du sol vers les nuages. Ce « retour de bâton » arrive en moins de 100 microsecondes. C'est pourquoi nous ne pouvons pas distinguer les décharges provenant du nuage de celles qui viennent du sol. Or, selon notre spécialiste, ce processus ascendant produit presque toute la luminosité que nous voyons, alors que nous pensons observer un éclair descendant.

Notre spécialiste conclut : parce que le traceur initial exécute une trajectoire dentelée, tous les éclairs ont une apparence dentelée.

Quelle est la définition technique du lever ou du coucher de soleil ? Comment l'heure à laquelle le soleil se lève ou se couche est-elle déterminée ? Pourquoi y a-t-il de la lumière naturelle avant le lever et après le coucher du soleil ?

Les définitions sont faciles. Un lever de soleil correspond à l'apparition de la partie supérieure de l'astre à l'horizon, à l'est. Un coucher de soleil correspond à la disparition de sa partie supérieure sous l'horizon, à l'ouest.

Mais comment les scientifiques déterminent-ils les heures ? Grâce aux mathématiques. En s'appuyant sur les données relatives à l'orbite de la Terre autour du Soleil, les heures de lever et de coucher peuvent être calculées longtemps à l'avance. Un météorologue américain explique pourquoi les horaires publiés ne sont que des approximations de ce que nous voyons à l'œil nu.

Le moment du lever et du coucher de soleil varie selon le jour de l'année, la latitude et la longitude. Les calculs des horaires ne prennent pas en compte certains paramètres. En effet, ils considèrent un horizon qui se trouve au niveau de la mer - même dans les régions montagneuses. Ainsi, les horaires actuels du lever de soleil à un endroit particulier peuvent s'éloigner considérablement des horaires « officiels ».

Quand nous observons un coucher de soleil, l'astre se trouve déjà sous l'horizon. L'atmosphère de la Terre, qui infléchit les rayons et « retarde » en effet le coucher de 3 minutes. Le même phénomène joue avec le lever : le Soleil fait son apparition avant son lever réel. Nous avons actuellement 5 à 10 minutes de plus de lumière diurne à cause de cet effet.

Pourquoi l'air semble-t-il pur après un orage ?

Notre correspondant s'interrogeait : s'agit-il d'une illusion ? Non, les météorologues appellent ce phénomène « récupération ». L'eau de pluie nettoie la brume et les polluants présents dans l'atmosphère, et les envoie dans le sol. Parallèlement, le vent disperse les particules irritantes, c'est pourquoi les gens du coin profitent d'un environnement momentanément moins pollué.

Pourquoi la Lune est-elle parfois visible le jour ?

La Lune ne brille pas d'elle-même. Quand nous la voyons, c'est grâce au reflet de la lumière du Soleil sur sa surface.

La Lune parcourt son orbite en 29 jours environ. La Terre, elle, fait un tour sur son axe une fois toutes les 24 heures. En somme, bien peu de temps par rapport à celui que met la Lune pour tourner autour de nous, et encore moins que celui pris par la Terre pour orbiter autour du Soleil : une année. Nous pensons percevoir dans le ciel le lever et le coucher de la Lune. Mais en fait, c'est la rotation de la Terre sur son axe qui produit cet effet, puisque, en un jour, la Lune ne bouge pas beaucoup en comparaison de la Terre ou du Soleil.

Voir la Lune dépend aussi de l'état de l'atmosphère. Les étoiles n'apparaissent pas durant la journée, car, lorsqu'il brille, l'éclat du Soleil est tel qu'il couvre leur faible lumière. Or même si la Lune et le Soleil donnent l'impression d'être proches, ce dernier est pourtant 400 fois plus éloigné de la Terre que ne l'est la Lune. Comme celle-ci est le deuxième astre le plus lumineux à côté du Soleil, nous pouvons la voir durant la journée même si elle paraît pâle. Quand la Lune et le Soleil sont plus proches, nous ne pouvons pas distinguer la Lune car le Soleil, situé juste derrière elle, ne peut éclairer la partie qui se trouve face à nous.

Lorsque, en plein jour, la Lune et le Soleil sont perpendiculaires (ou à peu près) à la Terre, c'est-à-dire qu'ils forment un angle droit, le Soleil éclaire directement la surface de la Lune visible depuis la Terre, et plus cet angle s'écarte, mieux on voit la Lune, car celle-ci réfléchit les rayons de notre astre sans être complètement absorbée par sa luminosité.

Tout cela est encore un peu confus ? L'explication donnée par un astrophysicien vous aidera à comprendre plus facilement :

Imaginons que le Soleil est une sorte de grosse ampoule et que la Lune est un grand miroir. Dans certaines situations, nous ne pouvons pas voir l'ampoule allumée, mais juste la lumière qui se reflète dans le miroir. C'est ce qui se passe quand la Lune est visible la nuit. En effet, nous ne voyons pas le Soleil directement parce que la Terre le cache, mais nous pouvons observer ses rayons reflétés par la Lune. Il existe bien sûr des situations où les deux sont visibles – l'ampoule et le miroir –, comme lorsque l'on peut voir la Lune durant la journée.

Pourquoi la Lune paraît-elle plus grande à l'horizon que dans le ciel ?

Les astronomes appellent cela « l'illusion de la Lune ». Cet effet fonctionne aussi avec le Soleil et les constellations : au fur et à mesure de leur montée dans le ciel, leur diamètre apparent diminue.

Pourquoi paraissent-ils grossir ou au contraire rétrécir ? Voici deux éléments de réponse :

1 Quand des points de référence existent au premier plan, les objets lointains paraissent plus grands. Si vous voyez la Lune à travers les branches des arbres, elle apparaîtra immense car votre cerveau la compare inconsciemment à la taille de l'objet qui se trouve au premier plan, en l'isolant du fond céleste sur lequel nous avons l'habitude de la regarder.

Les artistes jouent souvent sur la déformation de la perception en déplaçant des objets périphériques tout près du premier plan. Un de nos spécialistes ajoute que des points de référence ont tendance à déformer davantage la perception quand ils sont proches de nous et que leur taille est bien connue de l'observateur. Nous connaissons la grandeur d'une branche d'arbre, mais notre esprit nous joue des tours quand nous essayons de déterminer la taille des objets célestes.

2 L'illusion de la Lune s'explique en partie par la réfraction de notre atmosphère, qui agrandit l'image. Mais les astronomes affirment que ce phénomène de réfraction ne s'applique qu'à certaines distorsions.

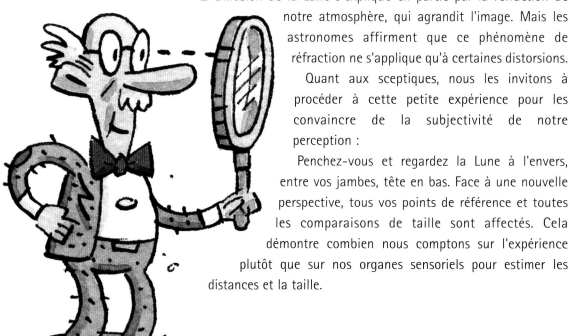

Quant aux sceptiques, nous les invitons à procéder à cette petite expérience pour les convaincre de la subjectivité de notre perception :

Penchez-vous et regardez la Lune à l'envers, entre vos jambes, tête en bas. Face à une nouvelle perspective, tous vos points de référence et toutes les comparaisons de taille sont affectés. Cela démontre combien nous comptons sur l'expérience plutôt que sur nos organes sensoriels pour estimer les distances et la taille.

Quand vous conduisez la nuit, pourquoi la Lune donne-t-elle l'impression de vous suivre ?

Comme nous l'avons vu précédemment, nos yeux nous jouent des tours. Quand nous conduisons la nuit, en ligne droite et à grande vitesse, par exemple sur une autoroute, les objets les plus proches de notre voiture défilent rapidement. Les barrières de sécurité qui séparent les voies deviennent floues. Selon notre vitesse, nous pouvons plus ou moins discerner les maisons ou les arbres sur les côtés. Les montagnes au loin semblent immobiles - même si, au fur et à mesure, nous les dépassons, et qu'elles paraissent ensuite plus petites.

Considérons la Lune, qui se trouve à 384 000 km et qui est plus grande que n'importe quelle chaîne montagneuse (plus de 3 300 km de diamètre). Nous devrions voyager très loin et longtemps pour qu'elle paraisse se déplacer. Un journaliste d'un magazine d'astronomie conclut que nous avons une « illusion » de proximité qui, compte tenu de la taille réelle de la Lune et de sa distance, fait qu'elle semble nous suivre partout.

Ce phénomène s'explique par la parallaxe. Il s'agit du déplacement de la position apparente d'un corps sur le fond — très lointain — du ciel, déplacement dû à un changement de position de l'observateur, à cause de la rotation de la Terre ou parce que lui-même est en mouvement. On comprend que, si l'objet que nous observons est de taille importante et très éloigné, le déplacement que nous effectuons au cours de notre mouvement est insuffisant pour modifier cette perception.

À moins que notre vitesse ne s'approche de celle de la lumière !

Pourquoi ne pouvons-nous pas voir d'étoiles à l'arrière-plan sur les photos des astronautes dans l'espace ?

La réponse est plus en relation avec la photographie qu'avec l'astronomie. Prenez une photo d'un ciel étoilé : la plupart du temps, aucune étoile n'apparaîtra.

La lumière produite par les étoiles n'est pas suffisante pour impressionner, compte tenu du temps très court d'exposition utilisé pour prendre des photos conventionnelles. Mais vous avez certainement déjà regardé des photos d'étoiles ? Il s'agit de prises de vue image par image, sur un film en accéléré, et d'un temps d'exposition d'au moins 10 à 15 secondes, afin que l'appareil photo absorbe assez de lumière pour que l'image apparaisse sur la pellicule (ou soit enregistrée par les capteurs dans le cas d'un appareil numérique). Un expert nous explique :

> Pour prendre des photos du « côté obscur » de la Terre durant une sortie extravéhiculaire (sortie d'un astronaute en dehors de son module spatial) en orbite terrestre, il est nécessaire d'avoir un temps d'exposition d'au moins 20 secondes sur une plate-forme stable, afin de capturer assez de photons (particules de lumière) stellaires pour obtenir une image montrant des étoiles. Et cela même lorsque vous utilisez des films rapides conçus pour la photographie à faible éclairage.

Le même problème se produit avec les caméras vidéo :

> Les caméras vidéo numériques et l'œil humain souffrent des mêmes problèmes d'adaptation lorsqu'il s'agit de capter des objets qui n'émettent ou ne réfléchissent pas assez de lumière sur un arrière-plan sombre, contrainte à laquelle s'ajoutent les perturbations ambiantes, comme la « pollution lumineuse » – telles les étoiles qui se trouvent derrière un astronaute situé au premier plan.
>
> Le film photographique argentique est incapable de capturer les « très clairs » et les « très sombres » durant la même exposition. Comme la surface lunaire brille à la lumière du jour, les photos prises par les astronautes de la mission Apollo utilisaient des temps d'exposition d'une fraction de seconde. En revanche, sur terre, l'éclat (magnitude) des étoiles dans le ciel est si faible que pour les voir sur une photo, il est nécessaire d'avoir un temps d'exposition 100 fois plus long que celui utilisé par les astronautes de la mission Apollo.

À la campagne, quand il n'y a pas de lumière aux alentours, le ciel devient une superbe voûte étoilée. Le même effet est possible à l'intérieur de votre maison : lors d'une nuit claire, éteignez les lumières et regardez par la fenêtre. Selon les conditions atmosphériques, vous pourrez observer un ciel étoilé. Rallumez les lumières, les étoiles auront disparu.

Pourquoi ? La lumière d'un objet brillant et proche peut facilement éclipser celle provenant d'un objet lointain comme une étoile. Dans le cas d'un astronaute, les lumières du véhicule ou de la station spatiale, ou même celles de son casque, peuvent éclipser la faible luminosité des étoiles qui se trouvent à l'arrière-plan. La combinaison des astronautes, qui reflète elle aussi beaucoup de lumière, crée un contraste avec le ciel sombre. L'éclat des étoiles sera ainsi absorbé par toutes ces sources lumineuses plus proches lors de la prise de vue.

Mais, après tout, les astronautes sont allés sur la Lune pour l'explorer et non pour observer les étoiles !

Pourquoi les astres scintillent-ils la nuit ?

Pour quelles raisons un corps céleste scintille-t-il ? Un spécialiste nous informe :

> Ce sont les turbulences (dues au mélange d'air chaud et froid) dans l'atmosphère qui, en détournant légèrement les rayons lumineux, provoquent la scintillation. Un rayon peut frapper votre œil, et, le moment d'après, le manquer.

Nos yeux dupent notre cerveau en lui faisant penser que l'étoile scintille. Les étoiles sont si loin de nous que, même si on les observe avec un télescope sophistiqué, elles semblent n'être qu'un seul point de lumière. Même si les planètes paraissent de la même taille que les étoiles à l'œil nu, en réalité ce sont de petits disques dans le ciel. Un journaliste scientifique affirme que les planètes telles que Vénus, Mars, Jupiter et Saturne peuvent facilement être vues à l'aide de jumelles ou d'un petit télescope.

Comment cette différence de taille apparente entre planètes et étoiles affecte-t-elle leur scintillation ? Un journaliste explique la façon dont un point se transforme en scintillation :

> Quand la lumière des étoiles atteint les strates extérieures de gaz capturées par l'attraction terrestre, elle est perturbée, absorbée, dispersée lors de sa traversée des différentes couches atmosphériques – lesquelles sont transparentes pour les photons (particules de lumière) du spectre visible – jusqu'à notre rétine. La réfraction du rayonnement lumineux des étoiles, aussi faible soit-il, c'est-à-dire ses changements de direction successifs, provoque cette scintillation si caractéristique.

Le disque de la planète, lui, comporte infiniment plus de points de lumière, dont les scintillations s'équilibrent. Quand un photon est perdu, un autre est perçu. Ainsi, les différences s'atténuent et la lumière se diffuse de manière plus stable.

Ou encore :

Le diamètre de la source lumineuse — un point minuscule dans le cas d'une étoile, un disque plus facilement observable en ce qui concerne les planètes du Système solaire — influe sur l'intensité de la scintillation. Moins affecté par les turbulences atmosphériques, les disques lumineux planétaires paraissent plus constants et échappent au phénomène de scintillation.

Utilisons un dernier exemple pour finir :

Vue d'un plongeoir, une pièce de monnaie posée au fond d'une piscine semble se déplacer car l'eau agit comme une lentille qui, en ondulant, déforme continuellement les rayons de lumière provenant de la pièce. Mais une table submergée paraît plus stable car l'eau ne peut pas déformer les rayons de lumière qui proviennent d'une si grande surface.

Est-ce que la Lune a un effet sur les lacs et les étangs ? Sinon, pourquoi la marée affecte-t-elle les océans et pas les lacs ?

Voici l'explication d'un journaliste :

Les étangs ou les lacs – même les plus grands – n'ont pas de marées, car ces petites masses d'eau sont soulevées en totalité, sans mouvement apparent, par la force d'attraction gravitationnelle de la Lune. (La terre ferme aussi est soumise à l'attraction gravitationnelle de la Lune, ce dont, grâce à la déformation élastique du sol, nous ne nous apercevons pas plus que le marin au large lors de la marée océanique.)

D'autre part, les mers et les océans ont des marées car l'eau peut circuler librement d'un bassin océanique à l'autre. Ce n'est pas le cas des étangs et des lacs, qui sont comparativement de petites étendues d'eau sans débouchés.

Du côté de la Terre le plus proche de la Lune, la force d'attraction gravitationnelle de notre satellite naturel attire l'eau vers lui : nous observons alors une marée haute. Au même moment, de l'autre côté de la Terre, cette force gravitationnelle provoque un mouvement de répulsion qui repousse l'eau : là aussi, c'est marée haute. Or la force exercée par la Lune se traduit par une forme ellipsoïdale (en olive) : les marées hautes aux extrémités du grand axe, et le phénomène inverse, les marées basses, aux extrémités du petit axe, qui croise l'axe principal en son centre. (Le Soleil exerce son propre effet de marée, mais sa force ne représente que 46 % de celle de la Lune.)

Quelques mers presque fermées, comme la Méditerranée ou la Baltique, peuvent imiter le comportement d'un lac sans marée pour des raisons différentes. Par exemple, la Méditerranée a un coefficient de marée de 5 cm car c'est un bassin avec un petit bras de mer : le détroit de Gibraltar. Celui-ci est à la fois étroit et peu profond, ce qui empêche la circulation rapide des grandes quantités d'eau nécessaires pour créer deux marées hautes par jour. Le flux et le reflux de la marée dans l'Atlantique pourraient remplir ou drainer la Méditerranée, mais l'onde de marée se déplace avant qu'une quantité suffisante d'eau ne s'écoule à travers le détroit de Gibraltar.

En résumé, une masse d'eau a besoin d'une grande surface soumise à la force gravitationnelle et de possibilités de circulation pour que se déclenche une marée digne de ce nom.

Que désigne précisément le niveau de la mer ? Et comment le détermine-t-on exactement ?

Le niveau de la mer change constamment, peu importe l'endroit. Si vous le mesurez durant une marée basse ou une marée haute, vous n'aurez pas le même chiffre. Le vent et les changements de température influencent aussi les variations. Mais les océans sont reliés entre eux, et leur hauteur varie donc légèrement. Les mathématiciens spécialisés dans l'étude des mesures et les océanographes se contentent de données approximatives car ils se préoccupent davantage des variations du niveau de la mer dans le temps que de celles entre un endroit et un autre. Les mesures sont prises partout sur la planète ; il n'y a pas un endroit où le niveau de la mer est déterminé. « Le niveau moyen de la mer » est défini comme étant « l'endroit moyen de l'interface qui se trouve entre l'océan et l'atmosphère, sur une période de temps assez longue pour que toutes les variations périodiques et aléatoires de courte durée tendent vers zéro ». Un institut océanographique a décidé qu'une période de 19 années était la méthode la plus sûre pour relever les niveaux de la mer afin d'éliminer toute variation possible. Dans certains cas, les mesures sont prises toutes les heures. Tout au long du XXe siècle, le niveau moyen de la mer a augmenté de 1 mm par an en moyenne. À plusieurs occasions, il est monté de 5 à 6 mm par an, sans vraiment créer d'inondations. Si le réchauffement de la planète se confirme, la montée du niveau de la mer dans le futur sera, comme le dit le proverbe, « la goutte d'eau qui fait déborder le vase », menaçant alors des millions d'habitants sur les côtes les moins élevées.

Quelle est la différence entre un océan et une mer ?

Un océan est une « grande masse d'eau salée qui occupe les deux tiers de la surface de la Terre, ou une de ses plus importantes sous-parties. » Si la mer Rouge est une sous-partie de l'océan Indien, pourquoi ne la nomme-t-on pas tout simplement océan Rouge ? Parce que les mers ont été désignées dans un premier temps par les communautés humaines et les civilisations qui se sont épanouies à leur contact, avant que les techniques ne permettent de s'aventurer loin sur les océans et donc de prendre connaissance de leur étendue. C'est ensuite que l'on a pu définir une cartographie plus réaliste du globe terrestre.

La plupart des mers sont reliées à un océan par un détroit (mers Noire, Méditerranée, Baltique...). Mais d'autres sont simplement une région plus ou moins séparée des masses océaniques par quelques îles ou archipels, comme les mers de Chine orientale et méridionale. La présence d'un large plateau continental qui limite la profondeur des mers est une autre de leurs caractéristiques.

Cependant, le terme mer est parfois utilisé de façon interchangeable avec celui d'océan. Et certains lacs sont de véritables mers intérieures... non salées (lac Baïkal en Sibérie, Grands Lacs en Amérique du Nord).

Pourquoi l'eau des lacs et des étangs ne s'infiltre-t-elle pas dans le sol ?

Attirées vers le sol par la gravité, les gouttes de pluie vont y pénétrer. En s'infiltrant dans le sol, l'eau va continuer son chemin vers le bas jusqu'à ce qu'un élément la stoppe. La plupart du temps, l'humidité se heurte à un substrat rocheux comme le basalte, l'ardoise, ou plus généralement une roche sédimentaire imperméable comme l'argile ou les marnes. Lorsque l'eau s'accumule sur le substrat rocheux, le sol s'imbibe comme une éponge. La partie du sol saturée en eau s'appelle la nappe phréatique et sa limite supérieure, le niveau hydrostatique. Une fois le sol saturé, le niveau hydrostatique change continuellement en fonction du bilan des apports (flux souterrains, précipitations) et des pertes en eau (absorption racinaire) :

Selon l'endroit, la profondeur du niveau hydrostatique est différente : les racines des plantes et des arbres absorbent l'eau de cette nappe phréatique, qui peut aussi se répandre sur les côtés. Quand il pleut, le niveau augmente, surtout si la pluie tombe plus vite que la terre n'est en mesure de l'absorber.

Parfois, quand la couche de terre est très fine ou qu'il y a eu de nombreuses précipitations (lesquelles sont exprimées en millimètres), le niveau hydrostatique élevé se traduit par la formation de flaques. L'eau reste au-dessus de la boue, car le sol est saturé.

Le niveau hydrostatique n'est pas nécessairement une surface horizontale. Quand il est incliné, l'eau s'écoule, mais très lentement (déplacement latéral). Pour circuler dans toutes les directions, l'eau a besoin d'un chemin : les trous faits par les vers de terre, les espaces entre les mottes, les rigoles... Les types de sols diffèrent en porosité : ceux dont les particules sont de grande taille, comme le sable, ont une porosité élevée, alors qu'elle est faible dans les sols à grains fins, comme les marnes (mélange d'argile et de calcaire). Plus la porosité est élevée, plus l'eau s'écoule facilement.

En ce sens, entre saturation du sol et faible porosité du terrain, la présence de lacs ou d'étangs n'est pas un phénomène plus étrange que les flaques sur le sol de votre salle de bains après une fuite d'eau !

Mais tous les océanographes avec lesquels nous avons parlé ont insisté pour dire que l'accumulation d'eau dans les lacs et les étangs est plus compliquée. Dans certains cas, les masses d'eau sont simplement les parties exposées du niveau hydrostatique local. Il arrive qu'un étang apparaisse au-dessus de celui-ci, si la pluie tombe plus vite que la terre ne met pour l'absorber. Un phénomène naturel d'eau stagnante tout comme celle de votre bain lorsque le conduit bouché peine à l'éliminer.

Si la molécule d'eau (H_2O) est composée de deux atomes d'hydrogène et d'un atome d'oxygène, deux éléments communs, pourquoi ne peut-on combattre les sécheresses en combinant les deux pour former de l'eau ?

Nous pourrions « fabriquer » industriellement de l'eau en combinant l'hydrogène avec l'oxygène, mais cela engendrerait un coût financier important, et dans certains cas, un coût environnemental.

Un scientifique nous explique que la plupart des méthodes pour créer de l'eau sont peu réalisables car elles nécessitent d'énormes quantités d'hydrogène et d'oxygène pour, au final, une production d'eau qui ne serait pas à la hauteur des besoins. Construire une « usine à eau » serait donc techniquement possible, mais financièrement irréaliste.

L'eau existe à l'état naturel en grandes quantités, quoique mal réparties, sur la Terre. Alors protégeons cette ressource, et exploitons-la raisonnablement !

Pourquoi le noyau de la Terre est-il chaud ?

Nous savons que le noyau de la Terre est chaud, mais nous ignorons quelle est sa température. Aujourd'hui, même si les géologues ne la connaissent pas exactement, ils savent en revanche qu'elle est proche de celle du Soleil.

En contact avec l'air froid, la température de la surface de la Terre est bien plus basse. Le noyau, lui, est continuellement réchauffé par la désintégration d'éléments radioactifs. Les scientifiques pensent que la chaleur originelle provenant de la formation de la Terre est encore active dans ces transformations. Il est probable que le noyau de la Terre n'aura pas le temps de se refroidir avant que notre Soleil n'arrive en fin de vie, dans 5 milliards d'années. Celui-ci aura alors consommé tout son gaz (hydrogène, puis hélium) et se transformera en étoile géante, absorbant les planètes les plus proches — dont la Terre.

En règle générale, tous les 33 m de profondeur, la température de la Terre monte de 1 °C, une constatation fondée sur les forages profonds (environ 10 000 m) effectués dans la croûte terrestre. La plupart des géologues sont d'accord sur le fait que l'actuelle température est proche de 5 000 °C.

Pourquoi sommes-nous si inquiets au sujet du réchauffement de la planète alors que son noyau est si chaud ? Le fait est que la quantité de chaleur qui atteint la surface de la Terre est insuffisante pour l'affecter de manière drastique, et que cette chaleur se dissipe vers l'espace.

Certains spécialistes insistent sur le fait que ce transfert n'est pas uniforme :

> La perte calorique n'est pas constante partout. Comme le gradient géothermique varie d'un endroit à un autre, il en va de même pour le flux de chaleur, qui est plus important près des jeunes volcans et des sources d'eau chaude. En revanche, il l'est moins lorsque l'écorce terrestre est plus ancienne et moins active.

L'écorce terrestre aide à isoler le noyau d'une plus grande perte de chaleur. Les fissures qui l'affectent, comme les volcans et les sources d'eau chaude, nous permettent d'imaginer la température du noyau brûlant.

La radioactivité est à l'origine de la chaleur générée dans le noyau de la Terre. Au cours de ces dernières années, les scientifiques ont réussi à la calculer de manière plus précise par le biais de la mesure de particules appelées antineutrinos. Les géologues sont optimistes, car ils pourront bientôt situer l'endroit exact où l'énergie se génère. Plus récemment encore, deux scientifiques

Pourquoi les **océans** sont-ils salés ? Qu'est-ce qui maintient leur niveau de **salinité** ?

Presque tout le sel des océans provient du processus de dissolution et d'infiltration de la Terre durant des centaines de millions d'années. Les pluies et les fleuves arrachent le sel des roches (on parle de lessivage) et le transportent dans les océans. Ces roches érodées fournissent la plus grande partie du sel. Car, à l'origine, les masses océaniques étaient de l'eau douce !

Mais il existe d'autres phénomènes naturels qui contribuent à la charge minérale des océans, notamment l'intense activité volcanique sous-marine, en particulier le long des dorsales océaniques. Au contact des épanchements magmatiques en fusion, essentiellement du basalte, l'eau se charge de divers éléments minéraux et, confrontée à des différences rapides de température, devient le siège de phénomènes chimiques complexes.

Avec tous ces processus de déversement des sels dans les océans, on pourrait les croire saturés de chlorure de sodium, car comme pour n'importe quelle autre masse liquide, l'eau s'en évapore continuellement. Cependant, la concentration de sel n'a pas changé depuis un bon milliard et demi d'années... Alors comment les océans se débarrassent-ils du sel en excès ?

Tout d'abord, le chlorure de sodium est extrêmement soluble : il n'est donc pas concentré dans certaines parties de l'océan, mais réparti de manière relativement uniforme.

Deuxièmement, les ions de sodium quittent les eaux avec les embruns. Troisièmement, les sels s'associent aux particules qui se déposent sur le plancher océanique.

Ainsi, le taux moyen de salinité des océans, environ de 3,5 %, reste constant.

ont découvert que le potassium formait un alliage avec le fer dans le noyau de la Terre. Même si le potassium ne représente que 0,1 % du noyau de la Terre, « il peut suffire à fournir un cinquième de la chaleur dégagée ».

> La Terre s'est constituée à partir de la collision d'astéroïdes, mesurant peut-être des centaines de kilomètres de diamètre, au début du Système solaire. Durant la formation de la proto-Terre, la collision continuelle avec les astéroïdes et l'effondrement gravitationnel ont maintenu la planète en fusion. Les éléments les plus lourds, le fer en particulier, auraient coulé vers le noyau en 10 à 100 millions d'années, emportant avec eux d'autres éléments qui se lièrent au fer.
>
> La Terre se serait refroidie progressivement et serait devenue un monde rocheux sans vie, avec un noyau de fer froid, si la chaleur n'avait été libérée par la désintégration d'éléments radioactifs comme le potassium 40, l'uranium 238 et le thorium 232 – qui ont des « vies » de 1,25 milliard, 4 milliards et 14 milliards d'années. Un atome de potassium sur mille environ est radioactif.

Pourquoi d'anciennes villes sont-elles ensevelies ? Et d'où vient la terre qui les recouvre ?

Premièrement, toutes les ruines ne sont pas des vestiges de villes. Beaucoup d'autres sites comme les forts, les grottes, les cimetières et les carrières sont aussi fréquemment ensevelis. Deuxièmement, toutes les villes anciennes ne sont pas enterrées ; de temps en temps, les archéologues trouvent des vestiges près de la surface.

Deux spécialistes expliquent les ensevelissements par la combinaison de différents facteurs :

1 La poussière apportée par le vent (connue des archéologues sous le nom de poussière éolienne) s'accumule et finit par ensevelir les objets. Cette poussière varie de la poussière volcanique à la poussière ordinaire que l'on trouve dans les maisons.

2 Le sédiment d'origine hydrique s'accumule et finit par ensevelir les objets. La pluie, qui transporte les sédiments d'un point élevé vers un endroit plus

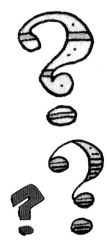

bas, est souvent la principale responsable. Cependant, le sable ou l'argile formés par l'écoulement des eaux, tels les dépôts riverains laissés par les inondations, peuvent littéralement ensevelir une communauté située au bord d'une rivière. Souvent, l'eau recueille et transporte les dépôts éoliens dans la partie inférieure d'un site.

3 Des catastrophes naturelles peuvent ensevelir un lieu en une seule fois — cependant, c'est extrêmement rare. Un spécialiste ajoute que « dans ces circonstances, la topographie du site est essentielle : il ne doit pas y avoir d'érosion ou alors beaucoup moins que de dépôts ». Pompéi et Herculanum ont été ensevelies par l'éruption du Vésuve en 79 apr. J.-C. : l'une par un écoulement de boue et l'autre par une pluie de cendres (dépôts pyroclastiques).

4 Les constructions faites par l'homme peuvent s'effondrer et être ensevelies. Cette destruction est parfois accidentelle (inondations, tremblements de terre, incendies), parfois intentionnelle (bombardements, démolitions). Les humains semblent incapables de ne laisser derrière eux aucune trace de leurs activités. « Même des villes aussi jeunes que New York ont accumulé une profondeur considérable de décombres. L'ancien New York est déjà enseveli plusieurs mètres en dessous de la surface actuelle. »

5 Les anciennes civilisations ont parfois procédé à leur propre ensevelissement :

Au début du IVe siècle, quand l'empereur romain Constantin, converti au christianisme, voulut construire une basilique sur la colline du Vatican, il choisit l'endroit où se situait la tombe de Pierre, laquelle attirait de nombreux pèlerins. Mais il ne pouvait se résoudre à détruire la nécropole existante. Aussi ses ingénieurs proposèrent-ils d'ensevelir les caveaux, dont les murs, une fois enfouis, deviendraient les fondations de la basilique.

Quand l'ancienne basilique Saint-Pierre fut détruite, durant le XVIe siècle, pour faire place à l'actuel édifice, des parties de l'église initiale furent utilisées pour boucher les zones en contrebas du site.

Autre exemple : d'anciens monticules trouvés en Europe centrale, au Moyen-Orient ou encore au Pakistan.

qui ? pourquoi ? quand ? où ? comment ? qui ? pourquoi ? quand ?

Souvent, ils se trouvent à plusieurs mètres de hauteur. Chaque civilisation se bâtit sur les décombres de la précédente. Les maisons étaient construites en briques de boue, lesquelles avaient une durée de vie d'environ 70 ans. Quand elles se sont effondrées, la terre s'est répandue autour de ces vestiges. Dans 2 000 ou 3 000 ans, ces grands monticules auront pris de la hauteur et dépasseront les plaines environnantes. Chaque couche renferme les restes archéologiques de la période d'occupation.

L'analyse des strates du sous-sol (stratigraphie) sur les sites préhistoriques du magdalénien (15 000-10 000 ans avant notre ère) est aussi un moyen de comprendre comment vivaient nos ancêtres grâce aux vestiges et objets enfouis dans les couches de la terre.

Ainsi, nous enterrons des « tranches de vie » afin de donner aux générations futures une trace de la nôtre. Avec l'aide de Dame Nature, nous ensevelissons tous les jours des objets révélateurs, et cela inconsciemment...

Comment l'aspirine fait-elle pour localiser un mal de tête ?

Comment ces petits comprimés trouvent-ils exactement ce qui nous fait souffrir ?

L'écorce de saule fournit l'acide salicylique, dont l'aspirine est le produit de synthèse. Les Grecs l'utilisaient déjà comme remède contre la douleur il y a près de 2 500 ans. Bayer a été la première entreprise à commercialiser l'aspirine en 1899 (à l'origine, Aspirine était le nom commercial de Bayer pour le dérivé de l'acide acétylsalicylique). La valeur de ce nouveau médicament fut rapidement évidente, mais, jusqu'en 1970, les chercheurs n'avaient qu'une petite idée de la manière dont l'aspirine soulageait la douleur.

Elle soulage la douleur mais, mystérieusement, ce n'est pas un anesthésique ! En effet, elle calme les zones enflammées mais délaisse celles qui ne sont pas affectées. Comment l'aspirine peut-elle « savoir » si la douleur est déjà présente ou quelles zones sont enflammées ? Les chercheurs n'avaient pas la solution. Ils ne savaient même pas si l'aspirine agissait de manière périphérique, là où se trouve une blessure, ou alors au centre, en bloquant la capacité du cerveau et celle du système nerveux à sentir la douleur.

Les vraies réponses apparurent plus de 70 ans après la commercialisation de ce qui allait devenir la meilleure vente pharmaceutique du monde, quand un chercheur a découvert que l'aspirine inhibait la synthèse des prostaglandines, des dérivés d'acides gras fabriqués par presque toutes les cellules du corps humain. Les prostaglandines ressemblent aux hormones dans la mesure où elles sont sécrétées dans le sang, à la différence qu'elles ont tendance à rester proches de leur point de fabrication. Connues sous le nom de PGE2, elles provoquent le mal de tête en augmentant la sensibilité des récepteurs de douleur. Elles font, en effet, office de système d'alarme en produisant sensation de gêne, inflammation, fièvre et irritation dans les parties du corps affectées. Les prostaglandines dilatent les vaisseaux sanguins, ce qui peut provoquer des maux de tête.

La découverte du rôle des prostaglandines dans le processus de la douleur explique pourquoi l'aspirine soigne uniquement les tissus et les cellules qui fonctionnent mal. Si l'aspirine peut stopper la production de prostaglandines, la douleur ne sera pas perçue. Par ailleurs, l'aspirine ne soigne pas les maladies. Elle peut, par exemple, soulager les symptômes de l'arthrite mais elle ne peut stopper la maladie en elle-même.

À la différence de la morphine ou de la codéine, qui agissent sur le système nerveux, l'aspirine agit de manière dite périphérique, sur les tissus concernés. La clé du succès des analgésiques périphériques est en effet de porter leur action sur les récepteurs de douleur (nocicepteurs) répartis dans le corps. Une fois la résorption de l'analgésique effectuée (dans l'estomac et l'intestin), la diffusion est rapidement effective dans tout l'organisme.

Pourquoi l'héroïne porte-t-elle un nom héroïque ?

En effet, héroïne vient du grec *héros*. Alors que la production et la distribution de l'héroïne, produite à partir de la morphine, sont depuis longtemps interdites dans le monde, les dérivés de la morphine (une molécule issue des pavots) se sont développés comme des analgésiques légaux.

À l'origine, l'héroïne, commercialisée par une entreprise pharmaceutique allemande, a été délibérément nommée ainsi (*Heroin*, en allemand) pour susciter des associations positives. En plus d'être efficace comme analgésique, l'héroïne avait « l'avantage » de procurer aux patients un sentiment d'euphorie et d'exaltation. Paradoxalement, elle a d'abord été administrée pour lutter contre la dépendance à la morphine, avant de se transformer elle-même en une drogue interdite.

Pourquoi le coup de soleil n'apparaît-il que 24 heures après l'exposition ?

Nous avons tendance à associer coups de soleil et bronzage à de bons moments passés au soleil, alors que, selon les dermatologues, le coup de soleil est « un mal fait à la peau par l'exposition aux rayons ultraviolets, qui sont responsables du cancer de la peau ». Les rayons ultraviolets du soleil, invisibles à l'œil nu, ont des longueurs d'onde comprises entre 200 et 400 nanomètres. Heureusement pour nous, la plupart des effets néfastes du soleil sont filtrés par la couche d'ozone.

Des dermatologues nous expliquent que la rougeur initiale après l'exposition au soleil est principalement due à la chaleur. En effet, le sang monte à la surface de la peau pour diffuser la chaleur hors du corps afin de réduire sa température. La réaction initiale n'est donc pas la brûlure en elle-même. Dans la plupart des cas, celle-ci atteint son maximum 15 à 24 heures après l'exposition. Toute une série d'événements provoque l'érythème (la rougeur) de la peau après un trop long bain de soleil :

1 Comme nous l'avons déjà évoqué, la rougeur que nous voyons n'est pas la brûlure en elle-même, mais le sang qui afflue pour réparer les cellules endommagées par le soleil. Les vaisseaux se dilatent afin d'envoyer le sang à la surface de la peau. Ce processus, appelé vasodilatation, est provoqué par une ou plusieurs substances chimiques comme la kinine, la sérotonine et l'histamine.

2 L'exposition au soleil incite la peau à fabriquer plus de mélanine, les pigments qui nous font paraître bronzés (en général, les gens à la peau plus mate peuvent mieux résister à l'exposition au soleil et ils bronzent davantage qu'ils ne brûlent).

4 Les prostaglandines, composées d'acides gras, sont libérées après l'endommagement des cellules par le soleil et jouent un rôle dans l'apparition différée des coups de soleil.

Ces processus sont modulés par le type de peau (la quantité de mélanine déjà présente), la longueur d'ondes des rayons ultraviolets, le temps passé au soleil ou encore l'heure de l'exposition.

Une fois l'érythème apparu, votre corps essaie de guérir. Comme l'explique un spécialiste, peler peut être un important mécanisme de défense :

> Peler fait partie du processus du coup de soleil, cela illustre l'effort que fait la peau pour se défendre en prévision de la prochaine exposition. L'épiderme va se renouveler grâce à des cellules appelées kératinocytes. Celles-ci réagissent à la brûlure en se multipliant et en remontant vers la surface de l'épiderme ; elles repoussent les cellules mortes et les remplacent : c'est la desquamation.

Un dermatologue nous affirme que l'effet différé de la brûlure est responsable de la plupart des graves problèmes de peau : les personnes qui prennent des bains de soleil pensent qu'elles peuvent continuer à bronzer tant qu'elles ne ressentent pas de brûlure. Cependant, il est impossible de mesurer l'importance de la brûlure simplement en en examinant la couleur ou en observant l'étendue de l'érythème. C'est comme dire qu'il n'y a pas de feu alors qu'on sent la fumée. Bien avant que la brûlure n'apparaisse, un docteur peut déceler les cellules endommagées en examinant un échantillon au microscope.

Pourquoi les bombes créent-elles un nuage en forme de champignon ?

Avant de répondre, dissipons deux fausses idées assez répandues.

Beaucoup de gens pensent que les bombes sont larguées des avions, puis qu'elles percutent le sol et explosent à cause de cette collision. Or, de nos jours, les bombes sont conçues pour exploser en l'air avant de percuter le sol.

Le « champignon » n'est pas composé des éléments contenus dans la bombe. Ce nuage est un mélange de saletés, de poussières et de décombres venant du sol. Un ingénieur nucléaire nous explique la formation de ce champignon menaçant :

Dans une explosion atomique comme celle d'Hiroshima et de Nagasaki, le nuage en forme de champignon se développe parce que l'explosion soulève un amas énorme de décombres allant du sol vers le ciel.

L'explosion de la bombe est dirigée vers l'écorce terrestre. Une partie du sol est projetée dans l'air en ligne droite, créant ainsi la « tige » du champignon. Cependant, une fois ces matériaux en l'air et l'énergie cinétique dépensée, le vent horizontal disloque le nuage et le déplace. Ensuite, la gravité reprend ses droits et les éléments du sol retombent − ce qui explique la phase étrange où le nuage semble imploser.

La forme du champignon peut être quelque peu déformée s'il y a un vent dominant fort au même moment. Par ailleurs, passé la dispersion effective, le nuage ressemble de moins en moins à un champignon.

Les explosions « conventionnelles » (comme celle du TNT) créent, elles aussi, un nuage en forme de champignon ; toutefois, l'effet est amplifié quand il s'agit d'une explosion nucléaire. Mais l'explication physique du phénomène reste la même.

Le vent latéral disperse plus ou moins vite le « chapeau » du nuage. Celui-ci est créé en grande partie par l'explosion elle-même. Quand la bombe explose, une boule de feu (un gaz chaud) se répand dans toutes les directions et s'élève en créant en dessous un effet de succion qui absorbe les décombres.

Au sommet de la boule de feu, l'expansion rencontre une certaine résistance de l'air et a donc tendance à s'aplatir. Cette « partie plate » ressemble au chapeau d'un champignon plutôt qu'à un sommet arrondi. S'il n'y avait ni gravité ni résistance de l'air (par exemple dans l'espace), une bombe se répandrait probablement de manière égale dans toutes les directions, créant ainsi une énorme sphère.

Quand la bombe explose en frappant la terre, un cratère de forme grossièrement parabolique apparaît. Une partie des matériaux soulevés, les plus lourds, retombe immédiatement aux abords du cratère ; les plus légers, projetés vers le haut, perpendiculairement au sol, entrent dans la formation du nuage − ainsi apparaît la « tige » parfaitement verticale du champignon.

où ? comment ? qui ? pourquoi ? quand ? ou ? comment ? qui ?

Quand une bombe « conventionnelle », de taille plus réduite, est lancée, vous ne verrez pas forcément la forme d'un champignon à cause du peu d'ampleur de l'explosion et de sa vitesse. La vitesse d'une bombe atomique est également très grande, mais le nuage est tellement plus large qu'il met plus de temps à se déplier.

Comment les Romains faisaient-ils les calculs nécessaires à la construction ou à d'autres projets en utilisant la numération en lettres ?

Il ne s'agit pas d'essayer de poser de longues divisions en utilisant les chiffres romains ! Pouvez-vous imaginer faire la division de CXVII par IX et jouer avec des chiffres qui ressemblent davantage à un cryptogramme qu'à un problème arithmétique ? Les Romains ont été sauvés de cette torture puisqu'ils comptaient sur des bouliers en utilisant des billes pour additionner, soustraire, multiplier et diviser. Ces billes étaient déplacées sur une tablette spéciale, l'abaque (du grec *abax*, « table à calcul »). Un spécialiste nous informe qu'à l'époque romaine ces opérations mathématiques étaient réalisées par des personnes appelées *calculatores*. Or le mot calcul vient du latin *calculus*, qui signifie « petit caillou », ou bille.

Ils étaient nommés ainsi car ils utilisaient le *calcule*, qui signifie bille en latin, pour additionner, soustraire, multiplier et diviser.

Pourquoi appelons-nous notre système numérique « arabe » alors que les Arabes eux-mêmes ne l'utilisent pas ?

Des systèmes numériques ont probablement été élaborés en Égypte et en Mésopotamie, mais c'est l'Inde, au cours du Ier millénaire de notre ère, qui a développé les premiers systèmes décimaux avec des signes à la notation simplifiée, lesquels seront transmis aux Arabes. Les négociants européens qui rapportaient des traités et des contrats ont supposé, à tort ou à raison, que les Arabes avaient inventé les chiffres, et ils effectuèrent la traduction des textes de l'arabe. Tous les premiers systèmes numériques utilisaient des variations de « 1 » pour désigner « un », probablement parce que ce chiffre ressemblait à un doigt. Les historiens suggèrent que nos chiffres arabes « 2 » ou « 3 » sont l'altération de notations de plus en plus simplifiées pour répondre aux besoins d'une écriture rapide. La plupart des élèves sur tous les continents apprennent à calculer avec les chiffres arabes, même si ces chiffres ne sont que rarement employés par les Arabes, qui utilisent plutôt une notation perse.

Pourquoi le balsa est-il classé parmi les bois durs alors que c'est un bois tendre ? Quelle est la différence entre ces deux sortes de bois ?

Les bois tendres, comme les conifères (pins, épicéas, sapins...), sont des gymnospermes, c'est-à-dire des plantes qui produisent des graines sans enveloppe. Les graines sont portées par un fruit ouvert, le cône. Les écailles du cône protègent néanmoins les graines. Le feuillage de la plupart des conifères est persistant, hormis quelques espèces, tel le mélèze, qui perd ses aiguilles.

Les **bois durs** sont un type d'angiospermes, plantes à fleurs dont les graines sont enveloppées par le fruit. Ces bois ont tendance à perdre leurs feuilles dans les climats tempérés alors que les bois tendres restent presque toujours verts. Cependant, dans les climats tropicaux, nombreux sont les bois durs qui gardent leurs feuilles (espèces sempervirentes).

Les bois tendres ont tendance à être moins denses et plus légers (ils sont plus faciles à couper pour la commercialisation, et c'est ainsi que le balsa est souvent utilisé pour les maquettes), alors que les bois durs, plus compacts, ont une texture plus dense et sont plus résistants. Mais la répartition entre gymnospermes et angiospermes pour déterminer les bois durs ou tendres est insuffisante. Le balsa est un angiosperme, et il est pourtant très tendre. Ainsi, en consultant un catalogue qui recense les densités spécifiques des bois commerciaux les plus importants, un expert nous montre un effet de cette « confusion des genres » : « Avec une densité de 0,16, le balsa est le plus léger des bois recensés. Avec une densité de 1,05, le gaïac est le plus lourd des bois connus. Or ce sont deux bois qui entrent dans la catégorie des bois durs ! »

Pourquoi le bois craque-t-il quand on y met le feu ?

Un spécialiste nous aide :

Le bois craque quand on le brûle à cause des petites poches de sève, de résine ou d'autres substances volatiles qu'il contient. Au fur et à mesure que la surface du bois se réchauffe et brûle, la chaleur gagne la sève ou la résine, qui se trouvent plus en profondeur dans le bois.

Au départ, la sève ou la résine sont liquéfiées, puis elles se vaporisent lorsque la température monte. Des gaz se répandent rapidement quand ils sont chauds et exercent une énorme pression sur les parois des poches de résine. Quand la pression est suffisamment élevée, les poches de la paroi éclatent, et c'est à ce moment que l'on entend ce son si caractéristique.

Pourquoi le feu de bois crépite-t-il ? Existe-t-il une raison particulière pour qu'il crépite plus quand on vient de l'allumer ?

Les craquements ne sont pas sans rapport avec les crépitements. Plus les poches de sève et de résine dans le bois sont grandes, plus le craquement l'est. En revanche, s'il y a de plus petites poches mais en grande quantité, le bois crépite.

La raison pour laquelle la plupart des feux crépitent plus lorsqu'on les allume est que les petits morceaux de bois utilisés comme bois d'allumage chauffent plus rapidement. Les poches de sève qu'ils contiennent sont percées et crépitent immédiatement. Les gros morceaux de bois brûlent beaucoup plus lentement, avec des craquements plus forts mais moins fréquents.

Les craquements sont différents selon les bois. En haut de la liste de ces bois « craqueurs », on trouve différentes variétés de mélèzes. La plupart des conifères craquent fréquemment, alors que les bois durs comme le frêne, l'orme et le chêne ont tendance à brûler silencieusement.

Pourquoi les arbres qui se trouvent sur une pente poussent-ils verticalement, comme sur une surface plane ?

Dans tous les cas, les arbres essaient de capter le plus de lumière possible. Un botaniste nous explique :

> Cette forte préférence de croissance est fondée sur l'une des plus importantes motivations : la survie. Le terme scientifique est phototropisme, c'est-à-dire la croissance d'une cellule vivante vers la plus grande source de lumière. Celle-ci fournit aux arbres l'énergie et la nourriture pour croître.
>
> Il y a aussi un autre tropisme actif (« mouvement involontaire vers un stimulant ou loin de lui »), le géotropisme : c'est l'orientation imposée à la croissance par la pesanteur (les racines poussent vers le centre de gravité). Même sur une pente, la force de gravité tire vers le bas, et la quantité de lumière la plus grande vient d'en haut.
>
> En revanche, certains arbres ne poussent pas verticalement. Mais, même si leur tronc se dirige naturellement en biais, leur feuillage pointe vers le haut. Ensuite, certains arbres à flanc de falaise ou sur une forte pente sont un bon exemple de cette lutte entre la force de gravité et la recherche de la plus grande quantité de lumière (tout comme les plantes d'intérieur vers la fenêtre). Cette réorientation de l'arbre produit des formes végétales singulières, fruits d'un compromis entre deux contraintes divergentes.

Un autre scientifique ajoute que les arbres ont développé des mécanismes d'adaptation pour réagir aux exigences conflictuelles du phototropisme et du géotropisme :

> Les arbres compensent la force de gravité et l'inclinaison d'une pente en adoptant des solutions biomécaniques originales. Sur une pente, les conifères (des bois considérés comme tendres) produisent du bois plus « comprimé » sur la face

du tronc orientée vers le sol : ce bois de compression soutient l'arbre en déséquilibre. Les feuillus (qui entrent dans la catégorie des bois durs), eux, produisent un bois de tension sur la face du tronc opposée au sol : ce bois retient l'arbre et tend à le redresser.

Dans le monde des plantes, les raisons pour lesquelles les bois tendres développent du bois de compression et les bois durs du bois de tension restent un mystère !

Comment les bougies d'anniversaire magiques (qui se rallument d'elles-mêmes) fonctionnent-elles ?

Les mèches de ces bougies sont traitées avec des cristaux de magnésium qui retiennent assez de chaleur pour rallumer la mèche une fois qu'on a soufflé dessus. Ce magnésium traité retient d'ailleurs si bien la chaleur qu'il est recommandé de plonger les bougies dans l'eau afin de les éteindre complètement.

Cependant, certaines personnes très pragmatiques ne considèrent pas ces bougies comme magiques, mais plutôt comme réutilisables, et donc très économiques !

Est-ce que la colle type Super Glue adhère au Teflon ?

Un spécialiste affirme que la Super Glue ou Crazy Glue (qui est une marque déposée) ne collera pas au Teflon (lequel s'écrit avec une majuscule car c'est aussi une marque commerciale déposée), du moins « pas très bien, certainement pas correctement ». Voici les causes :

1 La combinaison de fluorine et de carbone dans le PTFE (polytétrafluoroéthylène) du Teflon forme une des plus fortes liaisons dans le monde chimique et une des plus stables.

2 Les atomes de fluor qui entourent le carbone de fluor forment des liaisons inertes. Ils créent une

protection impénétrable autour de la chaîne d'atomes de carbone, empêchant les autres produits chimiques de pénétrer. Comme l'a dit un scientifique, « les adhésifs ont besoin de se lier chimiquement ou physiquement au substrat auquel ils sont apposés. Le PTFE ne contient aucune substance chimique à laquelle adhérer ».

3 Les colles de type cyanoacrylate, comme la Super Glue et les nombreux superadhésifs qui en dérivent, utilisent une réaction chimique, la polymérisation, laquelle se déclenche au contact de l'humidité résiduelle présente sur les surfaces à assembler. Mais le peu d'énergie de surface du PTFE perturbe la formation de cette humidité et donc la polymérisation. Selon notre scientifique, c'est comme essayer de coller l'huile à l'eau !

Un de nos collaborateurs a admis que le Teflon manque de rugosité pour que la Super Glue puisse adhérer correctement... tout comme le Teflon à son support. Et, de fait, pour faire adhérer la couche de Teflon au métal du récipient (casserole ou poêle), ce dernier subit divers traitements spéciaux favorisant l'adhérence, avant que le revêtement ne soit vaporisé en plusieurs couches.

Si rien ne s'accroche au Teflon, comment les industriels le fixent-ils sur une poêle ?

Grâce à plusieurs revêtements. Un employé nous raconte que l'application est similaire, quelle que soit la marque, comme DuPont (lequel possède la marque déposée Teflon) ou SilverStone :

« Quand on applique du Teflon sur une poêle métallique, l'intérieur est d'abord poncé, puis une sous-couche est appliquée et cuite. Une deuxième couche de polytétrafluoroéthylène (PTFE) est posée, cuite et séchée. Enfin, une troisième est appliquée de la même manière que la précédente.

La seule chose qui colle au PTFE est du PTFE. Ainsi, l'utilisation du processus à trois couches forme un mélange inséparable entre les couches de PTFE, et la sous-couche s'accroche à la surface métallique. »

Que devient la bande de roulement des pneus ?

La bande de roulement de nos pneus s'use peu à peu. Après quelques dizaines de milliers de kilomètres, elle devient lisse. Mais les autoroutes ne sont pas décolorées par les morceaux de bandes de roulement. L'industrie automobile, l'industrie du pneu et d'autres experts en pollution indépendants se sont préoccupés de ce qui pourrait sembler un problème insignifiant. Deux spécialistes en chimie ont estimé que 600 000 tonnes de bandes de roulement s'effacent chaque année dans le monde. La probabilité que cette matière reste dans l'air sous forme de particules nocives pour l'homme était faible, ils ont cherché une façon de mesurer ce qui arrive à ces bandes.

Des tests pour déterminer la présence de bandes de roulement sont effectués dans trois endroits différents, chacun présentant quelques problèmes. Premièrement, en intérieur, des essais simulent l'usure de conduite sur un pneu. Malheureusement, en milieu artificiel, le caoutchouc a tendance à coller à la surface de la fausse route. Ce n'est pas ce qui se passe dans des conditions climatiques réelles.

Un deuxième essai, effectué sur une vraie autoroute, indique que le caoutchouc ne reste pas sur le bitume à cause du vent, de la pluie et du mouvement de la circulation. De plus, les zones situées autour des autoroutes sont parfois nettoyées par les équipes de maintenance, ce qui fausse les calculs pour mesurer à long terme l'accumulation des restes de bandes de roulement. Le troisième test se déroule dans les tunnels, où les restes de bandes de roulement ne sont pas soumis à l'action du vent et de la pluie. Cependant, l'usure des pneus y est sans doute moindre, car les conducteurs sont invités à réduire leur vitesse.

Les résultats combinés de ces expériences ont toutefois fourni de nombreuses informations. La majorité des débris des bandes de roulement sont constitués de gomme styrène butadiène (gomme la plus utilisée dans la fabrication des bandes). La plupart des restes ne se présentent pas sous forme de gaz, mais plutôt de particules microscopiques, suffisamment lourdes pour tomber sur le sol.

Tous les tests semblent confirmer que les débris trouvés le long des routes représentent au moins 50 % des particules de bandes de roulement issues de l'usure des pneus. Une étude indique que 2 % de tous les restes trouvés le long des routes sont des particules de gomme. Une autre a démontré que seulement 1 % du total des particules en suspension dans l'air provenait de bandes de roulement. Même dans les tunnels, elles ne représentent que 1 à 4 % des particules dans l'air (un pourcentage bien moins important que la quantité de ce qu'émettent les véhicules). Tous les tests prouvent que la grande majorité des particules des bandes de roulement tombe sur le sol et ne reste pas dans l'air.

Pourquoi un verre « transpire-t-il » quand vous le remplissez d'un liquide froid ?

C'est de la physique élémentaire, chers lecteurs ! La réponse est la condensation. Cet effet de transpiration ne provient pas du liquide à l'intérieur du verre, mais de l'air ambiant.

Le liquide refroidit le verre, dont la partie extérieure refroidit à son tour l'air ambiant. L'air froid ne pouvant pas retenir autant de vapeur d'eau que l'air chaud, la vapeur se condense sous forme liquide sur le verre.

La condensation est donc le procédé contraire à l'évaporation, durant laquelle l'eau est absorbée par l'air. Nous assistons au même phénomène dans la nature avec la rosée. L'effet de transpiration qui apparaît sur le verre est une sorte de rosée en miniature.

Un physicien nous explique que plus l'extérieur du verre est froid, plus il y a de condensation :

> Le refroidissement dépend de la matière du verre. Une tasse en aluminium (qui est un bon conducteur de la chaleur et du froid), remplie d'un liquide froid, « transpirera » plus qu'un verre en polystyrène – très mauvaise conductrice de la chaleur et du froid, cette matière plastique change très lentement de température, que le contenu soit chaud ou froid. Il est possible de faire « transpirer » un verre en polystyrène, mais c'est dur ! Il faut le remplir d'azote liquide (à - 193 °C).

La seule autre variable dans la quantité de condensation est l'humidité de l'air. Plus l'air est humide (plus il contient de vapeur d'eau), plus le verre « transpire ». Cela explique pourquoi les verres mais aussi les humains suent davantage en été.

Lorsqu'une **vitre** se brise, pourquoi est-il impossible de recoller les morceaux ?

Nous avons reçu une réponse d'une clarté cristalline de la part d'un ingénieur à la retraite : le plus important est de se rappeler que, même si le verre semble être rigide, en réalité il se plie et se déforme. Si vous lancez une balle dans une vitre, le verre va essayer de s'adapter à la force exercée sur lui et il se déformera. Mais, s'il se déforme de manière excessive, il se cassera.

Au moment où le verre se brise, il est déformé. La fracture est « parfaite » : les pièces pourraient se remettre en place comme un puzzle. Malheureusement, une fois le verre brisé, les pièces rétrécissent jusqu'à retrouver leur taille initiale.

Quand les pièces retrouvent leur état original, la fracture n'est plus parfaite.

Notre ingénieur nous informe que d'autres matériaux inflexibles montrent les mêmes tendances que le verre. Les céramiques, les poteries et les métaux se déforment et ensuite retrouvent une forme proche de celle qu'ils avaient initialement.

De toute façon, il est beaucoup plus simple de changer la vitre que de chercher à en recoller les morceaux !

Pourquoi certains glaçons sont-ils opaques et d'autres transparents ?

Un de nos interlocuteurs a insisté sur le fait que le contenu minéral de l'eau détermine l'opacité du glaçon, mais cette théorie n'explique pas pourquoi certains glaçons du même bac sont plus ou moins opaques. D'autres ont affirmé que la température de l'eau mise dans le congélateur est le facteur décisif. Malheureusement, ils n'étaient pas d'accord sur le fait de savoir si c'est l'eau chaude ou l'eau froide qui produit la glace transparente.

Finalement, un expert a confirmé ce à quoi nous nous attendions : nos interlocuteurs avaient tort. Le facteur clé dans la formation des glaçons opaques est la température du congélateur. Quand la glace se forme lentement, elle le fait à partir d'un bord. Les bulles d'air ont alors le temps de monter vers la surface et de s'échapper. Il en résulte un glaçon transparent.

Les « nuages » dans les glaçons proviennent des bulles d'air formées quand l'eau gèle rapidement et à partir de plusieurs côtés : les résidus se retrouvent figés au milieu du glaçon. Les bulles emprisonnées au centre le rendent opaque.

Tous les sports paraissent simples
à expliquer... jusqu'à ce qu'on essaie
d'exposer les règles à un débutant !
Un certain nombre de questions
ne peuvent être résolues sans l'intervention
d'experts. En voici un avant-goût :
pourquoi y a-t-il dix-huit trous sur
un parcours de golf ? Pourquoi les balles
de tennis sont-elles en feutre ?
D'où provient la flamme olympique ?
Vous allez adorer les réponses
proposées par nos spécialistes !

sport

Pourquoi y a-t-il dix-huit trous sur un parcours de golf ?

En Écosse, le pays fondateur du golf, les parcours étaient conçus avec un nombre de trous variable, selon la surface disponible. Ainsi, certains parcours ne disposaient que de cinq trous !

À l'origine, le plus prestigieux club de golf écossais, le Royal Club de Saint Andrews, offrait vingt-deux trous. Le 4 octobre 1764, ce parcours fut réduit à dix-huit pour allonger les distances et rendre le jeu plus stimulant et plus compétitif. Dans le même temps, les codes de ce sport furent définis plus précisément, et on adopta les dix-huit trous conçus sur le modèle de Saint Andrews.

Pourquoi les coups manqués au golf, spécialement les fers, font-ils aussi mal ?

En plus du pathétique de la trajectoire de votre balle, un coup manqué au golf provoque souvent une forte sensation de picotement dans les mains. Si un tir est manqué, c'est que vous n'avez pas frappé le centre de la balle ou, plus probablement, que vous ne l'avez pas tapé avec le bon côté du club (ou bâton de golf).

Un professionnel nous a expliqué :

Frapper une balle avec la partie inférieure d'un club envoie des vibrations qui montent par le manche jusqu'aux mains. C'est comme s'accrocher à un marteau-piqueur. Ce sont les mains qui amortissent le choc.

Un autre professionnel nous indique que cette douleur n'est pas la même selon le club de golf. En effet, un coup manqué avec un bois n° 1 — ou n'importe quel autre bois — est beaucoup moins douloureux qu'avec un fer (à la tête plus dure et, de ce fait, provoquant plus de vibrations).

Un expert ajoute que les progrès dans la fabrication des clubs ont diminué ces picotements : « Les nouveaux manches, tels ceux en graphite, causent moins de douleur que les clubs classiques dont le manche est en métal. »

Pourquoi les joueurs de golf crient-ils *Fore !* (« Gare ! ») quand ils annoncent un tir maladroit ?

Cette exclamation est destinée à prévenir les spectateurs ou les autres joueurs qu'une balle vient vers eux. L'origine de cette expression serait un terme militaire anglais. Quand les troupes devaient se mettre en position de tir, l'ordre « prends garde avant » indiquait qu'il serait prudent pour la première ligne de s'agenouiller afin de ne pas gêner la deuxième ligne.

Pourquoi les balles de golf sont-elles alvéolées ?

Parce que c'est joli ? Bien sûr que non ! Les joueurs de golf, connus pour porter des pantalons orange à jolis carreaux, ne se préoccupent pas de l'esthétique de leurs balles. Plus sérieusement, les alvéoles permettent un lift aérodynamique d'une plus grande amplitude et une meilleure qualité de vol que les balles lisses. Un spécialiste note que les alvéoles garantissent une rotation homogène de la balle — exprimée en tours/minute — quel que soit l'endroit où elle a été frappée.

Une professionnelle explique que d'autres revêtements de balles ont aussi été utilisés et commercialisés, mais que la couverture alvéolée reste le meilleur modèle, celui qui vole plus loin et plus droit.

Pourquoi le système de notation au tennis est-il si singulier ?

Le tennis a un peu plus de 100 ans d'existence. C'est le major Walter Clopton Wingfield qui a inventé ce jeu pour faire patienter ses invités en les faisant jouer sur sa pelouse avant la chasse aux faisans. Très vite, les membres du Club de criquet de Wimbledon ont adopté le jeu de Wingfield pour le pratiquer sur leurs pelouses désertées à cause de la désaffection pour le criquet au cours du XVIIIe siècle.

Bien avant Wingfield, il existait d'autres formes de tennis. En 1380, les personnages de Chaucer parlaient du « jeu de raquettes ». Le jeu de paume, également connu sous le nom de « jeu des rois », date du Moyen Âge. Henri VIII était passionné par ce jeu. Il se pratiquait dans des salles, sur un court de ciment rectangulaire et asymétrique, agrémenté d'un toit en pente. Les joueurs utilisaient une balle dure, une raquette tordue, et les fenêtres des murs entraient en ligne de compte dans la partie.

Le système de notation du tennis sur gazon a été copié sur celui du jeu de paume. Utilisant également un système de 15 points, ce dernier était néanmoins un peu différent de la notation actuelle. Il progressait de 15 à 30, puis à 45, et avantage (le tennis actuel progresse de 15 à 30, puis à 40, avant de passer à l'avantage). Un match de tennis se divise en trois ou cinq sets de six jeux chacun, alors qu'un match de jeu de paume comportait six sets de quatre jeux chacun.

Il y a eu de nombreuses tentatives pour simplifier le système de notation afin de séduire de nouveaux adeptes. Les championnats de la ligue professionnelle mondiale ont essayé le système de notation du ping-pong, soit 21 points par match, mais ni le système de notation ni la ligue n'ont survécu.

Le changement le plus important, durant le siècle passé, a certainement été le tie-break. L'Association de tennis des États-Unis a expérimenté en 1968 un système de « penaltys » pour départager deux joueurs. Pour la première fois dans l'histoire du tennis moderne, un nouveau système permettait à un joueur qui avait gagné tous ses jeux de service réglementaires de perdre un set. Les professionnels ont adopté le tie-break (baptisé « jeu décisif » en français) en 1970, et il est aujourd'hui utilisé dans la plupart des tournois.

Pourquoi les balles de tennis sont-elles en feutre ?

Le noyau d'une balle de tennis est fabriqué à partir d'un composé de caoutchouc, de matières synthétiques et d'environ dix produits chimiques. Ce composé est extrudé pour former deux demi-coquilles.

Les bords de ces deux demi-coquilles sont enduits d'un adhésif de latex, puis ils sont joints et traités sous pression à une température et à des conditions atmosphériques contrôlées de manière très stricte. La chambre intérieure est pressurisée à 0,896 bar ; l'air est ainsi pris au piège, et les deux moitiés sont « soudées » à la même pression.

Une fois les deux moitiés assemblées — le noyau —, leur surface est préparée afin que le revêtement de feutre y adhère mieux. On plonge ce noyau dans un composé spécial, puis on le sèche au four afin de préparer l'application du revêtement.

La matière feutre est une combinaison de laine, de Nylon et de Dacron tissés ensemble dans des rouleaux. Des bandes de feutre sont coupées en forme de huit (un morceau circulaire de feutre ne pourrait revêtir correctement une balle), les bords du feutre étant enduits avec un adhésif de couture. Deux bandes de feutre sont assemblées de manière à s'emboîter et recouvrir la totalité du noyau.

Les balles sont cuites à la vapeur dans un grand récipient droit, puis ébouriffées afin que les fibres du feutre s'éparpillent et donnent à la balle son aspect hirsute. Les fabricants ébouriffent leurs balles selon des degrés variables. Celles-ci sont ensuite enfermées dans des boîtes hermétiques pressurisées de 0,689 à 0,827 bar, dans le but de maintenir leur pression entre 0,827 et 1,03 bar.

Dans la confection d'une balle de tennis, le feutre est le matériau le plus onéreux. Beaucoup d'autres sports se pratiquent avec des balles lisses, en caoutchouc. À l'origine, les balles de tennis avaient un revêtement en cuir, et elles étaient bourrées avec toutes sortes de choses, y compris des cheveux. Alors pourquoi les fabricants de balles de tennis se donnent-ils la peine de les recouvrir avec du feutre ?

Un des objectifs du feutre est de ralentir la balle. Les fédérations nationales de tennis maintiennent des règles strictes concernant le rebond. Un règlement stipule notamment que « les balles doivent avoir un rebond de plus de 1,35 m et de moins de 1,47 m lorsqu'elles tombent de 2,54 m sur une surface en béton ». Les poils du feutre permettent une plus grande résistance au vent et diminuent non seulement le rebond mais aussi la vitesse de la balle. Si ces poils étaient trop compacts, la balle aurait tendance à sortir du court.

D'autre part, ce revêtement en feutre permet un meilleur contrôle de la raquette. Chaque fois que la balle frappe la raquette, les cordes agrippent la balle, et celle-ci se comprime.

où ? comment ? qui ? pourquoi ? quand ? ou ? comment ? qui ?

Pourquoi les joueurs de football (soccer) ne souffrent-ils pas, à long terme, de lésions cérébrales à force de frapper le ballon avec la tête ?

Un des talents basiques du joueur de foot, c'est le coup de tête, souvent utilisé pour jouer un ballon frappé haut. Envoyé par un excellent joueur de foot, un ballon peut atteindre 100 km/h : comment alors l'intercepter avec la tête sans risque ?

Les nombreuses études menées sur des joueurs professionnels ont été peu concluantes. Mais, de manière ponctuelle, on a relevé certains gros titres : en 1998, par exemple, un joueur « à la retraite » a perdu la bataille légale qu'il menait pour être indemnisé des troubles psychiatriques dont il était victime à force d'avoir frappé de la tête les anciens ballons en cuir.

Il y eut également le cas d'un autre footballeur jouant en Angleterre dans les années 1960 et connu pour les nombreux buts qu'il marquait de la tête. Quand il mourut soudainement, en 2002, à l'âge de 59 ans, les services médicaux qualifièrent son déclin neurologique de « maladie professionnelle » !

D'après les experts, une bonne technique pour frapper la balle avec la tête est essentielle. Un psychologue nous explique :

> Pour frapper correctement avec la tête, il faut utiliser l'os frontal, ainsi que les muscles du cou pour limiter le mouvement principal de la tête et enfin les muscles de la partie inférieure du corps afin de positionner le torse dans l'axe de la tête et du cou. Cette position idéale augmente la masse résistante et diminue l'accélération du mouvement de la tête.

Étonnamment, il y a peu de recherches concernant les conséquences qui pourraient apparaître chez les enfants qui jouent régulièrement au ballon avec la tête. Depuis peu, un institut de technologie est en train de travailler sur le sujet afin de combler ce manque. Un psychologue sportif est déjà parvenu à quelques conclusions :

> Tout d'abord, les enfants ne devraient pas utiliser leur tête comme un outil avant que leur ossature et leurs muscles aient la masse et la force suffisantes pour résister à un tel traitement. En d'autres termes, il faut attendre que l'enfant ait développé assez d'endurance, ce qui varie selon l'âge, le sexe et la

morphologie de chacun. Certains peuvent être prêts à 12 ans, mais beaucoup ne le seront qu'à 15 ans.

Deuxièmement, dans la plupart des championnats, la taille des joueurs varie considérablement. Certains enfants de 11 ans sont aussi grands et forts que des adultes ; d'autres sont plus petits et plus faibles. Quand un enfant costaud shoote de toutes ses forces et qu'un joueur plus frêle, dont la musculature du cou est peu développée, tente de rattraper le ballon avec la tête, cela peut engendrer des blessures graves.

Les conseils techniques d'un entraîneur professionnel et compétent sont essentiels dans ce domaine.

Un ancien entraîneur et arbitre de football nous donne son avis :

Les enfants de moins de 14 ans ne devraient pas être autorisés à frapper le ballon avec la tête durant les matchs de championnat. Ils devraient d'abord apprendre et pratiquer cette technique car, durant un entraînement, les tirs de la tête sont rarement aussi intenses et ne causeront pas de blessures aussi graves que lors d'un vrai match.

Un autre entraîneur de foot conseille :

Repérez la ligne de vos sourcils, puis remontez-la d'une largeur de doigt. Là, au milieu, se trouve la partie la plus dure de votre crâne. Cela permet également aux joueurs de garder les yeux sur le ballon au moment où il approche.

Pourquoi les ballons de basket ont-ils de fausses coutures ? Est-ce pratique ou simplement esthétique ?

L'industrie du ballon nous impose-t-elle une décoration inutile ? Avant de l'accuser de suivre les diktats de la mode, considérez que les joueurs ont besoin de manipuler correctement le ballon. Un ballon de basket est trop grand pour tenir dans une seule main. Il est également difficile à saisir avec les doigts. Ces fausses coutures ont été conçues pour aider les joueurs à mieux agripper le ballon.

Deux sortes de coutures existent : les étroites et les larges. L'Association des joueurs de basket professionnels préfère les coutures étroites alors que de nombreux amateurs, particulièrement les jeunes, qui ont de plus petites mains, utilisent davantage les coutures larges.

Quelle est l'origine du relais de la flamme olympique ?

Reflet de la splendeur et des idéaux de la Grèce antique, la flamme est l'un des plus importants symboles des jeux Olympiques. Néanmoins, l'origine de son relais est plus moderne : il fut l'outil d'une propagande publicitaire nazie en 1936, année de l'organisation des Jeux à Berlin.

Le chancelier Adolphe Hitler avait signifié au Dr Carl Diem, le secrétaire général du Comité d'organisation des jeux Olympiques de l'époque, qu'il voulait impressionner le monde en montrant la magnificence du Troisième Reich. Une des idées de Diem, en accord avec le ministre de la Propagande Joseph Goebbels, fut d'allumer la flamme à Olympie, en Grèce, puis de la relayer jusqu'à Berlin.

Le système de propagande de Goebbels émettait des programmes de radio tout au long de la route. Depuis la Grèce jusqu'au stade olympique de Berlin, la flamme était portée successivement par 3 075 coureurs. À l'arrivée, la flamme alluma un brasero colossal. Parmi les 100 000 spectateurs acclamant ce spectacle se trouvait le Führer lui-même, qui savourait ainsi l'impact de sa propagande. Un historien nous explique :

> La course de la flamme de 1936 illustre parfaitement la conception nazie des jeux Olympiques, utilisés comme vitrine de la Nouvelle Allemagne. Avec son aura de mysticisme mythologique, ce rite a lié le nazisme à la splendeur de la Grèce classique, considérée par les universitaires du Reich comme le pays enchanté de la race aryenne.

Pourquoi le javelot est-il pointu aux deux extrémités ?

Le lancer du javelot est une des plus anciennes exhibitions sportives : il remonte au moins à la Grèce mycénienne, il y a plus de 4 000 ans. À l'origine armes pour la chasse et la guerre, les javelots antiques étaient pointus à une seule extrémité.

En 1954, la seconde extrémité fut taillée elle aussi en pointe. Cette année-là, un ingénieur américain réfléchit à la conception du javelot. Il nous rapporte :

> Lorsque j'ai commencé à fabriquer des javelots, les règles étaient assez simples, et le javelot était à peine plus grand qu'un bâton en bois doté d'une sorte de poignée et d'une pointe métallique.

Il conçut un javelot à queue effilée afin d'améliorer son aérodynamisme, réduisant les frottements et augmentant la sustentation. Très concluants, ces changements permirent aux javelots de parcourir d'immenses distances : en 1908, aux jeux Olympiques de Londres, le vainqueur avait lancé son javelot à 50 m environ ; en 1956, la médaille d'or fut décernée pour un lancer de 86 m. Toutefois, ces performances risquaient de mettre les spectateurs en danger. Une association internationale d'athlétisme fit alors modifier le javelot. On déplaça donc le centre de gravité pour que l'instrument retombe obligatoirement sur la pointe, et on épaissit une partie de la queue pour réduire les distances franchies.

Un passionné nous a expliqué que le javelot moderne ne décontenancerait pas du tout les athlètes de l'Antiquité :

> Nous devons aux ingénieurs modernes la pointe métallique à l'extrémité du javelot, qui lui permet d'augmenter la distance parcourue. Néanmoins, si l'on mettait un javelot en fibre de carbone entre les mains d'un ingénieur du monde antique, cet objet ne perdrait ni son sens ni son usage au cours du voyage dans le temps. Mon iPod serait certainement un objet de curiosité pour une époque reculée ; en revanche, mon javelot serait instantanément compris, évalué... et essayé.

Dans les épreuves d'athlétisme avec un départ décalé, **pourquoi** les coureurs extérieurs coupent-ils immédiatement vers l'intérieur plutôt que de suivre une ligne droite ?

Dans les épreuves d'athlétisme de demi-fond, comme le 800 m (deux tours de piste), les athlètes commencent la course dans les couloirs qui leur sont attribués. Les coureurs des couloirs extérieurs devant parcourir une plus grande distance que ceux qui sont à l'intérieur, les lignes de départ sont décalées de façon à ajuster les distances. Mais, pour conserver l'avantage de cet ajustement dans la distance à parcourir, les coureurs des couloirs extérieurs doivent se rabattre sur le premier couloir — le seul à mesurer 400 m —, généralement après le premier virage. Des repères sur la piste ou à ses abords (balises, fanions) les aident à identifier cette ligne de rabattement à partir de laquelle ils sont autorisés à se rapprocher du premier couloir.

Un spectateur vigilant nous écrit :

> Les coureurs extérieurs semblent toujours se déplacer vers l'intérieur au commencement d'une ligne droite, et, au moment où ils sont environ à un quart ou à un demi-tour de piste, ils se sont complètement déplacés vers l'intérieur. Ce qui fait que les coureurs se retrouvent vite en file indienne.

D'après un professionnel, les coureurs font plus de foulées pour couper vers l'intérieur de manière prématurée, et un virage trop brusque gaspille leur élan. Nous avons soulevé le problème auprès de quatre entraîneurs et de plusieurs coureurs ; tous sont d'accord avec la théorie d'un grand professionnel, qui prêche une géométrie simple :

> La question est intéressante et rend fous la plupart des entraîneurs. Chaque athlète de piste sait qu'une fois qu'il a été autorisé à couper vers le couloir intérieur, il devrait s'y diriger en diagonale. Le moment où le coureur peut couper à travers les couloirs est en général après le premier virage (comme dans la course du 800 m). La meilleure chose à faire est alors de courir en ligne droite vers le rail lorsque l'on atteint environ le niveau des 200 m.

Courir des mètres en plus est un handicap évident. Alors pourquoi les coureurs le font-ils ? Un spécialiste pense que l'empêcheur de tourner en rond est souvent psychologique :

> La théorie de la ligne droite paraît la plus évidente. Cette impression s'envole cependant lorsque la course commence. La plupart des coureurs seront d'accord pour dire qu'appartenir au peloton les rend plus forts mentalement. L'athlète est impatient de voir la compétition débuter mais se sent vulnérable une fois qu'il se retrouve seul dans un couloir. Aussi, même si ce n'est pas très logique de couper de manière radicale vers le rail ou premier couloir, les émotions de l'athlète sont telles qu'il le fait quand même.

Un entraîneur à la retraite nous indique que la plupart des coureurs pensent davantage en termes stratégiques que mathématiques :

> Ceux qui sont dans les couloirs extérieurs essaient habituellement de dépasser les coureurs qui se trouvent à leur gauche et cherchent à prendre la tête dès que possible.

Un entraîneur soulève les dangers de couper trop tôt vers l'intérieur :

> Il serait impossible et hasardeux de couper dès le début de l'épreuve car vous pourriez gêner d'autres coureurs, voire leur rentrer dedans. Si vous regardez les courses de fond, plusieurs courent en même temps dans le deuxième et dans le troisième couloir, même dans les virages, et ce pour des raisons stratégiques.

En effet, courir derrière l'athlète qui est en tête permet de profiter de l'appel d'air produit — tout comme les coureurs automobiles lorsqu'ils collent la voiture de devant.

Plutôt que de risquer de se prendre les pieds dans les talons du coureur que l'on suit, il serait plus sûr d'être sur le côté. Certains disent que le phénomène d'appel d'air est particulièrement efficace les jours de vent, et que le fait de courir dans le sillage d'un concurrent allège la distance supplémentaire que les coureurs des couloirs extérieurs doivent parcourir.

Pour des raisons psychologiques, un coureur répugne à admettre qu'il a coupé prématurément la piste, en s'exposant aux reproches de ses concurrents... et aux sanctions des organisateurs. Tous ont compris les avantages d'un glissement graduel vers l'intérieur.

> Selon moi, dévier progressivement permet de réduire la distance ; mais, si les circonstances le permettent, il y a beaucoup d'autres occasions pour couper plus loin que la ligne de rabattement, en particulier parce que nombreux sont les coureurs qui se précipitent en troupeau dans les couloirs.

Un coureur professionnel compare cela au phénomène de la circulation routière :

> Ce problème n'est pas différent de la façon de s'engager sur une autoroute... Certains décident de couper un peu rapidement afin d'éviter un potentiel accrochage, ou alors d'attendre un peu, puis de couper, dans le but d'éviter quelqu'un. En théorie, si chacun fait la même chose au moment de couper et que tous prennent la ligne droite, alors on assiste à un gigantesque embouteillage !

Comment font les juges dans les compétitions de marche pour déterminer si les participants ont violé les règles ?

Dans les clubs d'athlétisme, on apprend à optimiser sa façon de marcher : on se concentre sur l'extension des jambes, en accélérant les pas et en bougeant les bras efficacement. Cependant, quand des coureurs du dimanche nous dépassent dans le parc, la tentation de nous lancer dans une course effrénée est irrésistible. On peut imaginer la frustration des marcheurs professionnels qui, pour améliorer leurs performances, seraient tentés d'outrepasser, ne serait-ce que légèrement, les règles du jeu.

Les arbitres de marche sportive en dissuadent les participants : ils identifient ceux qui se mettent à courir. Mais qu'est-ce qui différencie la course de la marche ? Le marcheur doit maintenir un contact constant avec le sol (la violation de cette règle s'appelle « levée »). Si le pied droit a été soulevé pour amorcer un grand pas, le pied gauche doit se trouver sur le sol.

La seconde règle, plus rigoureuse encore, qui différencie la course de la marche sportive est la redoutable loi du redressement du genou : la jambe qui avance doit être droite au moment où elle touche le sol et le rester jusqu'à ce que le corps passe au-dessus (la violation de cette règle s'appelle « genou plié » ou « rampant »).

Un passionné de marche nous a raconté que cette règle impose que la jambe qui avance soit complètement étendue, à 180° précisément.

Dans la plupart des marches sur route, le juge-arbitre place six à neuf juges tout au long du circuit. Il est évident que sur 10 km de course six juges ne peuvent pas garder un œil sur chaque coureur comme le voudraient les arbitres. Cependant, certaines techniques leur permettent d'être plus efficaces. Quelle que soit la distance parcourue, la plupart des courses ont un tracé en boucle qui oblige les concurrents à repasser à certains endroits ; les juges postés à ces points stratégiques verront chaque concurrent plus d'une fois.

Cependant, les juges ne sont pas obligés de rester au même endroit. Nous avons parlé avec un juge professionnel qui nous a indiqué que, même si le juge-arbitre l'assigne à un endroit de la course, il peut tout de même changer de position, plus particulièrement lors des courses sur route :

> Je jugerai peut-être sur 800 m à partir du départ, j'observerai le peloton me dépasser, puis je me dirigerai vers un autre point pour revoir la plus grande partie du peloton, et je reviendrai enfin à mon emplacement initial ou près de la ligne d'arrivée pour une troisième observation. Mais ce n'est pas toujours pratique ni possible.

Les juges ne disposent d'aucune aide électronique ou mécanique pour prendre leurs décisions. Toutes les observations sont faites à l'œil nu. La plupart des délits sont donc loin d'être flagrants, ce que notre homme déplore vivement :

> C'est le soulèvement de la jambe d'environ 1 cm, ou bien le degré du genou plié en une fraction de seconde qui sont difficiles à détecter. Juger requiert des yeux très bien entraînés, et cela n'est possible qu'avec le temps et l'entraînement. Le

corps d'arbitrage ne perçoit pas tous les délits, et parfois ses membres ne sont pas d'accord. Cette situation est frustrante et exaspérante, mais nous ne sommes que des êtres humains !

Comme il est très facile pour les concurrents de violer une des deux règles cardinales, ils ne bénéficient d'aucune indulgence. Si un coureur est surpris en train de transgresser une règle, il reçoit un avertissement. S'il répète la même infraction, le juge peut lui donner un carton rouge. Si trois juges donnent un carton rouge, le coureur est disqualifié, et le juge-arbitre lui annonce qu'il doit quitter la course immédiatement. Si le coureur enfreint les règles de manière flagrante (piquer un sprint, par exemple), il peut recevoir un carton rouge sans avoir eu d'avertissement préalable. Combien d'infractions sont commises lors d'une course de marche ? D'une manière générale, on a tendance à penser que les infractions intentionnelles sont rares.

Un autre juge le confirme :

> En général, les coureurs n'essaient pas d'enfreindre les règles, mais lorsque vous repoussez vos limites, il arrive que votre énergie s'épuise et que vous cédiez à la tentation.

Cela se produit assez souvent au cours des longues épreuves et dans la dernière ligne droite (c'est pour cette raison que les juges se placent près de l'arrivée). Un concurrent rapporte que tous les coureurs ne se conforment pas aux principes du bon esprit sportif :

> Les yeux des juges sont le seul garde-fou contre la tentation de tricherie. Malgré tout, des coureurs transforment leur démarche lorsqu'ils passent dans des zones qu'ils considèrent à l'abri des regards. Les juges sont supposés se déplacer pour surveiller toute la course, mais c'est matériellement impossible.

Il arrive malheureusement qu'un coureur qui triche délibérément ne soit vu que par les autres concurrents et échappe à la vigilance des arbitres. Seuls les juges ont le pouvoir de constater un délit et de disqualifier un participant qui a triché. S'il n'y a pas flagrant délit, il ne peut y avoir de disqualification. Ce fonctionnement est valable pour tous les sports.

qui ? pourquoi ? quand ? où ? comment ? qui ? pourquoi ? quand ?

Les sauteurs à la perche **changent-ils** de méthode pour passer la barre des 5,50 m ?

On accorde trois essais au perchiste pour lui permettre de sauter le plus haut possible. Voilà une règle simple à comprendre et à mettre en œuvre. Cependant, le saut à la perche ne suit pas les mêmes préceptes que le saut en hauteur.

Chaque concurrent doit essayer de dépasser, à trois reprises, une hauteur imposée au risque d'être éliminé. Toutefois, chacun peut ainsi essayer une hauteur supérieure à celle de ses adversaires, histoire de les coiffer sur le poteau ! Dans les compétitions internationales, la barre est montée de 10 cm à la fois jusqu'à 5,80 m. À partir de cette hauteur, la barre est élevée de 5 cm à la fois.

Comment les athlètes peuvent-ils varier leur technique d'un essai à l'autre ? Pourquoi n'arrivent-ils pas à dépasser 6 m alors qu'ils réussissent à 5 m ? Est-ce qu'ils sont vraiment capables de régler avec précision leur performance à 5 ou 10 cm près ?

Nous avons rassemblé des perchistes professionnels, qui sont d'accord sur le fait qu'il existe trois principales techniques pour essayer de sauter plus haut :

1 Le changement de perche. Les sportifs avec qui nous avons parlé apportent entre deux et six perches lors d'une rencontre. Bien que les dimensions des perches puissent varier, elles sont généralement homogènes en poids, en longueur et en diamètre. La seule différence tient à leur flexibilité. Étonnamment, en compétition, les plus rigides sont utilisées pour les hauteurs supérieures, tandis que les plus flexibles sont plutôt employées pour les hauteurs inférieures. La plupart des concurrents font leur premier saut à une hauteur approximative de 45 cm en dessous de leurs performances habituelles. Les perches moins rigides permettent un meilleur contrôle de l'envol. La perche rigide est préférée à la perche souple lorsque l'athlète atteint une hauteur située 30 cm en dessous de son record.

Un professionnel détenteur d'un record (avec un saut de 5,97 m) utilise des perches de 5 m pesant 3,6 kg, conçues pour porter de 84 à 91 kg alors qu'il n'en pèse que 75. Ce sportif de haut vol ne change généralement qu'une seule fois de perche au cours d'une rencontre : « Pour moi, l'objectif est d'utiliser ma perche la plus rigide le plus vite possible. »

2 **La modification du placement des mains sur la perche.** Le placement des mains sur la perche est tout aussi crucial que les dimensions et la rigidité de celle-ci. Tous les athlètes changent leur prise en fonction de la longueur de la barre. La hauteur de la prise est mesurée de l'extrémité de la perche (plantée dans la boîte sur le sol) à la main supérieure (là où elle saisit l'extrémité opposée de la perche). Plus grande est la hauteur de la prise, plus l'athlète peut sauter haut.

Le perchiste dont nous avons parlé précédemment déplace sa hauteur de prise d'environ 4,78 à 4,83 m. Au moment où il tente de franchir 5,79 m, il est toujours à sa hauteur de prise maximale. Pour un sportif plus grand, le déplacement de la hauteur de prise peut passer de 4,80 à 4,95 m. Le changement de la hauteur de prise ne fonctionne que s'il ne modifie pas sa technique de saut.

3 **La modification de la course d'élan.** Il y a trois façons de changer sa course d'élan : courir plus vite, modifier le nombre de pas d'approche ou modifier l'amplitude de ses pas. Mais un professionnel nous raconte :

En compétition, je fais toujours dix-huit pas, quelle que soit la hauteur que je désire dépasser. Dans le saut à la perche, il ne faut pas changer trop de variables en même temps. Je n'ai jamais essayé par exemple de courir plus lentement aux hauteurs les plus basses. Si je saute à 5,18 m, je continuerai d'approcher avec la même accélération afin d'obtenir le meilleur envol possible.

Plusieurs perchistes nous ont confié que, à force d'entraînement et de compétitions, leur course d'élan est devenue machinale et qu'ils n'ont plus conscience de l'amplitude des pas ou de la vitesse de la course.

Pour un professionnel, l'essentiel est d'atteindre un état psychologique dans lequel plus rien ne compte hormis la réussite du saut. La méthode employée est nécessairement parfaite, l'esprit absolument dégagé de tout parasite et le mental au beau fixe.

Certaines compétitions durent de 2 à 4 heures, au cours desquelles repos et performances se succèdent. « Vous devez apprendre à rester concentré », nous explique un athlète. Un autre ajoute : « Je pense qu'il est important de gérer au mieux son énergie en restant détendu. Cependant, il est impossible de réaliser une performance sans produire d'efforts intenses. Si vous n'êtes pas à 100 %, vous ne sauterez pas ! » Est-ce aussi simple que cela ?

Voici les trois solutions employées par les perchistes pour garder leur calme au fil de la compétition :

1 Réaliser que tous les autres concurrents sont face au même problème et subissent le même état de stress.

2 Avant les rencontres importantes, exploiter et canaliser son énergie afin qu'elle contribue à améliorer la performance le moment venu, plutôt que de la transformer en stress qui n'améliorera pas la situation.

3 Apprendre à se concentrer sur la tâche à accomplir plutôt que de se laisser dissiper par les éléments extérieurs.

Pourquoi les athlètes de saut en longueur font-ils plusieurs « pas » en l'air après avoir décollé ?

Ce battement de jambes, appelé le hitch kick, est exécuté pour réduire la tendance naturelle du corps à pivoter pendant le vol. Visualisez mentalement un saut en longueur : les athlètes se lancent dans la course d'élan, puis prennent une impulsion sur leur meilleur pied (ou pied d'appel) juste avant une surface qui ressemble à de la pâte à modeler. La jambe du pied d'appel s'arrête durant un instant, mais l'autre jambe et la partie supérieure du corps continuent de bouger. Le corps se tord de côté, ce qui est préjudiciable tant pour l'athlète que pour ses performances.

Un entraîneur de saut en longueur nous a expliqué que les athlètes regardent droit devant eux pendant la phase d'envol dans le seul but d'étendre leurs jambes aussi loin qu'ils le peuvent, avant de retomber sur le sable :

> Le mouvement des bras et des jambes en vol sert à contrebalancer la torsion du corps, à maintenir l'équilibre et à permettre au sauteur d'être dans une position optimale au moment d'atterrir.

Pourquoi le vainqueur du Tour de France porte-t-il un maillot jaune ?

Les lettres HD qui figurent sur ce maillot désignent les initiales d'Henri Desgrange, le fondateur du Tour de France en 1903. À cette époque, Desgrange possédait le journal sportif *l'Auto*, et son objectif était d'utiliser la course afin de promouvoir sa publication.

Au début du siècle dernier, les journaux français spécialisés se livraient une lutte sans merci, et pour se distinguer, ils étaient imprimés en différentes couleurs. *L'Auto* utilisait un papier jaune brillant.

La compétition se déroulait sur une vingtaine de jours. Compte tenu du nombre de participants et des formations en peloton serré, il était difficile de repérer le meneur au classement général.

Alors, au milieu de la compétition de 1919, Desgrange eut une idée de génie : revêtir le vainqueur d'un maillot jaune, la couleur des pages de son journal.

Le 19 juillet 1919, le Français Eugène Christophe devint le premier vainqueur de la course à porter le maillot jaune. L'appellation « maillot jaune » est alors entrée dans le langage international du cyclisme.

Comment les couleurs des ceintures du judo, du karaté et des autres arts martiaux sont-elles attribuées ? Et que signifient-elles ?

Bien que les arts martiaux existent depuis au moins 4 000 ans, et dans des disciplines structurées depuis plusieurs siècles, le système de ceintures provient du judo, un style moderne développé par le Dr Jigoro Kano en 1882. Cet instructeur japonais avait étudié l'ancien ju-jitsu et d'autres arts martiaux pendant plus de 20 ans. Il cherchait un sport de compétition valorisant la souplesse plutôt que le combat.

Le terme judo est composé de deux *kanji* (éléments d'un des trois ensembles de caractères de l'écriture japonaise avec les *hiraganas* et les *katakanas*) : *ju* signifie souplesse et *do* art, voie. Ju-jitsu, parfois prononcé « djoujitsu », veut dire « la pratique de la souplesse ».

qui ? pourquoi ? quand ? où ? comment ? qui ? pourquoi ? quand ?

Le judo est littéralement « la voie de la souplesse ». Rappelons que les premiers arts martiaux étaient utilisés pour des combats réels — lors d'un combat de kung-fu, il n'était pas rare d'assister à la mort du perdant ! Dès sa conception, le judo s'intéressa davantage à l'autodéfense, avec pour objectif premier de retourner la force de l'attaquant contre lui-même. Kano s'est également intéressé à la santé et à la philosophie dans les arts martiaux, en incluant dans ses règles de fonctionnement la moralité, le régime alimentaire, les rapports sociaux et, bien sûr, la forme physique. Il ouvrit son école (baptisée Kodokan) au Japon en 1882.

Avant le Kodokan, les disciples des arts martiaux traditionnels japonais portaient un judogi — une tenue en coton renforcée, composée d'un pantalon et d'une veste sans fermeture, attachée habituellement par une ceinture en tissu. Le judogi était blanc, y compris la ceinture. Kano eut l'idée de différencier les expériences et les talents de ses disciples en leur attribuant des ceintures de différentes couleurs. Les disciples trouvaient ainsi des partenaires d'entraînement appropriés tout en se distinguant des professeurs. Par ailleurs, les ceintures introduisaient un symbole de prestige tangible et une marque de réussite facilement reconnaissable. Au départ, le système de ceintures de Kano était relativement simple. Le débutant portait une ceinture blanche, puis au fil de son apprentissage, il en mettait une verte, puis une marron, et enfin une noire.

Chacun de ces niveaux comprenait différents degrés. Par exemple, on comptait dix dans (catégories) pour la ceinture noire, classés de 1 à 10.

Le système de ceintures de Kano s'est finalement étendu à toutes les écoles de judo et à d'autres arts martiaux. Aucun organisme de supervision ni aucune fédération n'ayant défini un cadre d'application strict et précis du système des couleurs, des variantes du modèle de Kano virent rapidement le jour. Par ailleurs, il n'existe toujours pas d'organisation internationale qui spécifie un système de couleurs universel.

Dans certaines écoles, on peut obtenir une couleur supérieure en participant simplement à des compétitions. Dans d'autres, des démonstrations techniques sont exigées. De même, un professeur peut accorder une promotion à certains élèves, alors que d'autres demandent à un comité de juger les progrès accomplis. Le manque de cohérence dans l'attribution des couleurs a engendré d'étranges anomalies, même auprès de judokas confirmés. Ainsi, certaines écoles ont des normes assez laxistes puisqu'elles permettent aux élèves d'« acheter » leur ceinture noire. Le Comité international olympique (CIO) a tenté de cadrer ces comportements afin d'organiser des compétitions plus justes et plus équitables. Cependant, les résultats ne sont toujours pas concluants :

Le CIO reconnaît un certain nombre d'associations dont les membres sont autorisés à porter leur ceinture de classement durant les compétitions ; les autres participants doivent mettre la ceinture blanche du débutant.

La reconnaissance d'une fédération signifie simplement qu'il existe une relation officielle, mais cela ne veut pas dire que les clubs ou les groupes de judo qui n'en ont pas sont incapables de former des judokas de compétition.

Plusieurs élèves d'arts martiaux ont indiqué que leur école utilisait un système de couleurs excentrique. Par exemple, l'un d'eux précisa que, le fondateur de son école n'aimant pas le noir, le bleu marine représentait la couleur la plus élevée dans le Tang Soo Do. Un disciple du shaolin (un style chinois) raconte que tous les élèves portent une ceinture noire, sauf le Grand Maître, qui en arbore une couleur safran. Dans certaines écoles, il n'y a que le bout de la ceinture qui est coloré.

Un spécialiste de kung-fu (chinois) et de hapkido (coréen), qui possède de nombreuses écoles d'arts martiaux à travers le monde, nous explique qu'avant l'apparition du judo le système des ceintures colorées était inutile :

Autrefois, il n'y avait aucune classification : il y avait seulement les élèves et les maîtres. Votre titre était fonction de votre âge et de votre expérience dans les arts martiaux, et votre nom était associé à votre compétence. Il n'y avait ni ceintures, ni couleurs.

Même si nous avons établi qu'il n'y a ni constance ni uniformité dans l'attribution des couleurs, la plupart des écoles de judo et de karaté ont un système de différenciation. Voici ce qui se pratique le plus couramment :

Blanche – aucune connaissance, débutant.

Jaune – étude des principes fondamentaux.

Orange – construction des principes fondamentaux.

Verte – développement des compétences.

Violette – mise à l'épreuve des compétences.

Bleue – objectif à atteindre pour la connaissance.

Marron – affinage des nouvelles connaissances.

Rouge – compréhension de soi.

Rouge sur noir – auto-orientation guidée.

Noir – véritable élève.

Comment ces couleurs furent-elles choisies pour représenter les différents niveaux de compétence ? Avant l'invention du judo, les élèves d'arts martiaux recevaient une tenue toute blanche. Ils devaient la plier de manière très stricte après chaque cours, en formant un petit paquet serré, attaché avec une ceinture. Les étudiants n'étaient pas autorisés à laver leur tenue, si bien que la transpiration décolorait petit à petit la couleur de la ceinture :

Après quelque temps, votre ceinture avait une couleur différente, d'abord jaune verdâtre. Puis, après l'apprentissage des techniques de projection et de combat au sol, votre ceinture ainsi que votre tenue viraient progressivement au vert brunâtre. Après plusieurs mois d'entraînement intensif, la couleur de la ceinture tendait davantage vers des tons noirâtres. C'est ainsi que ces couleurs sont apparues !

D'autres soulignent la signification spirituelle de ces couleurs :

Le blanc est un symbole de pureté. Vous n'êtes alors pas en mesure de discerner l'étendue des pouvoirs qu'offrent les arts martiaux. Quand vous portez la ceinture noire, votre âme est souillée car vous avez acquis la manière de mutiler et de tuer. Vous devez sans cesse pratiquer et atteindre la plus grande compréhension de votre art ; ainsi, vous réaliserez que vous n'avez pas besoin de l'utiliser, et de ce fait vous serez en paix avec l'Univers.

Lorsque ce point sera atteint, vous aurez tellement porté votre vieille ceinture noire qu'elle commencera à s'effilocher et à se décolorer de nouveau, pour revenir à la couleur blanche du départ. Là, la boucle sera bouclée, et vous retrouverez l'innocence perdue.

Plusieurs adeptes des arts martiaux emploient des métaphores sur la nature pour expliquer la signification des couleurs de ceinture. L'un d'entre eux décrit comment son école de taekwondo perçoit le système des couleurs : « Un élève est considéré comme un individu en constante croissance tout comme un arbre grandit à partir d'une graine plantée dans la terre. »

Par exemple, la ceinture blanche symbolise la croissance potentielle d'une graine avant qu'elle soit mise en terre ; la ceinture jaune signifie que la graine a germé et qu'elle peut voir le soleil pour la première fois ; la ceinture marron indique que les racines de l'arbre se sont étendues dans le sol afin de lui conférer force et stabilité ; enfin, la ceinture noire met en valeur le fait que la graine plantée est maintenant cultivée et peut à son tour engendrer de nouveaux arbres.

Certaines de nos sources affirment cependant que ces explications ne sont qu'un tissu d'absurdités :

Le mythe se résume ainsi : « Au tout début, la ceinture est blanche, puis, à force de s'entraîner, on la salit. Ainsi, la ceinture devient noire avec le temps et symbolise la compétence. » Cependant, la réalité est beaucoup plus terre à terre. Kano, le fondateur du judo moderne, était un professeur. Il a cherché le moyen de symboliser le degré d'accomplissement acquis par ses élèves. Il eut alors l'idée d'utiliser des couleurs variées afin de mettre en valeur les différents niveaux. Ce faisant, il a simplement réutilisé ce qui lui était déjà familier.

En effet, à cette époque, dans les programmes sportifs des écoles japonaises, les élèves portaient des uniformes de diverses couleurs afin d'identifier d'un seul coup d'œil leur niveau d'études. Les élèves de natation, par exemple, portaient les couleurs suivantes : blanc pour la première année, vert pour la seconde, marron pour la troisième, enfin noire pour la quatrième. Kano s'est donc tout simplement inspiré de ces couleurs pour développer son propre système de ceintures à quatre couleurs : blanc pour les débutants, puis vert, marron et enfin noir pour les maîtres.

De nombreuses disciplines ont modifié et enrichi le système des couleurs.

Quelle est l'origine de la brasse papillon ?

La brasse papillon (la plus récente des nages de compétition), qui dérive de la brasse, s'est développée au milieu des années 1930 mais n'a été autorisée aux jeux Olympiques qu'à partir de 1956, à Melbourne. Son histoire illustre bien comment les entraîneurs et les nageurs cherchent constamment à améliorer leur efficacité, jouant d'ailleurs sur les lacunes laissées par le règlement.

Durant les années 1920, les entraîneurs olympiques japonais utilisaient des photos prises sous l'eau pour étudier les mécanismes de la nage, et leurs efforts ont été récompensés quand les compétiteurs japonais ont remporté cinq des six médailles d'or de natation masculine aux jeux Olympiques de Los Angeles, en 1932. Ce fut comme une révélation dans le monde de la natation, et l'un des meilleurs entraîneurs américains commença à suivre ce modèle.

Cet entraîneur chercha à rendre la brasse plus rapide. Le fait d'avancer les bras sous l'eau ralentissait les brasseurs. Il mit donc au point une méthode pour avancer les bras au-dessus de la surface de l'eau : la brasse papillon, qui contribua à améliorer grandement la vitesse des nageurs.

L'année suivante, un athlète développa une technique de battement des jambes à l'unisson comme le fait la queue d'un poisson. L'entraîneur dont nous avons parlé précédemment nous a expliqué :

> Ce nageur a essayé de battre des jambes pendant qu'il nageait sur le ventre. Il a synchronisé ce battement avec les moulinets des bras en battant des deux jambes à chaque traction de bras. Il a ainsi parcouru 91 m en 60,2 secondes. Mais ce battement de dauphin a été jugé illégal parce que les jambes se déplaçaient dans le plan vertical.

Quelques années plus tard, presque tous les nageurs utilisaient cette brasse papillon sans le battement du dauphin. Il fallut attendre deux décennies avant d'officialiser cette nage magnifique.

Pourquoi la zone carrée sur laquelle on boxe s'appelle-t-elle un ring ?

D'où vient le terme *ring*, qui signifie anneau en anglais ? Ce mot était utilisé au départ pour évoquer les spectateurs qui formaient un cercle autour des combattants. Les premiers matchs de boxe en public eurent lieu au début du XVIIIe siècle, en Angleterre.

Ces hommes combattaient à mains nues ; tous les coups étaient permis, sans limite de temps, sans cordes, ni arbitre. Le vainqueur était celui qui était encore debout, tandis que l'autre voyait trente-six chandelles ! Le cercle des supporters assoiffés de sang formait une enceinte humaine.

Lorsque les boxeurs ont commencé à gagner de l'argent et qu'une industrie s'est créée autour de ce sport, de petites arènes ont été construites. C'étaient des cercles délimités par des barrières en bois ou par de grosses cordes. Le ring actuel, avec quatre cordes (parfois trois) entourant les poteaux d'angle du ring, est le descendant de ces anciennes arènes.

D'où vient le bruit produit par les boxeurs lorsqu'ils portent leurs coups de poing ?

Écoutez attentivement les bruits qui émanent d'un ring lors d'un match ou d'un entraînement de boxe. Vous entendrez une sorte de grognement chaque fois qu'un coup de poing est porté. Ce « grognement » provient de l'expiration du boxeur. La technique de respiration fait partie intégrante de la plupart des sports, et les boxeurs ont appris à expirer (habituellement par le nez) à chaque fois qu'ils frappent. Un entraîneur nous a raconté que lorsqu'un boxeur « souffle » au moment où il porte un coup, il a l'impression de le donner avec plus de force.

Un autre professionnel s'exprime à ce sujet :

Ce « souffle » donne au boxeur la capacité d'utiliser toute sa force sans dépenser une once d'énergie à chaque fois qu'il donne un coup de poing. Je ne suis pas sûr que cela fonctionne, mais les principaux intéressés continuent d'utiliser cette méthode.

qui ? pourquoi ? quand ? où ? comment ? qui ? pourquoi ? quand ?

Plus nous avons fait de recherches sur la question, plus nous avons été frappés par l'incertitude des experts. Le directeur d'une association de boxe amateur a noté : « Alors que l'expiration est importante dans l'exécution de mouvements puissants, ce n'est pas crucial pour un simple coup de poing. Le principe est cependant le même. »

Une propriétaire de gymnase conteste :

> Quand le boxeur « renifle », il inspire tout simplement. C'est une action qui ne fait pas vraiment sens puisqu'il rejette un minimum de dioxyde de carbone (ou de gaz carbonique) et une partie de l'oxygène vital. Il est beaucoup plus sage d'expirer et de laisser les poumons faire leur travail en se débarrassant du gaz carbonique et en conservant l'oxygène.

La boxe, plus encore que la plupart des autres sports, est davantage influencée par la tradition que par la recherche scientifique. Alors que l'on continue d'apprendre aux futurs boxeurs à accompagner leurs coups par une expiration bruyante, on ne sait toujours pas si cela permet de conserver l'énergie ou au contraire de la dépenser.

Pourquoi les bâtons de ski de descente sont-ils tordus ?

À la différence des bâtons des skieurs de slalom — qui doivent couper (contrôler le dérapage) pour négocier les portes —, l'objectif principal des bâtons de ski de descente est d'assurer le déplacement linéaire du skieur.

Le fait que les bâtons soient tordus permet au skieur de prendre la position la plus aérodynamique possible. Cela est extrêmement important lorsque la vitesse devient élevée. Économiser des centièmes de seconde est déterminant en descente, alors même qu'on atteint des vitesses comprises entre 100 et 120 km/h.

Si les courbes des bâtons ne sont pas symétriques, elles ont pourtant été conçues avec une grande minutie. Les skieurs de haut niveau font faire leurs bâtons sur mesure, demandant parfois trois ou quatre angles de courbure différents. Les skieurs du dimanche se mettent, eux aussi, à tordre leurs bâtons en suivant le modèle des professionnels.

Comment faire pour diriger une luge dans les virages ?

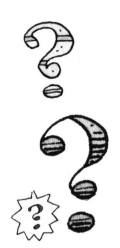

La réponse la plus évidente est : « En faisant très attention ! » Pareils à des fusées, les lugeurs s'élancent sur le dos à plus de 135 km/h, sur une piste glacée vertigineuse. Ils se trouvent à 8 cm de la glace et ne disposent d'aucun dispositif de freinage. La petite défaillance physique, le plus infime manque de concentration peut provoquer un accident désastreux.

Les spécialistes conviennent que l'aspect le plus dangereux de ce sport extrême tient à la gestion des virages. Dans les compétitions, un bon pilote gagnera un temps précieux s'il sait gérer les quatorze virages au fil de sa descente.

Pour les non-initiés, les lugeurs ne donnent cependant pas l'impression de diriger leur luge, mais plutôt de subir les lois de la gravité. Un professionnel nous a raconté que le pilotage est si subtil qu'il est imperceptible aux yeux d'un observateur occasionnel.

La luge est dirigée principalement avec les pieds par des pressions sur les lames. Le pilote doit maîtriser avec précision le déplacement de son poids, en soulevant plus ou moins l'avant du corps, notamment les épaules, et en penchant la tête sur le côté. Ce processus est favorisé par la coque aérodynamique (*kufens*) à laquelle sont attachés les coureurs. Ces mouvements du corps, combinés à la force gravitationnelle exercée dans les virages, augmentent considérablement la vitesse. « C'est très bien d'en parler, observe le professionnel, mais le seul moyen de vraiment comprendre comment tout ceci fonctionne, c'est d'essayer ! C'est une sacrée sensation ! » Nous allons le prendre au mot.

Comment les patineurs artistiques évitent-ils d'avoir le vertige quand ils font des pirouettes ? Est-il possible de regarder un point fixe quand on patine si vite ?

Une professionnelle du patinage nous explique :

Des tests conduits par la Nasa il y a plusieurs années ont permis de résoudre cette question. Ces études ont prouvé que les pupilles d'un patineur professionnel ne tournoient pas dans les deux sens durant une pirouette. Ce n'est pas le cas des patineurs amateurs, chez qui le mouvement rapide des yeux provoque le vertige. Dans cette situation, les yeux aperçoivent rapidement des objets sans vraiment les voir.

Les yeux d'un patineur professionnel ne se concentrent pas sur un point fixe durant une pirouette – au contraire, ils restent dans le vague – mais sur l'espace entre le patineur et l'objet le plus proche. Ce regard ressemble beaucoup à celui de quelqu'un qui est « dans la lune ».

Comment ne pas se focaliser sur un objet ou sur des spectateurs ? Une entraîneuse nous explique qu'elle apprend à ses élèves à voir un « flou constant », c'est-à-dire une ligne imaginaire courant autour de la patinoire. Cette ligne peut se trouver sur les sièges ou le long de la barrière de la patinoire (ou même au plafond lors d'une pirouette cambrée en arrière). Il ne faut pas que le patineur ait la sensation d'être le centre de cette toupie en mouvement. Même quand les mains et les jambes s'agitent, il doit avoir l'impression que ses épaules, ses hanches et sa tête sont alignées.

Les patineurs amateurs ont souvent le vertige lorsqu'ils s'arrêtent de tournoyer (le même phénomène se produit quand on descend d'un grand huit). Ce professeur explique à ses élèves comment éviter cette sensation en tournant la tête dans la direction opposée à la pirouette au moment où ils s'arrêtent.

Le plus surprenant dans les réponses reçues, c'est que les stratégies des patineurs sont diamétralement opposées à celles des danseurs de ballet. Les danseurs choisissent consciemment un endroit ou un objet sur lequel se concentrer. Ils tournent la tête au tout dernier moment, entraînant le mouvement du corps, tandis que les patineurs gardent la tête alignée sur le reste du corps.

Pourquoi la technique des danseurs ne fonctionne-t-elle pas pour les patineurs ? Afin de répondre à cette question, nous avons consulté un médaillé olympique célèbre pour la vitesse de rotation de ses pirouettes – au sommet de sa gloire, elles atteignaient six tours à la seconde. Selon lui, la technique des danseurs n'est pas valable pour les patineurs parce leurs pirouettes sont si rapides qu'il leur est impossible de se concentrer visuellement sur un objet déterminé. Au mieux, les patineurs sont capables de voir le « flou constant » dont nous avons parlé précédemment, ce procédé étant plus mental que visuel.

Un autre patineur, formé et suivi par l'un des meilleurs entraîneurs, a appris à faire des pirouettes les yeux fermés. Il estime que faire des pirouettes sans avoir le vertige est un acte construit sur la suppression des repères visuels. Le patineur doit également se convaincre que le mouvement rapide de rotation de son corps n'entraîne pas le vertige. Facile à dire !

Le tranchant de la lame sur la glace est si mince que faire une pirouette revient presque à tournoyer sur un point vertical. Lorsque son corps est aligné correctement, le patineur ressent un état d'apaisement — alors qu'il tourne à une vitesse ahurissante !

Pourquoi presque tous les numéros de patinage, lors des compétitions et des exhibitions, s'achèvent-ils par une rotation longue et rapide ? Nous avions pensé qu'il était préférable pour un patineur d'achever sa prestation sur cette figure parce que le vertige l'empêcherait d'en accomplir d'autres ensuite. Une icône du patinage artistique nous répond :

> L'avantage des pirouettes est que, à la différence d'autres mouvements de patinage spectaculaires, elles sont durables. Alors qu'un triple saut se prolonge nécessairement par une autre figure, une pirouette marque un arrêt dans le temps et, par conséquent, constitue un formidable point final à une exhibition menée tambour battant pendant plusieurs minutes.

Pourquoi emploie-t-on de l'eau chaude pour refaire la surface d'une patinoire ?

Au cours de son exhibition ou de son entraînement, un patineur endommage la surface de la glace, entaillée par les lames de ses patins. Plus il y a de patineurs sur la glace, plus la surface est abîmée.

Notre spécialiste se nomme Franck Zamboni, un Italien qui a immigré aux États-Unis. C'est lui qui a créé la Zamboni, une machine permettant de refaire la surface de la patinoire sans effort. Franck possédait une patinoire, la Icehouse, en Californie. Il réalisa combien d'énergie et de temps étaient gaspillés par l'équipe de maintenance, qui arrosait et balayait manuellement la surface gelée. Cette activité occupait trois à cinq hommes durant en moyenne 1 h 30 par jour. Lors des matchs de hockey sur glace, six à huit employés étaient réquisitionnés pour racler la glace entre les périodes de jeu. C'est dire l'enjeu économique de cette activité !

En 1942, Zamboni prit une Jeep et élabora un « resurfaceur » pour automatiser le procédé. Après 7 ans d'expérimentation, il fabriqua lui-même une première version de la Zamboni, qu'il utilisa dans sa propre patinoire. En 1950, la plus célèbre patineuse artistique du monde, Sonja Henie, médaille d'or aux jeux Olympiques de 1928, 1932 et 1936, vit la machine de Zamboni et en réclama une pour sa tournée. Résultat : les gérants des patinoires du monde entier réclamèrent à cor et à cri ce dispositif.

Le génie de la resurfaceuse Zamboni, qui existe à présent en plusieurs modèles, réside dans le fait que tout le processus est traité grâce à un seul passage sur la glace. En réalité, elle exécute pas moins de quatre opérations différentes :

1 Une lame plate racle la première couche de glace.

2 Les copeaux de glace laissés sur la surface sont expulsés dans un réservoir (d'environ 2 800 litres), qui occupe la plus grande partie de la machine.

3 Des jets d'eau nettoient la glace de ses impuretés, puis un aspirateur récupère l'eau en surplus. Cette phase ne crée pas une nouvelle surface, mais traite la glace fraîchement raclée.

4 De l'eau propre est alors soigneusement étalée sur la glace. Ce processus élimine tout corps étranger. De 250 à 450 litres d'eau sont utilisés pour « resurfacer » une patinoire classique.

Pourquoi cette eau, étalée afin de former la couche supérieure de la glace, doit-elle être chaude ? En faisant fondre un peu de glace, l'eau chaude ne ralentit-elle pas le processus de congélation ?

L'explication la plus commune est que, comparée à l'eau à température ambiante, l'eau chaude adhère mieux à la glace ; celle-ci fond un peu plus et, de cette manière, les rainures et imperfections de la surface sont mieux comblées. Le gradient de température (répartition des échanges thermodynamiques entre les couches de glace) favorise cette adhésion plus homogène de la couche supérieure de « l'ancienne » glace à la partie supérieure de la nouvelle surface. Ce processus permet de former une couche supérieure de glace parfaitement lisse.

Le chef de maintenance d'une entreprise qui travaille avec Olympia, l'un des principaux rivaux de Zamboni, nous a présenté le manuel d'utilisation d'une de leurs machines :

> Pour obtenir les meilleurs résultats au moment de refaire la surface de glace, l'eau que vous employez doit être tiède. En faisant fondre légèrement la surface avant la congélation, on obtient en effet une adhérence optimale avec la couche de glace existante. L'eau chaude contient moins d'oxygène que l'eau froide et produit donc de la glace plus dure, plus résistante. Celle-ci est moins sensible aux attaques des patins et n'exige donc pas un resurfaçage permanent. La maintenance de la patinoire est alors optimale et l'usure des équipements, minimisée.

Plusieurs physiciens nous ont confirmé que l'eau chaude avait de légers avantages au moment de refaire la glace, mais ils se sont demandé si ce petit gain justifiait vraiment le coût du réchauffage de l'eau employée dans le processus. Si les scientifiques se posent des questions concernant le coût, vous pouvez être sûr que les propriétaires de patinoires aussi. Dans les patinoires très fréquentées, la surface est reprise toutes les heures ou toutes les 2 heures. On peut donc aisément imaginer le coût de réchauffage des 380 litres nécessaires à l'entretien.

Richard Zamboni lui-même, président de l'entreprise de son père, nous parle de sa patinoire :

> Nous n'utilisons pas d'eau chaude, et nous ne l'avons jamais fait. L'eau froide nous satisfait, et nous ne nous sommes donc jamais inquiétés du coût du chauffage. Nous ne recommandons pas l'eau chaude. Lorsque nos clients ont un problème avec le travail de resurfaçage de leur patinoire, le simple fait d'aiguiser la lame de la machine suffit généralement à le résoudre.

Malgré le manuel d'utilisation d'Olympia, le chef de maintenance dont nous avons parlé précédemment est d'accord avec Zamboni. Sa patinoire n'utilise pas d'eau chaude (hormis dans des situations bien particulières). Si force est de constater que l'eau chaude lisse beaucoup mieux la glace que l'eau à température ambiante, le coût du réchauffage est bien trop élevé.

Existe-t-il une logique dans la disposition des nombres sur une cible de fléchettes ?

La cible, connue sous le nom d'horloge (parfois appelée « horloge de Londres » ou « horloge anglaise »), est aujourd'hui la norme internationale pour tous les tournois de fléchettes. Le tableau fait 45 cm de diamètre et celui des scores, 34 cm. Le centre de la cible contient deux petits cercles : le point central, appelé *double bull* ou *double bull's eye*, vaut 50 points ; l'autre *bull*, appelé *simple bull*, en vaut 25.

La forme de la cible et le système de comptage n'ont pas toujours été aussi uniformes. À l'origine, les fléchettes étaient utilisées comme des armes. La légende raconte que les premières fléchettes ont été fabriquées par un roi de Saxe, trop petit pour utiliser un arc et une flèche. Il résolut le problème en sciant les flèches de manière à ce que les projectiles ne mesurent que 30 cm de long.

Le jeu de fléchettes, venu d'Angleterre, date du XVe siècle. Pour se divertir, des militaires scièrent des flèches et s'amusèrent à les lancer contre le couvercle de tonneaux de vin. Ce jeu s'appelait cibles, et les petites flèches, fléchettes. Henri VIII y prit goût, et Anne Boleyn, sa deuxième épouse, lui offrit un jeu de fléchettes incrusté de pierres précieuses.

Comme le jeu devenait de plus en plus populaire, les soldats cherchèrent des cibles plus adaptées. Ils utilisèrent des rondelles de bois, en particulier en orme. Les anneaux concentriques des arbres formaient des divisions naturelles pour compter les points, et les fentes apparues dans le bois sec dessinaient des lignes radiales définissant les secteurs qui partaient du centre de la cible.

Avec le temps, de nouvelles formes de cibles sont apparues — dont de nombreuses régions d'Angleterre revendiquaient la paternité. Le jeu devenant très populaire dans les pubs anglais dès le XIXe siècle, la standardisation de la forme des cibles devint inévitable. Les cibles, faites à partir de troncs d'orme, devaient être trempées chaque soir afin d'éviter qu'elles ne sèchent et que les fentes ne s'agrandissent. Il n'était pas rare d'employer de la bière pour mener à bien cette opération quotidienne.

Un chimiste nommé Ted Leggett créa juste après la Première Guerre mondiale une pâte à modeler inodore, qualité qui la différenciait des autres pâtes de l'époque. Il appela son produit (et sa société) Nodor et décida de le commercialiser. Selon sa fille, il aurait un jour lancé quelques fléchettes qui se seraient fichées fermement dans un morceau de sa pâte à modeler. Il se mit alors en tête de concevoir des cibles à partir de son matériau. La cible Nodor était née. Commercialisée dès 1923, elle reprenait le modèle de l'horloge mais en incorporant d'autres formes régionales. Face à la popularité grandissante de ce jeu, on désigna un organisme chargé de réglementer les compétitions entre les clubs régionaux. Notre chimiste Leggett devint le premier président de l'Association nationale du jeu de fléchettes en 1935. La cible en forme d'horloge devint alors le standard.

Y avait-il une raison particulière à la supériorité de cette cible sur ses concurrentes ? Nous avons contacté plusieurs experts. Selon l'un d'eux :

> Personne n'a l'air de le savoir. J'ai fait plusieurs voyages en Angleterre, et j'ai parlé avec de nombreuses personnes, aujourd'hui âgées, qui avaient travaillé pour des sociétés de fabrication de cibles. Personne n'a jamais su m'expliquer la raison de cette soudaine domination de la cible en forme d'horloge. J'ai pourtant interrogé des ingénieurs de Nodor ! Quant à la mystérieuse disposition des valeurs sur les 20 segments de l'horloge, qui sait si elle a jamais répondu à un ordre logique...

Pourquoi les filles lancent-elles « comme des filles » ?

Si vous demandez à un garçon de lancer une balle de tennis aussi loin qu'il le peut, il lèvera son coude et jettera son bras loin derrière afin de prendre de l'élan. Une fille, elle, aura tendance à garder son coude statique et poussera sa main en avant dans un mouvement qui rappelle vaguement celui d'un lanceur de poids.

Pourquoi cette différence ? Notre correspondant dit qu'il a entendu des théories farfelues selon lesquelles les filles auraient un os supplémentaire qui les empêche de lancer comme les garçons. Ou au contraire qu'il leur en manque un... Nous avons contacté des physiologistes (qui nous ont assuré que garçons et filles ont bien le même nombre d'os !) et des professeurs de gymnastique, qui ont étudié les performances des filles dans le cadre du lancer.

Deux professionnels citent, dans leur livre, bon nombre d'études qui indiquent que, jusqu'à 10 ou 12 ans, la motricité et l'aptitude sportive des garçons et des filles sont similaires. Dans la plupart des tests, les garçons battent de peu les filles. Mais, au début de la puberté, ils deviennent plus forts, acquièrent une excellente endurance musculaire et cardio-vasculaire et surpassent les filles dans pratiquement toutes les disciplines liées à la motricité.

Le lancer de balle est, cependant, le seul test sportif qui marque une suprématie permanente des garçons sur les filles, et ce à n'importe quel âge, puberté ou non.

où ? comment ? qui ? pourquoi ? quand ? ou ? comment ? qui ?

Index

D

E

T, U

V

W

Z

INIMAGINABLE !
est publié par Sélection du Reader's Digest

PREMIÈRE ÉDITION
Premier tirage

Achevé d'imprimer : août 2009
Dépôt légal en France : septembre 2009
Dépôt légal en Belgique : D-2009-0621-88

IMPRIMÉ EN CHINE
Printed in China